新世纪教师教育丛书·修订版

袁振国　主编

为思维而教

郅庭瑾　著

教育科学出版社

·北京·

《新世纪教师教育丛书》修订版前言

振兴民族的希望在教育，振兴教育的希望在教师。

教师是一种专门化的职业，它有自己的理想追求、有自己的理论指导，有自觉的职业规范和成熟的技能技巧，具有不可替代的独立特性。教师不仅是知识的传递者，而且是道德的引导者，是思想的启迪者，是心灵世界的开拓者，是情感、意志、信念的塑造师；教师不仅需要知道传授什么知识，而且需要知道怎样传授知识，知道针对不同的学生采取不同的教学策略。教师职业的专门化既是一种认识，更是一个奋斗过程；既是一种职业资格的认定，更是一个终身学习、不断更新的自觉追求。中国教师队伍的培养和培训正在发生着历史性的变革，正在从发展数量向提高质量转变，提高质量将成为新世纪教师队伍建设的主旋律。在这种转变的过程中，无论是职前培养还是职后培训，无论是教育机构还是教师个人，都需要以一种新的姿态迎接这一转变。

我们从对广大中小学的调查中了解到，面对全面推进素质教育的新形势，当今教师迫切需要不断更新教育理念，提高将知识转化为智慧、将理论转化为方法的能力，提高将学科知识、教育理论和现代信息技术有机整合的能力，增强理解学生和促进学生道德、学识和个性全面发展的自觉性。为了响应这种挑战，广大的师范院校和教师培训机构都在积极探索教师教育的新内容和新方法。以华东师范大学为例，1996 年起，就有组织地开发了现代教育理论与教育实践紧密结合的新课程系统和教学模式，这些课程包括：教育新理念、课程理论与课程创新、现代教育技术、教育评价与测量、当代教学理论、教学策略、心理健康指导、网络教学、课件制作、教会学生思维、师生沟通的艺术、优秀班主任研究、中小学教学与管理案例分析、教育研究方法、基础教育改革的理论与实践等。参加课程开发的教师 60% 具有教授、副教授职称，80% 具有硕士、博士学位。这一项目列入了教育部师范司"面向 21 世纪高师教学与课程改革计划"重点项目。我主持了这一项目的研究和实践。根据边实践、边研究、边总结、边改进的方针，经过几轮教学，逐渐形成了一批相对成熟的教材，经过精选整合、修改补充，于 2001 年由教育科学出版社出版。由于这套丛书理念新、注重理论联系实际、强调可操作性，出版以后受到了读者极大欢迎，数次甚至数十次重印，为满足教师教育的新形势、新要求，尽了绵薄之力。

正是由于这套丛书影响大、受欢迎程度高，所以更增强了我们的责任感。丛书出版的六年多来，教师教育的知识、观念不断更新，教师教育的实践不断发展，我们对教师教育课程的认识也不断深化，为此，根据教师教育的新形势和新要求，我们对《新世纪教师教育丛书》进行了修订。这次修订包括两方面，一是对第一版图书进行了较大修订，更新了内容，改善了结构，修饰了语言，修订了错误；二是丛书新增了若干选题，以反映教师教育的新要求。

祝愿丛书与我国一千多万中小学教师共同成长。

袁振国
2007 年 7 月

目 录

前言　让教育成为充满智慧的活动

一、故事引起的思考

在沃顿商学院的一本教材中，有这样一则故事令人感受颇深。

午夜时分，你听到楼下公寓里传来很大的收音机声[①]

　　上周，住在公寓里的一位安静的老人去世了，你已经开始考虑下一位房客的到来。你不知道谁会住进来，并且你刚刚从大学同学那里听到一些令人恐怖的故事。在公寓里，一个不好的邻居会给你的生活带来很多麻烦。现在你最担心的事情发生了。爵士乐不停地响着。你辗转反侧，看着挂钟。现在是午夜00：30，你决定再等一会儿。即使你的新邻居是一个性情古怪的人，你也不愿意第一次会面就吵架。1点了，收音机还在刺耳地叫着。他们到底在举办一个什么样的聚会？你明天还要早点起床工作。什么样的人会这样无知？所以你想走下楼以平和的语气教导这个白痴。你使劲地敲着门，然后门摆动着开了。你很奇怪地发现，公寓里几乎是空的。没有任何新邻居搬入的迹象，屋里甚至连家具

　　① 杰里·温德，科林·克鲁克.超常思维的力量［M］.周晓林，译.北京：中国人民大学出版社，2005：3－4.

都没有。于是你走进去。在里屋，你发现一些衣服和油漆桶，一个咚咚作响的盒子连着墙上的电源插口。

根本就没有什么邻居，只是一个粗心的油漆工白天离开时把收音机落下了。新的房客还没有来。你根据噪声凭空创造出来的无知邻居已经从你脑海中消失了，但是你感受到的愤怒和其他情感仍然真实存在。让你平静下来再去睡觉非常困难，因为你还在生这个"邻居"的气，虽然只是一个在你头脑中存在的邻居。你创造了这个令人讨厌的角色来解释吵闹的音乐，它有了自己的生命。如果你没有下楼去敲门，那么你可能很多天都要带着这种幻觉过日子。

你的心智模式塑造了你看待世界的方式。它们有助于你快速地赋予外界的噪声以意义，但它们也能限制你认识真实世界的能力。它们一直伴随着你，就像你的邻居一样，可能对你有很大的帮助，也可能让你整宿无眠。

商学院的教材运用这个故事来论证人的"心智模式"如何塑造一个人对于事物的理解和对于世界的认识。的确，心智模式存在于每一个人的生活、学习、工作等方方面面，时刻产生着不容忽视的影响。因为，我们在生活、学习和工作中的任何思维和行动都来自于我们对于这个世界的认识，而心智模式正是决定着我们如何认识和定义外部世界的。也就是说，心智模式一方面塑造我们所能够看到的信息，决定我们如何理解这个世界，另一方面还塑造我们如何在其中采取行动。

然而，在这个故事中我们却看到，人们赖以理解生活、作用于外部世界的心智模式却有可能把人限制在某种固定的思维模式中，妨碍他看到显而易见的正确答案，妨碍他在面对问题时做出聪明的判断与智慧的结论。

与"午夜收音机"的故事相类似的问题，哲学家周国平也讲述过一个令人感怀的故事。

永远牵不到的手①

这是一只丰盈的手。十指纤纤，珠光宝气。手美，人更美。

美人自然也有一个诗一般的名字。采诗。采诗是她的名字。

这是一栋二十层的现代豪华大厦。这栋大厦是采诗她爸的。

采诗如诗如画如烟如雾。她不爱读书。

她有一间别致的小型办公室。她想来上班就上班。

上班对她来说只是象征性的。没有人知道她究竟是星期一、还是下周三上班。

没有一个人知道，除了她自己。甚至于她自己也不知道。

她的许多决定都是突发性的。但有一点是可以肯定的：此时此刻她正在上班。阳光透过蓝色的纱窗过滤后斜照在采诗的办公桌上。

她刚打完电话。她正在桌边浏览时装杂志。

小李是采诗的近身门卫。他正在当班。相同的阳光也照到了他的身上。

阳光多么平等。不平等的是小李的心。

他每天都斜站在大门之侧。他的目光正瞟着室内的办公桌。

这个角度只能够看到办公桌。当然他并不是想看办公桌。

他是想看到桌上那只光滑的手。那只温柔的手。

这是他的角度，小姐发现不了的角度。他这半年来共看了六十八次。

此时，他正在看。这是第六十九次。

阳光平静。办公室平静。不平静的是小李的心。

他多么想跟这只手握上一握，那有多好。

但他不敢。先是不敢想。后是不敢做。为什么不敢想。因为他认为那是不可能的。

我们的教育教了很多的"不可能"。"人要现实一点，客观一点……"

---

① 周国平．纯粹的智慧［M］．北京：中国电影出版社，2005：2-3.

　　故事里的小李最终也不可能成功地牵到那只无限温柔与美好的手。尽管他的内心充满真实和强烈的渴望，尽管他会持续地经历激烈的思想斗争和内心挣扎，然而最终他还是没能实现自己的愿望。周国平的分析认为，小李之所以失败是因为不完善的教育把六大敌人派驻进了他的头脑，并且将主人灵性的头脑牢牢控制了。这六大敌人分别指的是：分裂人、主观人、虚伪人、简单人、封闭人、被动人。

　　我认为，这里的所谓头脑中的六大敌人与沃顿商学院教材中的"心智模式"，看似风马牛不相及，实际如同一个立方体的不同侧面。它们所反映的，或者引起我们反思的，都是一个人思考问题、处理问题的方式，或者简单地称之为思维方式，以及不同的思维方式所带给人的不同的影响。面对生活、学习或者工作中的各种大大小小的事情或问题，每个人都自然而然地运用自己习以为常的思维方式去应对，做出各种各样的回应或对策。偶尔，当发现别人对同一个事情或问题的处理方式或解决办法与自己迥然不同时，我们会惊讶于不同的人在想法与观念上的差异，会惊叹，"啊，他居然是那样认为的！"或者，"天哪，我怎么没有想到这一点！"但更多的时候，我们任由自我的惯常思维控制着自己的心智，任由大脑对于外界做出条件反射般的回应，并在此基础上习以为常地生活着、学习着、工作着。

　　"心智模式"也好，"头脑的敌人"也好，或者自我的惯常思维也好，一个人的思维方式的形成，是多种因素共同影响的复杂的结果。这些因素包括教育的经历、训练的活动、他人的影响和个人的经验等。其中，教育的经历对于人的思维方式的影响尤其不容忽视。然而，教育恰恰在这一方面并未赢得社会的认可与信任。这些年来，社会各界对于国人的创造能力的深重忧虑，以及继之引发的对于教育培养人的创新精神的集体诘问，实际上是对我国教育在今天这样一个个性张扬创新凸显时代所遭遇的思维培养缺位或智慧养成乏力问题的全面清理。毫不讳言地说，那种以应试为中心的教育，在给我们的学生一代以爆炸性的知识积累的同时，确实没有给他们以相应的思维能力的养育和人生智慧的提升。知识技能的优越与人生智慧的某种缺失可谓今天的精英学子集体性的素质特征。从这个意义上说，在反思他们身上表现出来的性格与行为缺失的同时，更有必要反思我们的教育。

二、知识被误解为教育的目的

教育的最终目的，不是培养鹦鹉学舌的模仿者，而是培养能够独立思考的创造者。学生的思维能力是通过各门课程的学习和整个教学过程逐步培养起来的，即思维能力的发展本是教学的题中应有之义。然而，一些事实显示，我们的教育和教学似乎在某种意义上讲没有承担起这个应负的责任。甚至相反，某些教育教学活动实际上成了学生思维能力的屠宰场，"在大批地屠杀天才"。经过正规学校教育教学的影响之后，原本灵动的心反而呆滞了，应该更加精彩雀跃的思维反而一步一步走向了平淡和平直。学生思维能力的发展和培养应遵循的规律被教学置之度外，学生思维的发展几乎成为"教学的荒地"。其根本原因在于，教学材料及其所蕴涵的知识被误解为目的本身，而发展人的思维的根本目的反而被不知不觉地遗忘了。

传统的教学向来就被认为是传递知识的事业，教学的主要内容也被约定为基础知识与基本技能的"双基训练"。传统教学的痼疾，就在于教师过分看重知识的传递而轻视思维能力的培养，教师过多地控制了学生的思维而剥夺了学生自由发展的精神空间。这种状况早被杜威在20世纪初言中。"学校中过分重视学生积累和获得知识资料，以便在课堂问答和考试时照搬。知识作为一种资料，意思就是进一步探究的资本，必不可少的资源。知识常被视为目的本身。于是，学生的目标就是堆积知识，需要时炫耀一番。这种静止的、冷藏库式的知识理想有碍教育的发展。这种理想不仅放过思维的机会不加利用，而且扼杀思维的能力。在乱糟糟地堆满废弃破烂的场地上，没有人能够建造房屋。学生脑子里装满了各色各样从来不用的材料，当他们想要思考时，必然受到阻碍。他们没有做过选择适当材料的练习，也没有标准可以遵循；每样东西都处在同一个呆板、静止的水平上。"① 而且传统的教学所遵循的逻辑顺序往往是一些"适合于成年人的思维形式",将知识"剁碎",一次让儿童学习一块。这样做的潜台词是,"当儿童得到了所有单独的碎块以后,他就会有了整体"。可事实上这是荒谬的。当知识被分割得支离破碎之后,学生所能做的一切就只剩下了记住公式。如此,"儿童的经验这时就不是真正的经验了,而仅仅是努力记住对别人经验结果的叙述。在这种条件下,思维,真正的思维,发现与探索的思维,就受到了限制"。②

在一些看重"知识传授"的学者们看来,传递文化知识是整个人类文化延续的需要,因此,学校应该做的最重要的事情就是把对所有人来说是有用的主要概念和知识传授给他们。伴随着知识和信息的爆炸,这种"知识本位"所产生的结果是:学校不得不一再扩展学科科目所能够覆盖的广度和深度;判断学校是否在厉行改革就是看其是否增加了课时总数、延长了课时时间;教师的教学行为一再受到课程大纲、课本修订和考试计划的影响;家长和行政领导判断学校和教师的标准是,看他们是不是能够更迅速、更及时地传授更多的知识。在教师看来,他们的教学涉及和覆盖的内容越多,教学就越有成效。与此相应,学生在课程学习中,知识掌握越多,进步越明显,教学就越有成效。因此,所谓最富有成效的教学,常常被误解为有着最大"知识覆盖面"的教学。知识的目的原本为了解决人的生活问题,知识至多不过是"问题解决"的工具。现在几乎颠倒过来,解决人的生活问题的"问题解决"在教育中似乎没有了地盘,知识的权力无止境地膨胀,知识似乎取代了"问题解决"而粉墨登场,荣升为目的本身。

知识由工具转化为目的经学校教育的考试而暂时地得到强化和"合法化"。在传统教育中,由于对升学率的追求,人们过分看重学生的学习成绩,而忽视了思维能力的发展。于是,在学校中,那些在语

---

① 杜威. 民主主义与教育［M］. 王承绪,译. 北京:人民教育出版社,1990:168.
② 克伯屈. 教学方法原理——教育漫谈［M］. 王建新,译. 北京:人民教育出版社,1991:264 -265.

文、数学等学科上取得了优异的成绩，或者在体育、绘画、舞蹈、音乐等方面有突出表现的学生往往被认为是聪明的、具有较高的创造力的孩子，也被视为思维能力较强的孩子，是有培养和发展前途的对象。与此相对，那些在学校期间学业平平，艺术素质也不是很突出，但在其他方面如人际交往与合作、管理、组织等方面明显表现突出的儿童却常常被教师忽视。

然而，有趣的是，人们经常发现，在学校考试中名列前茅的儿童在日后走上工作岗位，在其事业里可能并没有什么惊人的表现，相反，在那些当时不为教师所重视的儿童中却不乏事业成功者和开拓型人才。就是在学校期间，也经常有这样的现象：有的学生学业成绩并不是很突出，但能够很出色的胜任班干部的工作，在同学中有很强的号召力，表现出组织和管理方面的非凡才能；有的学习成绩并非领先的学生，却能够经常开动脑子，不断有新颖独特有创意的小发明、小制作问世；还有的学习成绩不怎么样的学生在处理实际问题中常常表现出果断、有主见等品质。不管产生这种情况的原因是什么，这些现象有力地表明了思维能力与学习成绩之间并不必然地具有正相关关系。

考试成绩在多大程度上代表了一个学生的实际思维水平，的确是很令人怀疑的。如果说以往的考试还包括有"义理"的内容，即还注重对考生的"思想"的考核，今天的"新式"考试实质上已经成为某种"记忆"游戏。很多试卷实际检验到的，不是别的什么东西，也没有更多的东西，只是考生的记忆力而已。考记忆力的考试给教育带来的一个直接的后果是，整个教育方式都是记诵式的：一种灌输式的死记硬背的、对于心智的开启和思维能力的培养并没有太大意义的方式。在这样的教育中，记忆力强且善于考试的学生，一般都能够取得较高的学习成绩，也一般被认为是好学生。相反，那些思维活跃，富有才华、有个人见解和思想，又不满足于记诵书本现成知识和答案的学生，反而考不出理想的成绩。原因很简单，应试教育的考试方式关怀的终极目标是考试本身，而不是教育、培养、选拔出真正的人才。有思想、有才能的学生却因为不能适应于"记忆力"游戏的要求，而往往被无情地排除在制度化的学校教育体系之外。而现在，该是重视学生思维发展的时候了。

三、重构教育目的：超越知识与思维之争

事实上，关于思维训练问题在教育史中早已引起关注。最极端者甚至将思维训练作为教学的唯一目的，形成所谓"形式教育"（或形式训练）一派。

"形式教育"作为一种教育理论，渊源于古希腊和罗马（如柏拉图、昆体良），形成于17世纪（如洛克），而在18、19世纪（如裴斯泰洛齐）已经开始盛行。作为一种理论，有人认为形式教育在20世纪初已经没落。①

"形式教育"坚持教育应以训练官能、发展能力为主要任务，并据此设置课程和选择教材。这种思想起源于古希腊、罗马时代的一些哲人。如智者派的主要代表人物普罗泰戈拉认为，教育的目的是使受教育者学到处理"私人事务及公共事务中的智慧。他们学到把自己的家庭处理得井井有条，能够在国家事务方面作最好的发言与活动"。② 在这里，没有哪一门学科知识是智者派特别强调的，他们强调的只是处理事务和解决问题的"智慧"。普罗泰戈拉所宣称的智者，就是教人以智慧的教师。而柏拉图认为每个人心灵里都有一种官能，当它被蒙蔽或毁坏后，可以用算学、几何学、天文学、音乐等学习来澄清或重新点燃它。按照柏拉图的意见，全部教育思想体系的最终归宿是培养"哲学王"，也就是国家的最高统治者。所以，教育的目标在于追求"政治权利与聪明才智合而为一"③。而古罗马的昆体良尤其强调教育对于雄辩家的培养。他认为教学不在于使学生掌握关于事物的知识，而在于"能力"

① 瞿葆奎，施良方. "形式教育"与"实质教育"（上）[J]. 华东师范大学学报（教育科学版），1988（1）.

② 北京大学哲学系. 古希腊罗马哲学 [M]. 北京：生活·读书·新知三联书店，1957：132.

③ 柏拉图. 理想国 [M]. 郭德和，张竹明，译. 北京：商务印书馆，1986：215.

"口才"和"形式"的训练。为了达到培养雄辩家的目的，昆体良特别重视文法学校中所开设的"文法"这门课程。他指出，学习文法，"有助于使孩子的智力变得敏锐，而且也为运用最渊博的知识和学问开辟了前景"①。从教育内容来看，无论是智者派所创立的包含辩证法、修辞学和文法在内的"三艺"，还是柏拉图所提出的以算术、几何、天文、音乐四门课程为主的"四艺"，以及后来中世纪初期所形成的"七艺"，这些课程有一个共同之处，就是开设的目的并非在于课程内容本身，而都是指向于以这些课程作为途径和手段，经由这些课程的学习和训练，达到受教育者智慧即思维和智力的真正发展。形式教育的理论以官能心理学为理论基础，认为心灵是由各种官能构成的，它们通过一定的材料分别加以训练后得以增强，并能迁移到其他学习中去。传授知识的价值不在于其实用，而在于其训练的作用。从 17 世纪到 19 世纪前期，西方学校一直把古典语言、数学作为训练心灵最好的学科。20 世纪初，随着实验心理学的兴起，心理学理论研究和教育实践证明，一切学科都有锻炼心智的作用，人们才普遍开始意识到不能只重视教材形式的作用而忽视其内容价值。

与"形式教育"相对，"实质教育"（或实质训练）主张教育应以获得有实用价值的知识为主要任务，并据此设置课程、选择教材。从 17 世纪初培根（Bacon, F.）振聋发聩地提出闪烁着智慧光芒的名言"知识就是力量"之时起，科学知识就成为人们最高的崇拜。随后，捷克教育家夸美纽斯（Comenius, J.）提出泛智教育思想，提倡实施一种"周全的教育"，让学生学习那些对于人类来说所必需的一切知识，从而使得"人们受了教育就可以认识真理，学到智慧，并且学会把知识正确地运用于一定的目标上，从而消灭社会关系中的一切不正常的现象"②，知识的重要性更是日益受到人们越来越多的关注。特别是到了

---

① 昆体良教育论著选［M］. 任钟印，选译. 北京：人民教育出版社，1989：30.

② 凯洛夫. 伟大的教育家扬·阿·夸美纽斯［C］//赵荣昌，单中惠. 外国教育史教学参考资料. 上海：华东师范大学出版社，1991：190.

18、19 世纪以后，由于社会进步和工业化的发展，尤其是自然科学领域划时代的能量守恒和转化定律、细胞学说、进化论三大发现，人们认识到仅仅强调发展学生思维能力而不重视授以有用知识的形式教育不能适应客观的需要。欧洲开始出现教授自然科学的学校。19 世纪英国科学家赫胥黎（Huxley，T.）主张将自然科学列入学校课程，强调用科学知识来改造传统的拉丁文和希腊文占统治地位的学校课程。同时，英国思想家斯宾塞（Spencer，H.）发表《什么知识最有价值》（1859）一文，主张制定以科学知识为核心的课程体系，开始形成实质教育派理论。这种理论是以联想主义为其心理学基础的。认为人的心灵出生时一无所有，建设它的原料是作为经验产物的各种观念。教育的任务在于向学生提示反映外界事物的内容，以产生观念，充实心灵。因此，应重视课程、教材的具体内容及其实用价值，而不应强调它们的思维训练作用，并认为凡在指导行为方面最有价值的知识，必有一种心理训练的作用。他们维护实验教育的方向，认为教育的效果就表现于学生掌握实用科学知识的数量及其能否为将来从事工商等职业活动做好准备。

作为一种理论，无论"形式教育"还是"实质教育"在当前的教育领域基本上不复存在。但形式教育与实质教育的探索为后来的教育留下了宝贵的遗产。从某种意义上说，当前教育领域一直令人牵挂的"知识与能力"或"知识与思维"或"知识传授与思维发展"之间的论争，几乎可以视为教育史上形式教育与实质教育论战的回音。在讨论"知识与思维"的关系问题时，人们总是不由自主地回顾"形式教育"与"实质教育"的历史争论。但在这个问题上，教育研究领域一直有一种"复杂"的心态：人们谁也不否认教育应该传授给学生实用的、有意义的知识，比如在计算机与古希腊逻辑学之间，或者在现代美国英语与古希腊语之间，人们似乎更重视前者而忽视后者，理由是前者实用而后者离生活较远。就此而言，某种意义上的"实质教育"乃教育理所当然的使命。但同时人们也承认，教育的基本任务之一，在于发展学生的智力，使学生学会思维，因而"形式教育"具有合理的价值。

我们认为，走出形式教育与实质教育之争的困境似乎不在于采取"非此即彼"的办法，也不一定在于像德国学者第斯多惠所设计的那样在小学以形式教育为主，在中学"逐步提出实质教育"的目的。简单的非此即彼或直线式的加法处理可能都无法超越形式教育与实质教育的藩篱而提取二者的合理精神。

我们的基本观点是，在知识与思维之间，知识本身并无价值，知识的价值存在于"解决问题"的过程中，而当知识用来解决问题时，知识将发挥它的思维训练价值。这样理解知识与思维之间的关系时，它似乎更接近"形式教育"的意见，但我们更愿意将它视为对形式教育的某种超越。与古典意义上的形式教育明显的不同之处在于，我们并不认为某些学科对学生的思维训练具有的价值，却坚信任何知识，只有在解决问题的过程中才发生它的价值。我们毋宁将知识视为解决问题、发展思维的材料，而不将知识视为目的本身。尤其在当前的教育被大量的无休止的记忆性知识充斥的状况下，发展学生的思维，应该成为教育的基本使命。

令人不安的是，教育发展学生思维能力的使命在传统的应试教育模式中总容易被忽视或遗忘。学校教育与发展能力、培植人才的目标背道而驰。我们的教育到底要发展什么能力，我们的学校究竟意欲培养何种人才，早已引起了多数人的怀疑和反思。甚至经由我们的学校教育，学生的智力是得到了发展，还是受到了压抑和阻挠，我们的教育究竟是在培植人才，还是在制造庸才，这些都成为迫切需要人们进行深刻思考之后给予回答和解决的问题。面对一个创新精神被极度弘扬的时代，我们的教育目标已经定位于培养"具有创新精神和实践能力"的人。而在这样一个时代，一个不会思维的人，一个不具备经由个人创造性思维解决问题的能力的人，纵然学富五车、精通"百科全书"，也并非这个时代所需要的人才。所以，强调知识和思维作为教育应该兼顾的两个维度和层面，以适当的知识积累为基础，在与知识打交道的过程中发展学生的思维能力，应当成为当前教育改革理念的必然选择。

四、人格与思维的互构

走出传统教学的阴影的出路在于对知识有一个合理的态度，同时关注学生的人格构建。

也就是说，教学虽然与"知识"问题密切相关，教学虽然负载了传递基础知识和基本技能训练的任务，但教学的根本目的却并不在于所谓的"双基训练"，而在于引导学生在"使用"知识、"欣赏"知识、与知识"打交道"的过程中发展学生的思维能力。正如杜威所说，"尽管一切思维的结果归结为知识，但知识的价值最终还是服从它在思维中的应用。因为我们并不生活在一个固定不变的和完结了的世界，而是生活在一个向前发展中的世界，在这个世界上，我们的主要任务是展望未来，而回顾过去——一切知识和思想不同，它是回顾过去的——它的价值，在于使我们可靠地、安全地和有成效地去应付未来"①。按照杜威的意见，对于学校来说，它所能做的或需要做的一切，就是培养学生思维的能力。因此，在学校的各项工作中，"持久的改进教学方法和学习方法的唯一直接途径，在于把注意力集中在要求思维、促进思维和检验思维的种种条件上"②。过去的教学习惯于让学生不容置疑地跟从教师的思路获得规定的标准答案，于是"学生的脑子习惯了只是在别人的脑子走过的路上活动"③，根本谈不上思维能力的培养和发展。当下教学的使命，是恢复被遗忘了的教学价值，在传递基础知识和训练学生的基本技能的同时，关注学生的"发展性学力"与"创造性学力"，重视学生的基本能力与基本态度的教学，④ 使学生为发展自己的思维而学，

① 上海师范大学，杭州大学教育系．杜威教育论著选［M］．北京：人民教育出版社，1977：180.

② 同①，181.

③ 斯卡特金．现代教学论问题［M］．张天恩，译．北京：教育科学出版社，1982：50.

④ 有人提出学校课程的基础已经由"双基"发展为"四基"，即除了基础知识和基本技能之外，还要关注学生的基本能力与基本观念态度的教学，提高学生的发展性学力与创造性学力．参见吕达，张廷凯．试论我国基础教育课程改革的趋势［J］．课程·教材·教法，2000（2）.

教师为发展学生的思维而教。

我们的教学如指望发展学生的思维，就不得不改变传统的"传递教学观"，改变学生在教学中的被动状态。旨在培养学生思维能力的教学应该不仅在观念上，而且在行为上来一个转折，抛弃过去那些对思维能力的发展而言不合时宜的做法，真正成为为了思维的教学。课堂教学"应当成为一种情境，使一个班、一个组形成一个社会的统一体，有着共同的兴趣，在一个成熟的、有经验的人的领导下，促进理智的热情。一个学生可能是理智空虚而死气沉沉的，或者是虽有理智兴趣，但对手头上的功课却无兴趣。讲课这一段时间里的任务，就在于激起学生的心灵，使它有所作为，使学生产生某种程度的理智的兴趣"。而一个在课堂教学中堪称合格的教师，或者说，"给学生留下最持久的印象的教师"，应当是"能够唤起学生新的理智兴趣，把自己对知识或艺术的热情传导给学生，使学生有探究的渴望，找到本身的动力"。对于课堂教学来说，这是一件最为重要的事。因为学生"一旦有了求知的渴望，心灵就会有所作为；没有求知的渴望，即使给他塞满了知识，到头来，也几乎毫无所得"①。

在传统教学中，与忽视学生思维发展相并行的另一个严重的问题就是学生的人格被忽视，人的价值和人的地位不受重视。学生常常被当做被动接受知识的容器，总是被要求只能做和不许做什么样的事情，无条件地执行教师的指令，而受到教师喜欢的往往也只是那种循规蹈矩、听话顺从的孩子；教师对学生进行教育的手段离不开批评、呵斥、指责、嘲讽甚至辱骂、体罚和变相体罚，教师和学生之间存在着严重的不平等现象；教学面向的是大多数学生，强求一律，单调、僵化，根本不考虑学生之间的差异性。教师对学生原有的基础和发展水平的差异也根本视而不见，学生"天资的不同水平，被淹没在泥浆之中"②。学生个人的

---

① 杜威. 我们怎样思维·经验与教育 ［M］. 姜文闵，译. 北京：人民教育出版社，1991：219.

② 斯卡特金. 现代教学论问题 ［M］. 张天恩，译. 北京：教育科学出版社，1982：50.

兴趣、爱好不但得不到充分发挥，反而还要被统一的要求扼杀。学生在划一的教育要求下不得不被同化，最终集体趋同。诸如此类的众多现象的存在告诉我们，在我们的教育中，还根本谈不上对学生自主性和独立人格的培养。而在一个缺乏自主性和独立人格关怀的教学中，学生的思维发展就失去了可靠的根基。

所以，在谈论发展学生的思维时，除了需要对知识保持合理的态度之外，教学理所当然地还应当关注学生的人格发展。因为，"通过接受教育从而获得反思和辩驳能力，而这种能力也是具有高尚人生境界的一种标记。无知之人对真理狂吠不止时，哪怕他是皇帝，我们都可以对其嗤之以鼻，而将其看做未受过教育启蒙、灵魂干瘪苍白的粗鄙之人"①。对此，世界各国在自己的教育改革中都已经有所体现。如瑞典教育家胡森这样说："学校教育旨在达到的目标在所有国家的教育中，都是从性格形成和个性发展这个角度来表述的。人们期望学校给予带来的变化，不仅仅局限在认知领域"②。也就是说，教育对人的培养，并不仅仅着眼于学生的学习活动及其结果，更重要的是指向学生作为主体的人格特质。这也正是当前世界范围内教育发展的一个基本趋势。20 世纪 80 年代以后，日本临时教育审议会接连发表了四个关于教育改革的咨询报告，在第四次报告中明确指出，"本次教育改革最重要的是铲除迄今我国教育根深蒂固的弊病——划一性、僵硬性、封闭性，确立个人尊严、个性尊严、自由和纪律、自我负责的原则，即'重视个性的原则'。我们必须对照'重视个性的原则'，从根本上重新认识教育的内容、方法、制度、政策等整个教育领域"，同时在新教学大纲中把原有的"为和平的国际社会作出贡献的日本人"改为"为和平的国际社会作出贡献的具有主体意识的日本人"③。在我国也有学者极力提倡"'全人格'

① 雅斯贝尔斯. 什么是教育［M］. 邹进，译. 北京：生活·读书·新知三联书店，1991：19.

② 胡森. 论教育质量［J］. 华东师范大学学报（教育科学版），1987（3）.

③ 转引自：张天宝. 主体性教育［M］. 北京：教育科学出版社，1999：23-24.

的教育"，所谓"'全人格'的教育，从根本上讲，就是构建完整的主体。把学生发展成为一个完整的主体是当代教育的终极目的"。"全人格教育的要义就是：教育通过知识培养人的认识能力，然后转识成智，开发人的思维能力，形成创造性，最后化智成德，养成德性，使受教育者成为具有全人格的人。"① 总之，教育必须注重对学生的人格的培养，离开了人格的塑造和培养，受教育者的成长和发展是不完整、不充分的。而一个具有人格的人，一定首先是一个会思维的人。不会思维，则不可能构建完善高尚的人格。

独立的思维能力与独立的人格一起构成了人之为人的根本。而人的生命质量的提升，人生价值的体现，更加需要人格的生成和完善。一个具有创新精神的人，一个为人类发展和社会进步作出创造性贡献的人，不可能是一个没有人格的人。因为，"创造性首先强调的是人格，而不是其成就，认为这些成就是人格放射出来的副现象，因此对人格来说，成就是第二位的。自我实现的创造性强调的是性格上的品质，如大胆、勇敢、自由、自主性、明晰、整合、自我认可，即一切能够造成这种普遍化的自我实现创造性的东西，或者说是强调创造性的态度、创造性的人"②。

作为教育对象的受教育者，理想的学生的人格品质，也就是学生的独立人格，其核心指的就是学生自由的个性、自由的意志，就是学生作为个体其自主性及主体地位的张扬和体现。这正是今天我们的教育应该致力于培养学生所必备的人格。

但是，没有独立的人格，也就失去了人之为人的根本特性，更谈不上成为一个受过教育的完善的人。"人格作为主体性的体现，早已被认为是同创作、精神修养和克服时间地点的限制分不开的，而无人格则总是同消极被动、不自由、心胸狭隘和没有尊严联系在一起。"③ 人的发

---

① 邓志伟．个性化教学［M］．上海：上海教育出版社，2000：75，82.

② 马斯洛．存在心理学探索［M］．李文湉，译．昆明：云南人民出版社，1987：131.

③ 科恩．自我论．上海：上海三联书店，1988：47.

展是一个由他律走向自律，即依赖性逐渐减弱、自主性日益彰显，对外界现实的自由度不断扩大的过程。教育只有在尊重、培养学生的独立人格的基础上，唤醒、激发起学生的自主性，致力于培养学生的主体能力和主体人格，才会使学生由自在的主体转变为自主的主体，从而以积极的态度参与到自身的发展与建构中来，其创造性潜能的充分挖掘和发挥才会成为可能。因此，独立人格的塑造是教育的重要内容。没有独立人格的养成，教育培养的人只能是不完整、不完善的人。正是由于这种认识，世界各国在确立本国的教育发展战略和教育目标时，都把培养人的独立人格放在了突出的位置。

有人认为独立的人格是独立思维的基础，也有人反过来说独立思维是独立人格的前提。实际上，人格与思维是互构互动的关系，人格与思维互为原因和结果，相互推动。学生思维水平的发展有赖于人格上的资助；学生独立人格的构建，也有赖于一定的思维发展水平。限于篇幅，本书主要从知识与思维的关系问题切入主题，但始终以"人格与思维的互构关系"作为隐含的前提性假设。

五、关注智慧的生成

当苏格拉底在两千多年前大声疾呼"知识即美德"，当培根也因"知识就是力量"闻名于世的时候，他们的内心所真正期待的，是用知识来武装世人的头脑，用知识来点亮每个人的人生。但现实的发展有些出乎他们的意料之外，知识没有自然而然地成为美德，仅有知识也不一定能够必然获取力量。相反，知识的急速增长和扩张有时候反而成为人类的一种缚累。当今教育最为深刻的危机之一，就在于知识占据了至关重要的地位，培养和塑造掌握尽可能多的知识的"知识人"成为根深蒂固的教育理念，始终指导和制约着教育的实践。"塑造'知识人'的教育认为：知识可以解决一切问题，整个世界都被概念、逻辑所支配。所以学校教育的目的在于为受教育者构建一个丰富的知识世界，学生的目的在于追逐和获取知识"①。

在以知识为目的的教育体系中，受教育者被当做没有主体意识的知识容器，被动地接受来自外界各种知识内容的灌输、挤压和充塞。一切教育的活动都围绕知识而开展，也都以知识为最高的标准。教师为传递知识而教，学生为接受知识而学。学习的过程则呈现为知识不断被复制、转述、接受、记忆的过程，"灌输—接受"成为基本的模式，注入式的讲授和被动地静听成为主要的方法；知识的多寡和准确程度成为教学效果的评价标准。久而久之，学生的发展仅仅局限于那些来自书本记载和教师传授的、静态的、与生活毫不相干、考完即忘、不能解决任何问题的知识量的增加，每个知识点和知识块之间也难以发生联系、建立结构，更谈不上成为学生人格完善与潜能开发的动力。

然而，随着人类知识数量和信息总量以突飞猛进的速率增长，浩如烟海的知识海洋，使得人类总想尽可能多地获取和掌握知识的传统梦想变得幼稚可笑。因为，无论如何，人类接受和掌握知识的速度与知识本身更新与增长的速度相比较而言都是无可企及的。从这个意义上说，真正重要的不是知识数量的多少，而在于能否找到有用的知识，是否善于运用知识。就发现知识和运用知识的能力而言，它已经走出了知识的数量的标准，而是转化为对人的思维的要求与智慧的审视。

不少的事实告诉我们，唯有当知识被用来开启心智，知识被用于解决实践问题的时候，知识才真正找到了通向美德的通途，才能够转化成为人生智慧的力量。而当知识仍然充塞着教育的全部，占据着教育的中心之时，智慧便只能被驱赶或冷落在边缘，或许偶尔成为教育者口中的目标与心中的梦想，却无法通过实践内化到受教育者的生命之中，成为每个人的生命内涵。于是，越来越多的人被书本和考试围困在了获取知识的狭窄空间中，任凭知识填满了头脑，灌注了身心，却最终难以成为有智慧的人。

---

① 邓刚，陈放，王谦. 教育理念的革新——塑造"知识人" [J]. 教育发展研究，2006 (9A).

何谓有智慧的人？智慧是一个内涵极为丰富的概念。自从有了人类的文明，就有了对于智慧的向往和追求。早在古希腊时期的哲学家们就对智慧有了充分的思考和探讨。赫拉克利特认为智慧存在于对基本定则的掌握之中，而这个定则又适用于一切事物。"这个定则就是对立面的和谐，虽然它无处不在，人们却未能认识到它。"① "我所谈到的定则，人们或许听说过，或许没有，但他们都未能掌握。因为，虽然万物皆据此而产生，但人们从未有过体验。即使当他们去感受我所解释的这些言辞和行为时，即使当我分门别类地将每一事物区分开，并剖析其中缘由时，他们也不甚了了。"② 他还认为，如果我们认识不到这个定则，那么任何学习将变得毫无用处。因为"学习了许多事物并不等于学会了理解许多事物"。③ 在他所看来，智慧需要通过抓住事物的基本原则来获取。在赫拉克利特之后，不同时代的哲学家、思想家和智者们都对智慧进行了无数的沉思和追索。在当前，比较多的学者倾向于采用一种简明的观点，认为智慧是以知识为基础的对于世界和人生的一种理解和态度。智慧一方面可以用语言表达，另一方面更要体现为行为方式和为人处世的态度。"智慧是人们获取、应用、创造知识，以及在实践中创造性地解决问题的能力、方法、谋略和思维方式。智慧建立于知识基础之上，是理论与实践的综合，理性、情感、意志的综合。在教育中，每一个人皆有智慧的潜质，通过知识的获取、思维的训练、实践的锻炼、教育的启发，人人都能发展智慧。"④ 正是由于智慧的发生和存在，人类超越了动物，超越了自我的本能，成为具有理性和思维、能够思考和创造的文明人。

那么，教育如何成为充满智慧的活动？本书试图围绕观念与行为、理论与实践，从课程与课堂、教师与学生等不同的维度，做一些探索与思考。

---

①②③ 伯特兰·罗素. 西方的智慧（上）［M］：崔权醴，译. 北京：文化艺术出版社，1997：40.

④ 邓刚，陈放，王谦. 教育理念的革新——塑造"知识人"［J］. 教育发展研究，2006（9）.

1

知识与智慧的距离有多远

《成功智力》的作者、心理学家 R.J. 斯滕伯格给我们讲述过一个"两个男孩"的故事。两个完全不同的男孩走在森林里，第一个男孩在学校出类拔萃：他功课优秀、成绩出色，老师、同学、父母包括他自己都认为他非常聪明。第二个男孩学习成绩一般，考试勉强及格，没有人会认为他聪明——至多也仅仅能够称得上有点机灵而已。这两个男孩行走在森林中，他们遇到了一个问题——一头巨大、凶猛、饥饿的灰熊向他们扑来。第一个男孩算出 17.3 秒后灰熊将追上他，于是大惊失色，回头去看第二个男孩。而第二个男孩正镇定自若地打开旅行包，取出一双跑鞋换下脚上穿的旅行靴子。第一个男孩冲着他说："难道你疯了？我们怎么跑得过灰熊呢？"第二个男孩答道："没错，但我跑得过你！"

面对同一个问题，两个男孩分别做出了不同的反应。第一个男孩迅速地分析了问题，而第二个男孩不仅确定了问题所在，而且给出了一个富有创造性和实践性的解决办法。在这个编纂的故事中，或许蕴涵着多个剖析教育问题的不同视角，抛开其中所反映出来的道德和合作方面的问题不谈，单从解决问题的角度来说，第二个男孩显然比第一个男孩表现出了更多的智慧、更高的智力水平。

相似的问题还曾经出现在崔永元主持的"实话实说"电视栏目中，有一期关于大学少年班"神童"的节目中曾经提到过这样一个学生，当他在大学的少年班里学习时，周围的老师和同学都惊叹并佩服他的超人的聪明。他的聪明有一个非常特别的表现，那就是他上课从来不记笔记。然而每次的考试成绩却都是最好的。后来老师和同学都向他询问诀窍，原来他上课高度集中注意力认真听老师讲，下课后将老师在课堂上讲的内容像过电影一样在脑子里回放一遍；等到考试前再回放一遍。这样就不需要记笔记便能一字不落地记住老师讲的东西了。就是这样一个被公认为聪明超凡的学生，没有想到读了研究生之后却完全失去了先前的状态，反而被自己的导师不断地斥之为"蠢""笨"，甚至根本无法完成研究生阶段最为基本的学习要求，产生了不少的麻烦和问题。

同一个人，为什么前后在学校的表现和结果迥然不同、判若两人呢？事实上，这个学生在大学学习阶段所表现出的不记笔记却将教师的讲课内容一字不落记住的特征，只是反映出他具有超强的记忆能力和过人的复制再现能力；而到了研究生阶段，学习的要求发生了变化，需要他能够自己发现问题、提出问题、研究问题，这些都不是仅有记忆和复制就能够完成的。也就是说，这个学生的所谓聪明只是表现在知识的接受和获取方面，而且他所接受与获取的知识，只是将其原封不动地储存起来，并没有转化成为能力和智慧。

"两个男孩"面对灰熊的不同行为反应，以及少年班的"神童"学生前后判若两人的学习表现，所体现的正是知识与智慧在现实生活具体情境或场景中的差异。那么，从知识到智慧，究竟有着多远的距离，阻隔在两者之间的到底有着哪些因素呢？

第一节　从"中国制造""中国创造"说起

最近以来，关于"中国制造""中国创造"的话题成为各类媒体共同关注的热点。话题中所涉及的一些现象与问题或许对于许多人而言都并不陌生。比如，有过海外旅游、生活或购物经历的人可能都会发现，远渡重洋到了其他国家之后，每当想要在当地为自己的亲朋好友带上一些富有异国特色的礼物或者纯粹舶来品的稀罕玩意儿，就会发现这样一个再正常不过的想法原来是那样的奢侈，甚至于根本无法得到满足。因为一方面由于全球化浪潮的袭击，在许多国家的购物中心和大型超市里面，已经难以找到体现各自独特性的风格与特色；更重要的原因则在于，放眼望去、信手拾起的许多物品上都标注着"MADE IN CHINA"字样。就连一些众所周知的国际著名品牌，也会在商品的某一个位置说明，是由中国加工或者组装而成的。于是，许多海外访问归来的中国人不得不无奈地成为中国制造商品的国际旅行运输者。

这种现象的产生有其背后的根源，近来媒体公布的一些数字很能够说明这个问题。就产品的产值而论，中国已经是世界第 4 大工业基地，排在美国、日本和德国之后；中国有 100 多种工业制成品的产量成为"世界第一"，范围包括钢铁、水泥、家电、通信设备、纺织、医药、机械设备、化工等十多个行业，我国已经成为名副其实的"制造大国"；"地球村"里平均每个人就要穿 1.2 双中国制造的鞋……

中国制造的产品在世界上已占有举足轻重的地位。2000 年中国制造业增加值就突破 30000 亿元人民币，在国内生产总值的比重超过34.4%，在世界制造总额的比重也超过 5%，位居世界第四。日本《产经新闻》也连续发表文章，认为，"在制造业方面，中国已经成为世界工厂"。无数"MADE IN CHINA"的商品凭借其价格低廉不断涌出国门，远销世界各个角落。我们因此正在陶醉于"世界工厂"和"制造大国"的喜悦之中并对未来的经济增长和发展充满信心。

但与此同时，另一组数字也在不断地刺激着我们的心灵。据统计，近几年我国设备投资的三分之二依赖进口，其中光纤制造设备的100%，集成电路芯片制造设备的85%，石油化工装备的80%，轿车工业设备、数控机床、纺织机械、胶印设备的70%来自于进口产品。[①]

而且，从总体上说，中国制造的产品在世界上低质低价的形象一直未能抹去，无情的现实正在唤醒我们，我们只是"制造大国"而不是"创造大国"，甚至说不上是制造大国，更有人认为中国连"世界工厂"都称不上，顶多只能算是全球产业链的一个重要"车间"！

产量上的"中国制造"大国、工业生产大国，却在"中国创造"方面难以在全球竞争中有所作为，究其根源，在于技术和品牌等软肋的约束。在经济全球化的世界经济体系中，我国还缺少具有国际竞争力的核心技术和世界知名品牌，是典型的制造大国，技术和品牌小国。

关于技术的问题，数字仍然能够说明问题。中国半导体产业的销售超过200亿元，利润却只有3%，而跨国公司巨头英特尔一家的销售额就超过2300亿元，其利润高达18%。为什么会有这么大的差距？原因正是在于他们掌握着核心技术。由于缺少核心技术和专利，中国的制造业只能以低廉的人力资源和低成本方式生产运作，劳动密集型的生产特点，低价倾销的方式，使得中国的制造业永远难以占据制高点。所以中国的商务部部长薄熙来给外国的企业家算过这样的一笔账，由于出口纺织品利润低下，中国出口约8亿件衬衫才能抵得上一架空客380飞机。另外根据商务部提供的一份资料显示：我国每年对法国出口约1亿双鞋，而这1亿双鞋挣来的外汇才能换回一架空中客车。中国彩电企业的生产量约占世界彩电总产量的一半，但当该产业从普通彩电向高清平板化升级时，因为液晶技术和窗体顶端窗体底端等离子显示技术的核心部分分别掌握在夏普和富士通手上，国内彩电企业不得不掀起新一轮的引

---

① 我国装备制造业发展的现状及今后发展的重点．机电信息网，2006 – 5 – 10．

进浪潮。但引进的代价是沉重的，从国外企业的漫天要价到巨额的专利收费，中国的企业一直在承受着巨大的被人宰割之痛。因此，世界制造业真正的主宰仍然是世界上掌握高新技术的跨国公司。

关于品牌，三组有关我国品牌建设状况的数据同样颇为引人注目：（1）2005年国家质检总局披露：我国有近200种产品产量居世界第一，但出口产品中拥有自主品牌的还不到10%，90%以上是替外国品牌做"贴牌"生产。（2）在美国《商业周刊》公布的2005年全球最有价值的100个品牌中，美国58个，德国9个，法国7个，日本6个，韩国2个，中国0个。（3）在2006年度世界品牌500强排行榜中，美国拥有245席，占49%；法国46席，占9.2%；日本44席，占8.8%；我国只有6席，占1.2%。

我国不但缺乏国际知名品牌，而且品牌拥有的自主核心技术少，生命周期短，附加值小，对经济的贡献率低。我国每年新增几十万个品牌，但品牌生命周期平均不足2年。近年来，虽然越来越多的企业拥有自主品牌产品，但由于缺乏核心技术的知识产权，自主品牌的附加值仍然偏低，有无品牌差别不大。国内拥有自主知识产权核心技术的企业，仅占万分之三，99%的企业没有申请专利，60%的企业没有自己的商标。我国虽然已是世界贸易大国，但我国货物出口的55%是加工贸易，具有自主品牌的产品出口不到10%，高新技术产品出口的90%来自外商投资企业。[①]

据国际权威组织统计，世界名牌占全球品牌不到3%，产品却占了全球市场的40%以上，销售额更占全球的50%左右。在发达国家，国民生产总值中60%的部分来自品牌创造的价值。美国经济的强大，与其拥有麦当劳、IBM、迪斯尼、波音、通用、宝洁、NIKE等著名品牌创造的巨大价值密不可分。而中国国民生产总值中只有不到20%的价值是由品牌所贡献的。而且，国内传统老名牌逐渐萎缩和消亡，新的民

---

① 冷兆松. 直面品牌弱势，打造世界知名的"中国制造"［J］. 新华文摘，2007（5）.

族品牌诞生缓慢成长艰难。

由于缺少自主知识产权和自主品牌，使我们在国际产业分工中只能获得微小的利润，中国产品只是处于获利链的最低端。这是令人沮丧无比的事实。如中国企业每出口一台 DVD，售价 32 美元，交给外国人的专利费是 18 美元，成本 13 美元，只能赚取 1 美元的利润；一台售价 79 美元的国产 MP3，国外要拿走 45 美元的专利费，制造成本要 32.5 美元，中国企业获得的利润只有 1.5 美元。就算是中国微波炉第一大品牌格兰仕，其利润率也是低至 3% ~ 5%。过低利润使企业难以积累雄厚资金搞自主技术开发，没有自主技术开发，则只能从事低级的组装加工，获取低利润，这种低层次循环永远不能导致中国企业的进化升级，难以形成和长远维持世界级的知名品牌。[①] 难怪温家宝总理在 2005 年出席全国人大三次会议，与江苏的代表们一起审议政府工作报告时，会"坦言痛心和难过"[②]，他指出，在科技转化方面我们要有紧迫感，要有自己的知识产权，有自己自主的创新能力，还要有能同国际竞争的名牌产品。

面对许多中国企业成长与发展中的悲壮故事，面对大量的关于"中国制造"的困惑与迷茫，面对如何超越低端引领创新的话题，我们的国家、社会和人民已经在进行痛苦的思索和变革。从体制、文化、企业自身等，可能都存在各种不尽如人意的状况，都还有不少迫切需要改进的弊端。而深藏于其中的人的素质的提升，人的创新意识的养成，人的核心竞争力的形成，却是更为深远、更为根本也更不容忽视的因素。如同"木桶原理"中的短板效应，最薄弱的环节恰恰是解决问题的最大障碍。尤其是广大教育者，透过企业界和经济学界关于"中国制造""中国创造"的争论，更应该看到人力资源、人才素质方面所存在的差距和不足。教育不能培养出具有创新精神和创新能力的人才，其他领域的创新更是无源之水、无本之木。

---

① 孔善广. 为什么不是中国创造？[J]. 新华文摘，2007（5）.
② 本报·温总理坦言痛心和难过［N］. 扬子晚报，2005 - 3 - 9.

从这个意义上说，全社会都应该冷静地思考和追问，为什么聪明、智慧的中国人却恰恰不幸成为"中国制造"向"中国创造"迈进的"木桶短板"？我认为，"中国制造"到"中国创造"之间的距离某种意义上似乎折射着教育理念与实践中知识与智慧之间的距离。如果教育培养人才的过程能够明确地实现从知识到智慧的转换和飞跃，那么，从"中国制造"到"中国创造"的距离也就没有那么漫长而遥不可及了。从这一点上看，反思并改进传统的教育在受教育者智慧能力的培养方面所产生的影响，具有深远的意义和解决问题的根本价值。

第二节　催生思维定式的传统教育

应试教育愈演愈烈，学生课业压力不堪承受，与此相应，引发出了教育当中的一系列问题：受功利价值的影响，教育的人文精神培育功能日渐衰微，受教育者身心不平衡发展，学生人格没有得到完善塑造，能力未得以全面培养，素质没有得到应有的提高等，都是以应试为典型特征的传统教育的危机在今天的暴露。然而教育似乎并不是从今天才开始受到人们各种各样的指责。教育或许本来就有着不少与其自身特性息息相关的缺憾。正如《学会生存》中所言，"教育能使自己再现，也能使自己更新。然而人们时常责备它是固定不变的。当然，教育并不是遭到这种谴责的唯一机构。事实上，教育的基本功能之一就是重复，重复地把上一代从祖先那里继承下来的知识传给每一代。因此，和过去一样，教育体系负有传递传统价值的职责，这是正常的事情。这就说明了为什么教育体系倾向于构成一种时间上和空间上密封的体系，为什么它们主要关心它们自己的生存和成功"。因此，"体系看起来是内向的和后退的""教育本身是保守的""教育体系具有相当大的惯性"[①]。

---

① 联合国教科文组织国际教育发展委员会．学会生存——教育世界的今天和明天［M］．华东师范大学比较教育研究所，译．北京：教育科学出版社，1996：85.

　　然而面临今天这样一个强调创新精神和素质，急需大量创新人才不断涌现的时代，"内向""后退""保守""具有惯性"的传统教育经受着来自不同方面各种各样的挑战，而教育也必须挑战自身，不断"更新"，才能经受时代的考验。

　　传统教育的特点在于强调教师在教学过程中的主导作用，忽视学生的主体参与；强调教材、课本内容在学生知识经验中占据的强势地位，强调教材、书本知识的绝对正确性和权威性，不重视学生自身的自主体验；强调全体受教育者的统一性，忽视每一个学生作为不同的个体所具有的差异性，等等。这样的教育在对学生的培养过程中，不可避免会存在种种缺陷和弊端。从目前教育中已经存在的问题来看，这些缺陷和弊端又集中表现为，由教育本身的僵化和单一而不同程度上压抑了学生的灵活性和创造性，限制了学生自身思维能力的自由多样发展，造成思维过程单一和统一，甚至无形之中在学生思维能力的发展中设置了障碍，形成了牢固的模式，或者说思维定式。这在一方面使得学生习惯于沿用自己所熟悉的固定思路去思考问题，表面上看去似乎驾轻就熟、得心应手，另一方面也在不同程度上妨碍了学生思维的灵活性，将思路束缚在无形的框框内，造成思维狭窄、单一，刻板僵化，最终影响到学生创造力的发挥。

　　按照心理学的理论，思维定式是指由于先前的思维活动而造成的一种对后继思维活动的特殊的心理准备或反应倾向，它使人的思维循着某种习惯了的近乎自动化的思路进行。在长期的思维实践中，每个人都常常不自觉地形成自己所惯用的、格式化的思考模式，当面临问题的时候，往往不假思索地把它们纳入特定的思维框架之中。思维定式的产生与一个人所具有的知识背景和生活经历有很大关系，一旦形成，一般不容易改变，而且具有强大的惯性。思维定式对人的思维活动过程将产生两个方面的影响：一方面，在客观条件还没有发生变化的条件下，它使人能够驾轻就熟地利用已有的经验和已掌握的方式方法，迅速顺利地解决问题，产生正迁移效应。比如学生一旦掌握了某类数学题目的解法，以后再遇到同类题目时，便可以依葫芦画瓢，很快做出解答。另一方面，当情况已经发生变化，尤其是在面临新的问题，需要发挥、需要开拓创新、需要人的创造性思维能力时，思维定式的存在往往使人的思维受旧有的经验这个无形的框框制约，影响新思路的构建和新想法的产生，影响探索的广度与深度，表现出刻板与僵化，同时也阻碍头脑对新知识的吸收，产生负迁移效应。

在传统教育模式下，教师和学生长期在不变的教学过程中，使用不变的教学方法，去掌握不变的知识技能。长时间的重复无疑容易形成一套固定的考虑问题的模式和与之相应的经验，这些都属于思维定式的范畴。虽然它在某些方面促使学生能够熟练解决问题，但思维定式更多的带给人们的是教条与羁绊，将人的思维限制在一个狭小的范围里，因循守旧，造成思维中的惰性，甚至有时会把人的思路引入歧途，成为创造性思维的最大障碍。

概括地说，传统教育模式对学生思维能力发展的影响，大体表现在以下三个方面。

一、由教师中心造成思维中的权威定式

由于受中国伦理本位文化传统的影响，在我国教育中，历来强调"师道尊严"。"言而不称师谓之倍（背），教而不称师谓之畔（叛）。倍畔之人，明君不内，朝士大夫遇诸涂不与言。"荀子《大略》中的这段话可以说是对中国师生关系的绝好写照。教师"闻道在先""术业专攻"，因而理所当然有资格对学生"传道""授业""解惑"，也当然有资格对学生发号施令。教师与学生之间有着严格的上下、尊卑之分别，有着轻易不可逾越的关系。

在长期封建社会里形成的传统师生关系，被作为我们中华民族尊师重道的好传统一直继承下来，至今还在我们的教育机构及实践中有很深的影响。我们的教师同时要承担多种角色：不仅是教学过程的控制者，

教学活动的组织者，教学内容的制定者，学生成绩的评判者，而且是绝对的权威。即教师在全部教学活动中，是一个绝对的独裁者，是中心。教师的权威至高无上，教师的旨意不容改变。而学生则完全处于被动服从的位置，只需要按部就班地做老师让做的事情，且严格遵守规定，不做老师没有让做的事就行了。教师就是教师，学生就是学生，教师和学生是两种地位根本不相同的人，不论在课堂上，还是在课堂外，都是老师说了算。师生之间不需要在平等的水平上交流认识、探讨科学知识，因为教师是真理的掌握者，而学生是接受由教师传递真理的人。

由封建社会延续下来的传统的师生关系实际上是一种不平等的人格关系。由于应试教育的恶性膨胀，我国有些地方"师道尊严"更是达到了无以复加的地步，教师不能以平等的态度对待学生，教师和学生之间是一种畸形的"权威—依存"型关系。在这样的师生关系下，在有着绝对权威的教师完全控制的课堂教学中，学生的思维也完全处在教师的控制之中，只能亦步亦趋地跟着教师的思路走。学生的求异思维得不到发展，探究精神得不到培养，思维的积极性得不到鼓励，甚至一些超出常规的创造性的灵感和思维火花，还会因其与教师设计好的答案不相符合而受到讽刺、嘲弄和呵斥。久而久之，熟悉、习惯了这种文化的学生自动地把自己思维的自主性交给了教师。对于新接受的知识，无须有自己的理解，教师的理解就成了学生自己的理解。对于未知领域，也无须自己去探索，反正会有老师教给我们；如果在实践中面对解决不了的问题也无须担心，一句"老师没教过"就可以博得所有人的原谅和理解。教师的权威使得学生心安理得地依赖着老师，不论在心理上，还是在知识上、在思想上。

这样的教师，这样的学生，这样的师生关系构成的教育，能够生发出有创新精神、有自己的思想和见解的受教育者吗？

我们认为，对话、交流与思考应当成为当前及今后不断创新的人们必然选择的一种生存方式。即使在教师和学生之间，也不意味着教师等于真理、等于知识，而学生不可能超越教师，不可能掌握教师所没有的知识；不意味着教师对于知识的选择和理解就是绝对正确和权威的。学生应该有自己的见解和评判，教师和学生之间应该可以在一个平台上进行交流和对话，甚至还可以鼓励学生向教师的知识和见解进行挑战和质疑。通过师生间的这种交流和对话，改变对教师权威的尊崇与引证的传统，树立起学生对权威敢于蔑视与反抗的信心，则不仅体现出我们的教育对学生多了一些人文关怀的现代精神，更重要的是，旧传统的改变与新信心的树立，彰显的是教育中学生主体意识的觉醒，是对学生久已失落的自我感受、自己加工信息、自己主动创造能力的召唤。总之，师生之间平等的交流与对话，能够促使学生开启自主思维之门，拓展思维的宽广度，不断地超越自身，成为符合时代发展需要的，具有独到见解、富有创新性的新型人才。

二、由书本中心造成思维中的唯书本定式

由于以应试为唯一目的，传统教育长久以来形成了以书本为中心的倾向。学生也形成了崇尚书本、"读死书""死读书"的极坏风气。

为了应付考试，教育的天职被人们误认为就是教师在有限的时间内，将凡与考试有关的知识悉数教给学生。为了尽快传授尽可能多的知识，一个有效的途径就是赋予书本知识无上的权威，用强迫的方式，要求学生无条件记忆、信奉。然而，教师传授的知识来自哪里呢？在这种教育中，教师所传授的知识，当然只能是课本或者教材，而课本和教材中的知识又基本上都是选取的本学科中那些基础的、主要的、已成定论没有争议的内容。这就注定了，教师的教及学生的学与科学研究、创造和发明是无缘的，因而学生必定要处于一种被动接受的地位。同时，教学内容完全囿于编选好的教材、课本的内容，势必造成知识面狭窄、视野封闭等弊端。

另外，被专家编选进我们的课本和教材中的知识是否果真就是对培养学生而言最具价值的知识呢？甚至这些知识本身的正确性如何呢？尽

管我们的教师和学生目前尚缺乏这种自觉追问的意识，但这的确是一个值得关注的问题。长期以来有不少文章在讨论中学语文课本中所选内容的科学性，很多学者认为我们的课本、教科书存在着问题。比如有人提出，"直到今日，杨朔散文仍被数百万中学语文教师作为教授作文的典范，仍被很多中学生奉为写作的标本。然而，杨朔模式所造成的危害，至今仍未得到充分的认识：这些产生于 20 世纪六七十年代的新八股，以单调的叙事方式和单调的思维模式，日复一日，年复一年地损害着刚刚拿起笔的孩子们鲜活的心灵"①。也许这种观点在认识上存在偏颇，但它至少反映出了被我们奉为经典的课本知识，其科学性、权威性本身就是值得反思的。杨朔的散文，因为其公式化、概念化，被认为是比较容易学的，也许正是因为这个原因，中学课本中杨朔散文选了很多，有《香山红叶》《荔枝蜜》《茶花赋》《海市》等若干篇。他的这些散文的一个共同的特点就是，文章基本上可以被解剖为五个部分：见境——入境——抒情——升华——点题。这是中学教师最喜欢的讲课方法：分层次，像机械操作那样简单明了，因此教师在讲到杨朔散文的时候，几乎是轻车熟路，得心应手。但重复、简单化、模式化却是思维能力和创造力培养的最大障碍。还有的文章披露，有的作家说自己的文章被收进了中学课本，可是课后出的思考题，连其本人都莫名其妙，不知从何答起。有一个学校的学生不同意语文课上老师对巴金的文章的解释，他们自己的理解又被老师认为是不正确的。学生们写信给巴金先生，结果巴金先生支持了孩子们的观点。但老师还是坚持原来的意见，理由就是因为教学参考书上是那样讲的。所以考试时还得按照学生不接受的教师的意见回答。这就是被我们奉为经典的语文课本。语文如此，数学、物理、化学等其他学科如何？拿这样的自身科学性尚需研究的知识来作为对我们的学生进行培养的唯一的、权威的材料来源，其后果可想而知。

我们的教育所具有的"以书本为中心"的特点还有着另外一种含

---

① 余杰. "单调"散文——对中学语文课本所选杨朔散文的反思［C］//孔庆东，等. 审视中学语文教育. 汕头：汕头大学出版社，1999：83.

义，就是这个"书本"所指的只是跟考试内容有关的课本、教材。只有这些"书本"知识才是教师和学生关注的中心。至于与考试关系不大，或者不考的，则全在被忽视、忽略、冷落之列。学校中开设的课程尚且如此，更遑论其他那些不属于课程、教材、教科书范围，但对于学生心性提升、人格塑造、素养积淀有着较好作用的名著类读物，根本就无法跻身于学生的书桌和书架。这就决定了传统教育的"以书本为中心"在又被附加了一个额外的限制条件之后，天地更为狭小了。一方面是学生课业负担过于沉重，另一方面却是学生知识接受面极其有限。

当然，不能否认，即使是在目前这样的信息时代，读书依然是人们获取间接经验、获取未知领域知识的最好方法。但我们强调的关键是读书不能成为书本的奴隶，不能淹没在书本知识的纸堆里，而要坚持孟轲所说的"尽信书不如无书"[1]。一些生活现象则提醒人们，妨碍人们学习的最大障碍，并不是未知的东西，而是已知的东西。一般情况下，一个人所受正规教育越多，他的专业知识也就越丰富；但从另一方面来说，他的思维受到束缚的可能性就越大。生活当中我们可以看到有一些"饱学之士"，天文地理、古今中外，博学广闻，无所不知，被喻为是"百科全书"式的人。但是，他们缺乏动手能力，不会与人相处，遇到问题束手无策。对于这样的人来说，除了书本上讲的内容之外，他们一无所知。相反，有另外一种人，他们并没有接受过高深的正规教育，甚至也没有读过很多的书，但却思维敏捷活跃，创新不断，最终成为有成就的人。

有位年轻人找到一位著名的禅师，想跟他学禅。禅师开导他很长时间，年轻人还没有找到入门的路径。于是，禅师端起茶壶，朝年轻人面前的碗里倒茶；茶碗已经倒满了，禅师还在不停地倒。年轻人忍不住了，提醒说："师父，别倒了！茶杯已经装不下了。"禅师这才停住手，慢悠悠地说："是啊，装不下了。你也是这样，要想学到禅的奥妙，就

----

[1]　孟子·尽心下.

必须把头脑腾出空来，把充塞其中的幻象和杂念清除出去。"这个故事启发我们，如果一味地以书本为权威，让过多的无用的甚至可能是错误的书本知识充塞我们的头脑，就会限制我们接受新的东西，限制我们的思维。

我们的教育，应该在教给学生所需的书本知识的同时，让学生对书本知识保持一种客观清醒的认识，能够"读书而不为书累"，达到辛弃疾"近来始觉古人书，信着全无是处"的境界。

三、强调统一性，忽视个性造成思维中的从众定式

有一则童话，讲的是在木偶剧团里，一个木偶逃跑了，导演又气恼又着急，发动人们四处寻找，结果错把一个孩子当做逃走的木偶抓了回来。因为这个孩子特别听话，马路上路口处的信号灯坏了，红灯总是亮着，而绿灯一直也不亮，这个孩子站在路口处等绿灯，半天就是不走。导演试了一下，发现这个孩子确实比真正的木偶还听话，后来，他加入剧团，成了一个非常受观众欢迎的木偶明星。这个童话给我留下了深刻的印象，也很受震动。读了之后，我首先感到的是一种对我们的孩子的强烈同情和深深难过。童话中的木偶人当然是经过夸张的艺术创作之后的一个典型形象，但在我们的生活当中，有多少受欢迎的木偶明星一般的孩子？我们的教育常常为其制造生产出的听话、顺从、遵守纪律和规则的产品而满足自豪，却不知我们已有多少缺乏个性和独立性、失去灵性和活力的孩子。

这也难怪。多少年来，我们的教育一直推崇的是培养听话顺从的乖孩子，强调的是教育的整齐划一。为此我们使用同样的教学内容，同样的教育方法，同样的评价标准，要求、衡量着智力、爱好、兴趣和经历、基础迥异的学生。经过教育的加工之后，一个个原本各具特色、活生生的孩子变成了标准件。不仅言行举止近似，连思维也出现一致、雷同。服从大多数、顺从众人、随大流成为学生中普遍的现象；别人怎样

想、怎样做，我也怎样想、怎样做，不敢坚持自己的见解，不敢轻易出格成了一种共同的心理。这是一种思维中的从众定式。

思维从众定式的产生无疑是教育强调统一性、忽视个性导向的必然结果。我们的教育虽然也一直在提倡发挥学生的个性，但事实上对于真正有个性、对于与群体格格不入的学生却又缺乏一种真正意义上的接受和认同。1998年高考作文题目为"拒绝脆弱或我选择的性格"，议论文、记叙文皆可。应该说这个题目相对于前些年的作文题目来说是一个较为灵活，能够发挥想象力，写作余地较大的题目。据参加高考评卷的老师讲①，就是这样一个题目，学生们所写的作文基本上大同小异。在记叙文里，不是父母离婚、家庭破裂；就是父母一方亡故，家庭生活困难。他们则在最初的悲伤之后，战胜了自己的脆弱，最终选择了坚强；而议论文就更千篇一律，开头破题，然后举正反两个老生常谈的例子说明论证，最后总结全文，得出结论拒绝脆弱的好处。除了内容基本雷同以外，在学生的作文中，连语言风格也如出一辙：一样的空洞矫情，一样的大口号，一样外强中干。在考试中，连最能体现学生个性的作文题都会出现这样的结果，只能说是源于学生思维的一致，心里想的一样，表现出来的当然就相同了。可是，是什么居然能够统治学生的思想，使他们连想法都一致呢？是我们的教育。在应试教育中，有哪个学生不想有个好分数呢？然而按照我们的评价标准，要想取得好成绩，就必须放弃独立思考，就必须使自己的思维向课本靠拢，使自己的观点和课本一致，发出与课本同样声调的声音。所有的人都和课本保持一致，其结果就是所有的人的一致。对于为数不多的还能够有点个性、有些特点、有不同观点的作文，据说是不为阅卷老师所欣赏的，当然也不能得到好的分数。在考试中被认为最好的就是那种合乎常规、符合套路、千篇一律的。至于为什么有个性的不受欣赏，无论说想法古怪、超越常理得不到惯常的理解也好，说与众不同增加阅卷难度也好，反正至少可以肯定的

---

① 张智乾. 无法释怀的记忆［C］// 孔庆东，等. 审视中学语文教育. 汕头：汕头大学出版社，1999：38.

就是我们目前的教育在统一性和个性之间选择的依然还是统一性。

思维的从众定式有利于惯常思维，有利于群体一致的行动。但是，受从众定式影响的思维不利于个体的独立思考和创新意识。在求同从众心理驱使下，学生只想求同，不敢求异，惧怕枪打出头鸟，怕成为众矢之的的。他们不愿独立思考，不敢标新立异，人云亦云，从而最终走向简单模仿，走向因循守旧，走向安于平庸，而创造力和自主思维能力却无可挽回地萎缩了。

第三节　问题背后的文化设定

无论是应试教育的阴影、片面追求升学率的窠臼，还是分量越减越重的学生的书包，以及屡屡见诸报端的"问题儿童"的种种失常行为，都在向人们昭示、强化着这样一个事实：我国的教育现状仍然无法适应社会、经济高速发展的需要，应该进行全面的反省和深刻的变革。然而，不管当前教育中到底存在哪些问题，当我们用理性的眼光审视教育，不难发现这些问题的表现形式或者说由这些问题所带来的结果最终都可以归结为一点，那就是教育对学生思维能力培养的忽视与学生思维素质的缺失，或者说教育培养出的是一个个不会思维的受教育者。当然，这种忽视和缺失并非自今日始，而是有着深刻的社会历史文化渊源的，甚至可以追溯至我们的传统文化和民族精神。

教育素来与文化有着千丝万缕的关联。教育不但实现着文化的传播与传递，还不断生成和创造着新的文化；而教育也接受着来自文化的直接或间接的影响，甚至文化本身天然就具有一种内在的人格塑造、人性教化的教育作用。两者之间构成了一种互动关系。要反思我们的传统文化与教育之间所具有的那种富于民族特点的关系，离开中国传统哲学是不可能的。因为一种文化的核心或精髓就在于它的哲学观点，这已经是多数学者所持的一种普遍认识。无论在东方还是西方，古代哲学都曾经是包罗万象的学问，是科学的科学。苏格拉底、亚里士多德和孔子、朱熹，这些古代哲学家都是百科全书式的人物，而且他们都做了教师。在中国，从孔子开始的儒家学者，不做官的或官场失意的几乎都选择了以教书为养家谋生的职业。教育与儒家文化之间的关系是那么凸显而又凝重。而由于儒家文化的正统地位及其对其他社会文化的广泛渗透，使得古代中国的所有教育活动几乎都无法不受到儒家哲学的思维定式的影响。因此，在我国古代，教育几乎可以说自始至终从属于儒家哲学的传统。这种传统的力量是如此之巨大，以至于直到今天，它对于教育某些方面的影响，依然根深蒂固。

一、自我意识的迷失

"天人合一"作为中国哲学宇宙论的主流精神，使得中国哲学宇宙论与西方宇宙论相比较虽然缺少了一些宏大和系统，却也有着其自身的浑厚与高明。"天人合一"论是对先秦以来中国哲学"天人之辨"问题的正统解答，"它的最直接的含义，就是天（自然或自然的神）与人的关系，是相通的融合的，而不是对立的分裂的"①。这里面包含了两层意思：第一层指的是人类在宇宙中所处的位置，人与整个宇宙或自然是相通的整体，中间并不存在任何中介或隔离层；第二层指的是"天道"即"人道"，天是人伦道德的本原，一切人伦道德皆出于天道。或者换句话说，自然的本质是服从道德原理的。在中国哲学两千年的发展历史中，也曾经出现过荀子、柳宗元、刘禹锡等人所主张的"天人相分""天人不相预"的观点，但始终处于非正统的地位，而且在当时的影响非常微弱。

由此，我们可以看出中西哲学在自然观方面的显著差别。西方文化很早就表现出对自然征服的强烈愿望，在哲学宇宙论方面，人与自然是

---

① 高瑞泉．民族思维定势与传统教育模式［C］//丁钢．文化的传递与嬗变——中国文化与教育．上海：上海教育出版社，1990：7．

分离的，由此带来人与自然之间的关系是紧张的：人类必须征服自然，而人类要征服自然，首先又必须顺从自然的法则，顺从的目的就是为了驾驭与控制自然。西方的这种主客分离的思维方式实际上蕴涵着一种科学所必需的客观态度，也因而为西方带来了"发达的理论理性或思辨理性"。然而这与中国哲学自然观的思维方法却是格格不入的。因为"最高、最广意义上的'天人合一'，就是主体融入客体，或者客体融入主体，坚持根本同一，泯除一切显著差别，从而达到个人与宇宙不二的状态"①。

中西哲学自然观方面的差异，反映出的是中西文化中自我意识的差异。在西方文化中，"我"就是个人之我，就是区别人与自然之我。这种文化中充溢着的是自我意识的高扬，蕴涵着超强的自我中心倾向。而这种自我意识就是分化神人、天人、个人的精神。中国传统文化则相反，是一种反分化的直觉的整体意识。天人合一是中国古人的最高理想。张岱年先生指出："天上既无二，于是亦不必分别我与非我。我与非我原是一体，不必不应将我与非我分开。于是内外之对立消弭，而人与自然，融为一片。"② 因此，在中国传统文化中，没有任何真正独立的东西，没有天国地狱，没有内心外物。天地万物都是与人相应的存在。相应的，中国的传统文化中也根本没有"个人""自我"的概念。人人都要"先天下之忧而忧，后天下之乐而乐"，人即是家，家就是国。衡量是否成人的标准是安家立国，衡量是否成圣人的标准是"修身齐家治国平天下"。通过君君臣臣父父子子，个人与社会无从分离。个人宛如整体的一个零部件。有人说中国人缺失了莎士比亚戏剧《李尔王》中的主人公李尔王追问"我是谁"的执著与清醒。"'我是谁'的问题，对中国人来说是不证自明的。我是老子或儿子，我是天子或臣

---

① 高瑞泉. 民族思维定势与传统教育模式［C］//丁钢. 文化的传递与嬗变——中国文化与教育. 上海：上海教育出版社，1990：7.

② 张岱年. 中国哲学大纲［M］. 北京：中国社会科学出版社，1982：7.

子，只要看到别人，立刻就知道自己是谁。"① 所以说中国人的自我是不成熟的自我，是缺乏独立性的自我。虽然作为"大我"，中国人的自我有着西方所没有的强调人与自然、人与社会相统一的优越性，但是它的缺憾也是显而易见的。由于这种缺乏独立性的自我，在中国传统文化中，自我与外物的区别始终不能得以彰显，个人主体意识的萌发受到压抑，个性独立的社会意义被否定，个人追求自身正当利益的能动性消弭，最终失去了勃勃向上的活力和创新进取的原动力。可以说，受着封建宗法桎梏的束缚和传统文化制约的中国人对自我的追求，最后得到的并不是自我的独立性，而恰恰是自我的消解。

从终极意义上说，中国的传统文化博大精深，综合大观，相对于陷入自我对立、自我分离之中的西方文化，有其优越的一面。但就现实意义上说，中国传统文化忽视个性自我，也给社会带来了许多消极的影响。特别是对于与文化传统联系紧密的教育，一直以来实施的都是一种"目中无人"的教育。受教育者的个性特质、独立人格消解在大一统的教育要求和整齐划一的教学过程之中。所以，今天教育中存在的、屡屡受到人们指责的千人一面、个性不明、独立性不足的缺憾，其实与中国传统文化的"天人合一"精神在本质上是一脉相承的。

二、科学技术教育的冷落

在中国古代教育中，偏执于"文行忠信"式的伦理道德教育而轻视科学技术教育始于孔子之教。在教育内容方面，孔子删定了自西周以来的"礼乐射御书数""六艺"为新的《诗》《书》《礼》《乐》《易》《春秋》，并且对它们的主次先后、内容体系都作了重新编排。《论语》记载"子以四教：文、行、忠、信"②。所谓"文"，指的就是西周传

---

① 邴正．当代人与文化——人类自我意识与文化批判［M］．长春：吉林教育出版社，1998：102．

② 论语·述而.

统的《诗》《书》《礼》《乐》方面的典籍文献，从广义上讲，凡是博学、审问、慎思、明辨都属于文教。其中的《诗》《书》《礼》《乐》，基本上都是要用来进行人伦道德的教育。"行"指的是一个人的品行，"忠"则指对人忠诚，"信"是指讲究信用。孔子自己也曾多次对教育内容做出过规定，如"弟子入则孝，出则第，谨而信，泛爱众而亲仁，行有余力，则以学文"①，"兴于诗，立于礼，成于乐"②。从孔子的这些论说中可以看出，他所指的教育，主要是人伦道德方面的内容。首先要成为品行合乎道德规范的人，其次才是学习文化知识。回顾中国封建社会教育走过的两千余年的历程，可以说基本上是礼教一统天下。虽然也不断时而受到重视、时而受到排斥的乐教相伴随其左右，但乐教的命运多数是被纳入了礼教的框架之中。礼教也就是今天所说的德育，它的价值是善，即所谓"大学之道，在明明德，在亲民，在止于至善"。而这里所说的"善"，就是孟子说的五伦"父子有亲，君臣有义，夫妇有别，长幼有序，朋友有信"。要"止于至善"，就必须格物、致知、诚意、正心、修身、齐家、治国、平天下。此"八条目"是一个有机的整体，前五条的"内圣"功夫和后三条的推己及人、成就外王事业，昭示着《大学》把内心的道德修养与外在的治国平天下融为了一体。古代的礼教实际上涵盖着伦理道德教育和政治教育两方面的内容，它的本质功能是维护人际关系和社会结构的稳定。伦理道德教育重在讲修己，政治教育重在讲治人。虽然孔子的弟子孟子和荀子曾就"修己"和"治人""内圣"和"外王"孰轻孰重的问题发生过争执，但整个儒家教育基本上兼顾了道德教育和政治教育的双重功能，"内圣外王"是儒家普遍认同的理想诉求。

可见，在当时的教育体系中，伦理道德教育独尊，科学知识、技术教育则被搁置一旁。即便是学诗，也是因为其中所蕴涵的伦理教育的功能。子曰："小子何莫学夫诗？诗，可以兴、可以观、可以群、可以

---

① 论语·学而.
② 论语·秦伯.

怨；迩之事父，远之事君；多识于鸟兽草木之名。"① 这兴、观、群、怨、事父、事君，指的都是伦理道德方面的内容，而"识草木之名"只是放在末尾附带一提，可见并非主要。荀子也只给礼乐之教以高度的评价。他说："乐行而志清，礼修而行成，耳目聪明，血气和平，移风易俗，天下皆宁，美善相乐。"② 礼乐不仅具有道德上移风易俗的功能，还可以收到政治上"天下皆宁"的效果。汉时独尊儒术的董仲舒和宋代的朱熹对孔子论学诗又分别作了自己的注解，最后的结论是"如今学而不穷天理、明人伦、讲圣言，乃兀然存心于一草木、一器用之间，此是何学问？"如此，连孔子附带一提的"识草木之名"也遭否定。

当然，这种对伦理道德教育的功能和作用给予高度重视的教育无疑是有其积极意义的，它对于人格的模塑，对于心性的提升，对于中国传统社会人与人、人与自然关系的和谐，甚至对于国家与社会的安定都曾起到过不容忽视的作用。然而，中国传统教育中伦理道德教育的过度张扬却是以科学技术教育的冷落为代价的。这与今天我们一再呼吁的加强思想品德教育、"德育为首"显然有着迥异的时代背景。时过境迁之后的现实是，德育虽长期在形式上重视，其实效性却低下，学生的道德水平明显滑坡，因而亟须重新恢复德育应有的地位。而传统教育却是伦理道德教育独尊，科学技术教育没有得到最基本的重视和发展。

总之，在两千年封建传统的延续之中，伦理道德教育始终是正统教育的中心和主流，对人的德行的培养以绝对优势压倒了科学文化知识和技术的传授。伦理道德教育和科学技术教育发生了置换。这种置换在积极的方面，曾经延缓了西方由科技至上而导致的人被"异化"或"物化"的一系列危机，但它的消极影响也是不容忽视的。伦理本位的传统文化所设计的为尧作舜的"圣王"理想和诲人正心去欲的内省修身之道最终演变成为空疏玄虚的学说，从而将认识主体的人封闭在狭隘形上的"内圣"天地中，终难实现从"正德"向"利用厚生"的转变，

---

① 论语·阳货.
② 荀子·乐论.

难以摆脱"重道贱器"的困扰。这无疑压抑了人对于外在客观世界进行观察和思考的认识主体性，幻想用以德为本体的"形上"之"道"去统御日用技艺这一"形下"之"器"。凡悖逆于儒学谛理的知识技术，即使能够"利用厚生"，也是异端邪说和奇技淫巧。如此，不少学科和知识都被打上了伦理化的烙印，人的认识与实践的主动性和创造性不能得到充分发挥。这种文化当然无论如何滋养不出发达的科学技术来，造成了中国近现代科学技术远远落后于西方的事实。更重要的是，"当教育传播伦理政治文化时，它主要体现守成的功能，维护社会和人际关系的稳定；当它传播科技艺术文化时，它主要显示创新的功能，激发人们享受物质和精神产品的热情"[①]。所以，教育创新功能的丧失，受教育者创新意识和创新观念的模糊，才是传统教育独尊伦理道德教育、忽视科学技术教育的最恶后果。

三、"学而优则仕"：独立人格的失落

孔子的弟子子夏提出的"学而优则仕"不但代表了孔子的教育观点，而且设定了中国传统社会培养人才的一条基本路径。孔子对此态度非常明确，"先学习礼乐而后做官的是平民，先有了官位而后学习礼乐的是贵族子弟。如果要选用人才，我主张选用先学习礼乐的人"。他还鼓励学生们，"不患无位，患所以立"[②]。"学而优则仕"口号的提出，曾经多少年来极大地鼓舞着知识分子焕发出无穷的力量去读书做官，以求走上通往政治统治领先地位的通途。在它提出的当时，的确曾经适应社会发展的要求，反映出了一定的规律性，直到今天还在某些方面具有实际的意义。然而，随着隋朝科举制依据考试成绩选拔人才取代了两汉以德取人的察举制和魏晋以门第取人的九品中正制，并经过唐代的发

---

① 金忠明．中国传统教育和中国知识分子［C］//丁钢．文化的传递与嬗变——中国文化与教育．上海：上海教育出版社，1992：74.

② 论语·里仁.

展，宋、元、明的演变，最终成为一种完备化、定型化的选士制度，连续在中国历史上走过了漫长的 1300 年的历程，"学而优则仕"的内涵已经被演绎得全然走样，孔子之初所蕴涵的那种提倡学习成绩优良是做官的重要条件，如果不学习或者学习成绩不够优良就没有资格做官，亦即"任人唯贤"的积极意义已经消失殆尽，只剩下了知识分子终其一生为之拼搏的唯一目的，那就是——读书做官。

为了实现读书做官的人生理想，历代知识分子不顾科场生活之艰苦，怀着"一举成名天下知"的梦想，甚至甘愿忍受许多耻辱，对入仕的唯一途径——科举，趋之若鹜。"万般皆下品，唯有读书高"的思想在社会上广泛流传，做官发财成为士子们共同的人生观。科举考试方法很多，并且每个时代不断有所变化。唐代考试要"贴经"，就是将所试的经书任揭一页，把左右两边遮起来，中间只开一行，再用纸贴盖住其中的几个字，令应试者填充出来。由于经书和注释有限，时间久了之后，为了增加难度，淘汰考生，贴经的条目越来越怪，年头月尾，孤章绝句，专门刁难、迷惑考生。科举考试中虽有"策问"旨在通过"贤良对策"考查应试者的政治才能，但实行久了之后，一般士子均"束书不观，只拿缀辑的旧策读之，以应付考试"①。特别是到了明清之时，科举又采取八股取士，必须依据四书五经及规定的几本注疏，"依经按传"，代圣人立言，不能有自己的见解，也不许有自己的新意，行文又必须符合八股程式，限制十分严格。众多含辛茹苦、十年寒窗的士子们为了谋求功名，竟然不择手段，科场舞弊的有之，卑躬屈节援引权贵者有之，低首下心求人荐举的有之，还有的甚至置知识分子人格、尊严、良知于不顾。

受着"学而优则仕"梦想诱惑的广大知识分子，为了获取功名利禄无奈义无反顾踏上了科举之路。每次大比之年，无数士人翘首以盼，可谓"天下攘攘，皆为利来；天下熙熙，皆为利往"。科举考试在教育

---

① 毛礼锐，沈灌群．中国教育通史：第 2 卷［M］．济南：山东教育出版社，1986：507．

上最大的弊端，就在于造成了死读书、读死书、读书死的极坏传统，形成了强调死记硬背的教育方法，教条主义、形式主义的学习风气盛行。精通科举之学的古代中国知识分子，连性格也为之改变。终日埋头于经书，不关心社会现实问题，"两耳不闻窗外事，一心只读圣贤书"；只懂得书本知识，缺乏实际生活和实践活动能力；沉湎于读经、注经，窒息了思想的活力，丧失了独立思考判断的能力；最终形成了盲从权威、不愿创新，只知继承、不懂发展的思维定式和软弱、服从的性格特征。在有着强烈功利色彩的读书观的驱使下，众多的知识分子读书不为求得知识，不为求得真理，将自己的人格失落在对功名利禄的追逐之中。

如今，科举制度早已废除，以"学而优则仕"为终极目标的知识分子已不为多数。然而，近两千年传统的影响却远未销声匿迹，教育中的教条、形式之风依然存在，急功近利、短视的做法仍然盛行。或许，这正是我们的教育之所以屡屡培养出没有思想、不会思维的"人才"，我们的知识分子之所以独立人格依然欠缺、批判精神依然不够的缘由所在。

第四节　考试作为无法逾越的制度束缚

如果说中国深厚的传统文化积淀是造成中国当前教育中存在的诸多弊端的初始根源之一，那么，导致这些弊端滋生蔓延、反复强化的一个最切近、最主要的因素则是直到现代才有的，一向以科学化、客观化、公平性自我标榜的标准化考试。

所谓标准化考试，是指对考试制定出客观而规范性的标准，从命题到施考、阅卷、评分等各个环节都力求减少或避免各种误差，从而测出考生比较真实成绩的过程。标准化考试的本质在于：建立测量标准，减少或控制测量误差。一般而言，标准化考试具有如下特点：测量标准明确；试题取样范围大、题量多、覆盖面宽，因而考试的信度和效度都比较好；试卷难度适中，区分不同程度考生的能力较强；试题答法尽量简单、明确，使评分客观、准确；从命题到阅卷评分等各个环节都努力减少无关因素的影响，使考生得分可靠，等等。由于具备以上这些优点，标准化考试是作为比主观性、人为性、随意性较强的传统考试形式更为科学、先进的新型考试形式而出现的。在它出现的最初，这种新的考试形式确实曾以其客观、科学而赢得人们的普遍信任。但是，随着人们对标准化考试过分依赖的心理与日俱增，标准化考试在教育中被滥用甚至误用，它的初衷被一再异化，它的负面效应开始逐步显现，最终招致人们不断的指责。作为一种一度曾被人们普遍认可的、权威的评价形式，标准化考试对教育带来的影响是深远而广泛的，具体表现为以下几个方面。

一、"像收音机那样说话"

标准化考试的特征之一就是考试后有一套标准答案，教师依据标准答案阅卷，每一个步骤、格式都有明确的规定。不同于标准答案的，无论什么情况，均视为答错。在应试教育观念仍然根深蒂固的今天，在考试分数已经被无限神化的时候，标准化考试答案的唯一性更是被演绎得神乎其神，考生的回答不得有半点差错，只要一字不同，哪怕意思完全一样，也是它对你错。如果有人觉得自己的回答比标准答案更合理，那也没用，因为它就是标准，而标准就是绝对正确，就是权威，你必须完全同它一致才能算对。

《北京文学》1997 年第 11 期曾发表了一篇题为《女儿的作业》的文章，作者从自己的切身体会出发，从一位小学生家长的角度，揭示了在教育考试中由标准答案之"标准"唯一而引发的问题。文章读来实在发人深省。

我曾看过她的数学作业，对格式和步骤要求十分严格，不厌其烦，明明可以综合列式子的，也要求分步骤；一个式子之后还要有语言阐述。我不知道为什么总把聪明的孩子当成白痴来教。他们其实非常机灵，比我们想象的机敏得多，但我们学校那种教学好像是想验证一下谁更按部就班，谁更能掌握僵死的程式。有一次经我检查过的语文卷子错了很多，不仅是家人，我也开始对我的语文程度怀疑起来。有两条错误是这样：题目要求，根据句子意思写成语。有一条是"思想一致，共同努力，"女儿填"齐心协力"，老师判错；还有一条"刻画描摹得非常逼真"，女儿填"栩栩如生"，老师也判错。我仔细看了，不知错在哪里。女儿说第一条应是"同心协力"，第二条就是"惟妙惟肖"。这真让人吃惊，我不知道"齐"与"同"在这儿有什么区别。按新华字典"齐"字第三个义项就是同时、同样、一起的意思，并举例"同心"一词。该用"同心协力"时，用"齐心协力"谁能说这是错了。女儿说：标准答案是"同心协力"，其他当然就错。真可怕，语文什么时候变得比数学还要精确了。中国语言之丰富，词汇之多，所谓同义词、近义词，相应的不止一条，怎么就会有一个答案呢。再说第二条，我觉得按照题目的意思，"栩栩如生"甚至比"惟妙惟肖"更为准确，"妙"和"肖"与"如生"比，哪一个与"逼真"这个词接近呢。关键争执还不在此，把对的说成错的，就不仅是误人了实是害人了。还不止害一个人，而是害了一代人。实际也这样，我反复怎么说两条都没有错，女儿也不信，她视老师为绝对权威，老师的标准答案为"圣旨"。女儿把她原来活跃、灵动的心收起来了。从她心里把那两个词赶出去了，她将接受别人给她的标准，来谨慎地使用词汇，她以后可能会像收音机一样的说话。那天，她按老师的要求把那"错的"又抄写了十遍。我那一刻心里只有一个词——残酷。

同样的例子还有很多。在这些不同的例子中，令人感受到的是同样的困惑和不解，如为什么"挤眉弄眼"只能算神态类的词而不能算动作类的词，神态和动作之间清楚的界线在哪里；为什么"意外的灾祸或事故"的意思只能是"三长两短"等。

如果说，《女儿的作业》显示的问题主要是标准答案对语文的不适宜，那么在客观性相对较强的数学课中，标准答案是否具有更多的适应性呢？《中国青年报》1998年元月21日发表了一篇题为《10除以5，得多少?》的文章，讲的就是标准答案在数学考试中的境遇。

小儿7岁，在北京一所还不错的学校读小学二年级，天性不算愚钝，遇事还好问个"为什么"。但是本学期他几次测验所出"错误"，让我这读了四年大学，又做了近20年文字工作的人疑惑不解。

一次数学测验，有一道题是这样的"10除以5，得多少?"小儿答"10除以5得2"。

不料试卷发下来后才发现，小儿的这一答案被扣了0.5分。请教老师（试卷不由学校出，由学区统一出标准答案），老师说：原因是没有按规定答题，正确答案应是"得2"。好心的老师惋惜地告诉小儿，你这么写是不应该算错的，但是，上边对试卷答案有严格要求，所以以后做除法，答题要从倒数第一个"逗号"开始，问什么，答什么，不要多写。

小儿记住了老师的教导。但因此又带来一次"错误"。

这次的试题是这样，"26除以4商几，余几?"小儿答曰：商6余2。

这次又被扣去0.5分。

在和孩子一起给试卷改错时，我问孩子，为什么不按老师说的"从倒数第一个逗号开始答"。他很困惑地说："总不能不答商，只答余数呀！要不，你说怎么答?"

我明知孩子说得有理，但也猜不透出题者的要求，只好说，"别管这些，按老师教的办法答，就写'余2'，看看老师怎么改。"

第二天，我们改的题又被判为错题。向老师请教，老师也无可奈何地解释说，这次是试题出得不好，逗号不应该放在"余几"处。老师好心地告诉小儿，以后考试再遇上这种题，就从头至尾地答，不会有错。

一会儿是要从逗号处开始答，一会儿是不能从逗号处开始答，小儿说：我不会答题了！

更让我没想到的是语文考试也是如此。期末考试前，小儿在一次语文测验中又丢了5分。

试题是这样的：把每组词连成句子，写下来，再加标点。给的词是：发明　蒸汽机　瓦特　是　的。

小儿的答案是："是瓦特发明的蒸汽机。"尽管语句通顺，也符合要求，而且是个正确的强调句式，但小儿没得一分，理由是和标准答案不符。原来上面给的标准答案是"蒸汽机是瓦特发明的。"或"瓦特是发明蒸汽机的。"这两种。

数次的经历让人明白，诅咒与埋怨是没有用处的，重要的是不能让孩子被这种僵化的教育毁了。我告诉孩子，你没有写错，虽然与标准答案不符，但是分数并不是最重要，将来写文章就应该这样写，尽量去想更好、更生动、更不落俗套的句子。小儿马上问我："那'发明蒸汽机的是瓦特。'这句话对吗？"

我说："很好！"

这两个例子所反映出的问题是相同的。不必说语文，就算客观性较强的数学课，由标准答案引发的问题也已经到了很严重的程度。本来，鼓励学生对同一个问题使用多种不同的解法正是锻炼他们的求异思维，发展创新能力的最好途径，可是为了与标准答案保持一致，学生们不得不小心地将原本向四面八方发散的思路收敛起来，求同求稳。而且，遗憾的是并不是所有的学生都能同上面提到的这两位学生一样幸运，能够有理解、支持自己的父母。众多的孩子在这样的标准答案面前，只能由最初的困惑而慢慢生出对自己的怀疑，生出对自我的否定，甚而失去信心，将自己灵动、跳跃的思维收起来，再也不敢有自己的思考，彻底依赖早已有人规定好的标准答案，使自己"像收音机那样说话"。

二、问题意识的缺失

由于答案只有一个，而且常常出乎教师和学生的意料之外，令人摸不着头脑又不敢等闲视之，于是教师和学生们慢慢悟出一个道理，就是应付这种考试的有效方法只有一个，那就是完全按照标准答案，背会记死。

如在我们的考试中，常常会出现诸如这样的题目，要求学生回答"翁"字有多少义项，解释"灰溜溜"是什么意思等。这样的问题，根本用不着有自己的思考，答案也不需要学生自己去进行思考，只需要准确复制就行，而对于类似这种稀奇古怪的题目，要想能够复制，就必须死记硬背。有人说我们的考试考的实际上就是学生的记忆力，成绩最好的学生往往是记忆力最强的学生，这话不无道理。

唯一的标准答案被赋予了无上的权威，分数对于每个人来说又起着决定命运的作用，不需有教师和家长强迫，学生应付考试的法宝就是对标准答案无条件的记忆、模仿、服从和坚信。这种方法似乎在短期内、在表面上提高了学生的考试成绩，但事实上却最终致使学生不再思考，不再怀疑，只有答案，没有问题。对于学生而言，相对低级的记忆能力得到了比真正有价值的思维能力更多的重视，记忆力也的确发挥了比思维能力更为重要的作用。而记忆力暂时的发达却是以独立思考能力、想象力、推理能力的下降为代价的。尤其令人担忧的是，任由死记硬背的方法长期充斥于我们的教育考试中，一个最为严重的后果是学生问题意识的丧失。

然而，问题是创造的先导，是思维的起点，具有问题意识是一个人有所创新的前提和基础。所谓问题就是未解的疑难或矛盾，就是理想与现实之间的差距。有问题就意味着对现实对现状的不满，就意味着有自己的思考。很难想象，一个没有任何问题的人会打破现状，超越常规。问题意识指的是学生面临需要解决的问题时的一种清醒、自觉并伴之以强烈的困惑、疑虑及想要去探究的内心状态。正是这种内心状态驱使着学生积极地思维，不断地产生解决问题的办法，不断地提出新的问题。创新活动实际上就是一个不断提出问题和解决问题的过程，只有首先提出问题，才能启动思维，使创新活动始终以提出的问题为核心而展开。问题意识在人的思维活动中起着十分重要的作用，对此，人们早有认识。实验科学的鼻祖培根曾经说过，如果科学研究从肯定开始，必将以问题告终，如果从问题开始，则必将以肯定结果。现代科学之父爱因斯坦更为深入地阐述了这个问题，他说："提出一个问题往往比解决一个问题更重要，因为解决一个问题也许仅是一个数学上的或实验上的技能而已，而提出新的问题、新的可能性，从新的角度去看旧的问题，却需要有创造性的想象力，而且标志着科学的真正进步。"[①] 对于创造性较高的学生来说，一旦发现了问题，就会产生解决问题的需要和内驱力，产生一种心理上的不平衡，从而激起强烈的求知欲和好奇心、唤起内心创造的需求与兴趣，在强烈的创造动机的驱使下，激励他进行积极自主的思考和创造，直到解决问题，达到创造的目的。然而，在标准化考试中习惯、喜好死记硬背方法的学生只能是因循守旧、墨守成规的人，只能是失落了问题意识、不思创新的人。

有一位儿子在美国读书的中国家长，询问儿子的老师："你们怎么不让孩子们背记一些重要的东西呢？"美国教师回答："对人的创造能力来说，有两个东西比死记硬背更重要，一个是他要知道到哪里去寻找他所需要的比他能够记忆的多得多的知识；再一个是他综合使用这些知识进行新的创造的能力。死记硬背，既不会让一个人知识丰富，也不会让一个人变得聪明。这就是我的观点。"[②]"死记硬背，既不会让一个人知识丰富，也不会让一个人变得聪明"，多么简单的一句话，道理似乎

① 爱因斯坦，英费尔德. 物理学的进化［M］. 周肇威，译. 上海：上海科学技术出版社，1962：66.

② 高钢. 我所看到的美国小学教育［N］. 南方周末. 1997 - 6 - 20.

人人都懂，可是我们的教育，什么时候才能真正把学生从死记硬背的重负下解脱出来，把目光集中在学生问题意识的养成上呢？

三、不敢"想象"

有一个电视剧中有这样一个情节：一个老师在黑板上画了一个圆，问这个圆像什么？幼儿园的孩子讲出了几十种与圆相似的东西；小学生讲出了十几种；中学生讲出八九种；大学生讲出两三种；社会上的人们（包括局级干部）一种也讲不出。这也许有些夸张，但可以从中反思我们的教育问题。这个情节从某方面正反映了我们的教育中当前存在着的一个非常严重的问题，那就是教育对想象力的扼杀、对思维的禁锢。接受的教育越多，接受的限制也就越多，越不敢展开想象的翅膀，越不敢进行自由的思维，成为既不敢想也不敢说的人。

这同我们的考试标准也是息息相关的。因为我们的教育和考试是根本不鼓励充满想象力的答案的。在一个小学课堂上，教师问学生："雪融化以后是什么？"有的学生说："是水。"教师给以肯定。可又有一位学生说："是春天！"许多同学睁大了眼睛，那位教师却毫不犹豫地给这个答案判了死刑。一个美妙的想法就这样被无情地扼杀了。在这样的教育和考试中，久而久之，学生是没有胆量去自由想象的，就是原本有着丰富想象力的孩子也要学着简单、学着现实、学着成熟。在《女儿的作业》里，那位曾经能够写出"圆珠笔在纸上快乐地蹭痒"句子的女儿，不是后来也开始和她的同学一样，编"扶老婆婆过街、给老师送伞、借同学橡皮"之类的故事，去得到教师给的一个好分数吗？

标准化考试从题目的编制、考试的进行，到最终的评分、分数的解释，使用和遵循的是统一、不变的模式。统一的考试模式必然要求统一的教育模式。统一的教育模式就像教师的那套标准答案，根本不考虑学生个性发展的差异，用同一标准把他们限定在一个框框内，使学生不能有与众不同之处。学生为了寻找答案不得不努力去适应这套模式，从而不敢想象，不敢超出常规，最终形成统一的思维模式。

标准答案使学生接受了"标准"知识，却付出了学生不敢自由"想象"的代价。而对于创新来说，求异思维至关重要，丰富的想象力至关重要。爱因斯坦说过，想象比知识更重要，因为知识是有限的，而想象力概括世界上的一切，推动着进步，并且是知识进化的源泉。严格地说，想象力是科学研究中的实在因素。想象可以使人的智力打破时间和空间的限制，开阔视野，看到前所未有的新天地。一切创造活动都离不开想象，从想象中可以迸射出发明创造的火花，如能及时捕捉，将会有意想不到的收获。想象力的发挥需要有可以自由驰骋的空间。一切将"标准"固定的做法只能压制学生的想象，束缚学生的思维。一味的统一，是在否定和拒绝差异。标准化考试作为衡量学习效果的不变的模式和手段，一切教育手段都为达到统一标准服务，创造的想法只有被扼杀在摇篮里，想象力成了虚无、奢侈、多余的东西。

一个没有想象力的人怎能有发明创造？一个没有想象力的民族又如何向前发展？一切问题由此而发，不能不引起每个人特别是教育工作者的深思。

四、拒绝创造

毋庸置疑，考试本身对教育具有强烈的导向作用。在这样的考试中取得高分的学生，就是被我们的学校、家长、社会公认的好学生，就能够升入大学，就能够在社会层级流动中处于优势地位。这在相对长的时间内，甚至直到今天都是一个不争的事实。这无疑使得我们的学生，被迫放弃其他方面的兴趣和爱好，把所有的精力全用在应付考试，放在拼命追求高分数上面。

这样的评价标准，实际上暗示了我们需要的人才标准，暗示了学生们应该确立的追求目标。那就是钱理群先生形象描述过的那种画面"这将是怎样的'人才'呢？他们有一种很强的能力，能够正确（无误）、准确（无偏差）地理解'他者'（这'他者'在学校里是老师、校长，在考试中是考官，以后在社会上就是上级、长官）的意图、要求；然后把它化作自己的意图与要求，如果做不到，也能自觉地压抑自己的不同于'他者'要求的一切想法，然后正确、准确、周密地，甚至是不无机械死板地贯彻执行，所谓一切'照章（规定，社会规范）办事'，做到恰当而有效率，并且能够以明确、准确、逻辑性极强而又简洁的语言文字，做出总结，并及时向'他者'汇报。这样的人才，正是循规蹈矩的标准化、规范化的官员、技术人员与职员。他们能够提供现代国家与公司所要求的效率，其优越性是明显的；但其人格缺陷也同样明显：一无思想，二无个人的创造性，不过是能干的奴隶与机械的工具"①。

　　受着这样的目标驱使，长期在单调、枯燥、乏味的教学中压抑自己的学生生出了对学习的厌倦、厌恶，对老师的憎恨甚至仇恨，有的身心受到摧残和压抑，有的人格被扭曲和异化，还有的甚至做出一些极端的行为。

　　有一位高考考生，在高考作文中，毫不掩饰地宣泄了自己对考试制度的痛恨。这是他的作文：②

黑色的 7 月 7 日

　　在更深人静的夜间，夜幕上的小星星恐惑地眨巴着眼睛，不安地注视着这个世界。

　　一条深长的小巷中，有一个人行色匆匆，在昏暗的灯光下，显得神色憔悴。当此人走到一个拐角处时，忽然从阴影中跳出一个蒙面人。

　　"站住！"蒙面人强作镇静地低声喝道，"把钱留下，放你一条命

① 钱理群."往哪里去?!"［C］//孔庆东，等.审视中学语文教育.汕头：汕头大学出版社，1999：5.
② 孟嘉.无法忘却的高考作文卷［M］//鄢烈山，何保胜.杞人忧师.北京：中华工商联合出版社，1999：3.

过去！"

夜行人仍不理会，两人之间的距离愈来愈小。

"站住！站住！"蒙面人更加惊慌。

"你杀了我吧！这个世界我早就看透了。因为我的成绩差，考大学无望，在校内老师讥讽，同学嘲笑，在家里父母打骂。我虽然是个人，他们却从不尊重我的人格。因为考大学无望，每年每天每时每分每秒，我都生活在自卑之中，父母从不愿给我一个笑脸。你想一想，我这样活着还有什么意思？明天就是 7 月 7 号的黑色日子，我希望每年的今天都是我的死亡纪念日！"

蒙面人听了，用手拭了拭湿润的眼角："孩子，你要想开！学校、父母也不想逼你走绝路。你一定要活下去！"

该选择什么道路？考完再说吧！

这篇作文的字里行间透露出来的是作者对生活的失望、悲观和消极的情绪。风华正茂的孩子却有着如此沉重的心态。这真让每一个读过的人为之心情难过。像这样由对考试的厌倦，对教育的失望而对生活失去信心的学生并不在少数。还有的学生甚至出现精神扭曲、心灵变态。新千年的开端，当新纪元和新年的喜庆还未完全散去的时候，各大媒介披露了一件令全国上下为之震惊的事情：浙江金华市一名 17 岁高中生不堪忍受其母对其过于严格的教育方法和过高的要求，竟然举起榔头将自己的亲生母亲杀死！

以培养人为根本目的的教育缘何竟然会发展到今天这样，为了其选拔人才的考试制度居然走向窒息与控制受教育者心灵的反面！更何谈对人心智的开发，性情的陶冶，人格的养育，独立、自由精神的养成！这种考试制度危机的暴露，无遗给我们敲响了一记响亮的警钟，正是目中无人、"以学生为敌"的考试制度像指挥棒一样牵制着我们的教育，使得教育失去了灵魂，沦落为将人工具化、奴隶化的手段和工具；教育的对象也失去了灵魂，成为工具、成为奴隶，成为没有人格和独立性的表面上的人。

　　确实，造成今天我们教育中种种弊端的始作俑者，是我们的考试制度。教育改革要取得实效，教育要树立以培养学生的思维能力为目标的理念，要达到学生智慧发展的理想，不能不以认真的态度关怀考试制度的改革。

2

关于思维之思

　　思维的奥秘吸引着人们投入了无限的精力和热情去探索和揭示它。思维问题原属于哲学研究的范畴，思维被认为是宇宙中"物质运动的基本形式之一"，是地球上"最美的花朵"。后来由于思维涉及物质和精神、宏观和微观、理论和应用等很多不同的方面，因而又成为多门学科研究的对象。哲学、心理学、逻辑学、思维科学、脑科学以及教育学等不同的学科都在"思考思维"。这些学科"对思维之思"既相互联系、相互影响，思考的侧重面却又不尽相同。

第一节 "人何以为人"的凭据

人与世界的关系问题是哲学的基本问题之一（另一个基本问题是思维和存在的关系，"本体论"以及"认识论"由此产生），它主要探讨人与社会的关系以及人在世界中如何成为真正意义上的人、"成为你自己"，人如何实现自己的意义与价值，对这些问题的讨论导致伦理学、价值哲学以及存在哲学或实践哲学的产生。

自从普罗泰戈拉（Protagoras）声言"人是万物的尺度"，"人的问题"逐步取代"宇宙的起源""世界的本源"而进入哲学家关注的视野。到苏格拉底那里，则进一步明确提出"认识你自己"。于是，人在何种意义上可以称之为人，人在世界中如何成为一个真正的人，成为哲学中的一个难题，它和"存在与思维的关系问题"一起成为哲学领域中长期被讨论的两个基本主题。

在苏格拉底看来，人之所以为人，不仅仅因为他有感觉和欲望、情欲等，更重要的在于人有灵魂、有思想。简言之，人之所以为人，是因为人能思维。如果人只是作为一个感性的存在，仅仅凭感觉来行动，那么人就与动物一样，以自身的盲目的自然力而影响自然，因此，人也只是自然过程的一部分。但是，人除了有感觉之外，还有思想，有思维能力；人不仅能直接感受外界自然，而且能通过思维理解自然，能够认识和掌握自然的规律，认识宇宙的普遍、认识社会中的普遍。因此，要真正认识一个人，必须把人当做有思想、有理性的动物看待。由此，苏格拉底把"自我""自我意识"提到了哲学首要地位的高度。他所说的没有反思的人生是没有价值的人生一语，差不多道出了哲学的根本使命：那就是孜孜不倦地追问探索人生的意义，就是对智慧的热爱和追求，爱智慧甚于爱一切，包括甚于爱生命。在苏格拉底这里，人的精神的力量、人的主动性第一次被发现了，第一次提出要把人看做是能动的主体。更为重要的是，他肯定了人的理性、心灵的重要地位，把心灵、理性看做人之所以为人的根据，是人的本质所在。人作为人的首要一点在于，他必须凭着心灵、凭着理智去行动。

柏拉图把精神当做世界的本质，把哲学进一步导向理性世界。他继承苏格拉底的爱智慧的思想，并把爱智慧集中在永无止境的哲学探究上。在柏拉图看来，宇宙归根结底是一个有理性的宇宙，一个精神体系。感官对象即我们周围的物质现象，不过是永恒不变的理念的流动的影子，既不能持久，也没有价值。只有理性才是真实的，具有绝对的价值，是至善。柏拉图认为肉体和感官不是真正的部分，最终的理想是要培育理性即灵魂不死的一面。在他看来，灵魂兼有理性、意志和欲望三个部分。理性的部分主管人的聪明程度，因为它着眼于整个灵魂而进行预想，它的基本职能是"发号施令"。这就是说，思维能力和认识理念的能力是心灵原本就具有的能力。但人要认识世界，只凭感觉是不行的，因为感觉不是知识，只凭感觉也得不到知识。心灵必须通过理性，运用思维，以思维为工具，才能在认识过程中获得真知。而教育的作用就是要使心灵排除外部世界纷纭莫测的干扰，使心灵超越感性事物，转向善，转向真理，去认识理念世界。

作为柏拉图的学生，亚里士多德本着"吾爱吾师，吾更爱真理"的精神对柏拉图的一些基本理念既有继承又做了大量的修改。他在其老师的基础上，使逻辑学更为详细完善，成为一门专门的学科。亚里士多德之所以对逻辑极为重视，是因为他将逻辑学视为一种获得真正知识的重要工具，逻辑学的职能就在于论述取得知识的方法。世界不是由感官所知觉的，知识需要依靠思维来寻求。逻辑学由此而成为一种关于正确思维的科学。亚里士多德认为，思维就是推理的或科学的论证。推论由判断组成，判断由表述于项中的概念所构成。亚里士多德不仅讨论了判断的性质和种类、它们彼此之间不同的关系以及各种论证，还为其过程制定了精确的定义和分类。这些理论，直到今天还完好地出现在我们的逻辑学教科书中。亚里士多德还特别重视三段论的论证方式。这种演绎的或三段论式的逻辑是一切思维运动的基本形式。在他看来，所有有确切根据的或科学的论证永远采取三段论式的形式。这是追求真理的方法的最有效逻辑。

具有浓厚宗教神学色彩的中世纪经院主义哲学家的思想态度与古代哲学家有所不同。他们往往被人们指责为背弃了唯理的追求和科学的精神，让哲学为宗教服务，使哲学沦为了神学的婢女。一提到漫长的中世纪，总是同权威、恭顺、服从等这些字眼相联系。在经院哲学所研究的问题当中，"信仰贯穿始终，神学是一切知识的王冠，是至高无上的科学"。"教会作为上帝在人间统治的代理人和天启真理的泉源，变成教育的监护人、道德的检察官、文化和精神事务的最高法庭；它的确是文明的机构，天堂门户的掌管者。"① 由此，教会直接从上帝那里接受真理，人们便再无探询真理的必要，哲学除了为神学做婢女之外，没有别的什么用处。由于经院哲学的空疏和荒唐，中世纪常常被视为人类文明史上的黑暗和蒙昧时期。然而即使如此，经院哲学从某种意义上仍然表现出其自由探索和独立思考的精神。"经院哲学本身之所以已经产生，是由于人们渴望在理论上有参悟的能力，希望了解和寻求它所信仰的理由。这反映同样的思索和探究的精神，这种精神曾使人在希腊思想的黄金时期建立起伟大的形而上学体系。"② 也就是说，在经院哲学所圈定的界限之内，仍然给人类理性思维以自由活动的余地。甚至在很多经院哲学家的思想当中，常常可以看到"智力上的好奇"和"自由思想的倾向"。尽管他们考虑的问题在今天看来毫无意义甚至无聊、荒唐、愚蠢，但至少应该肯定的是，他们进行过非常认真的思维和头脑的探索活动。

文艺复兴以后，人类社会迎来了一个理性和启蒙的时代。科学和哲学取代了神学，理性重新成为科学和哲学的权威。从 18 世纪后期开始，德国人的精神生活产生了一种深刻的变化，以强烈思辨色彩的古典哲学

---

① 梯利. 西方哲学史［M］. 葛力，译. 北京：商务印书馆，1995：174.
② 同①，222.

运动和文学上的狂飙突进为标志的独立化、自由化运动成为德意志文化的主流，并影响到整个西方世界的文明进程。康德、费希特和黑格尔构成了这个时代的象征。从这个时期往后，被认为是一个自由和独立思考时代的到来。人类理性一度在理想和行动的领域得到了极大的伸张。康德对人类理性做了缜密的审查和深刻的评判。康德认为，知识总是要表现为或肯定或否定的判断，但并不是所有的判断都是知识。仅仅知觉时空中的对象而没有对象间的关系或联系不能产生知识。对此，有一个非常恰当的例子。"仅仅有关于太阳的知觉，随后有关于热石头的知觉，这和认识到太阳晒热了石头不同。只有在思想上以某种方式把这两种经验联系起来，才能构成太阳是石头发热的原因的判断。"① 因此，"必须对对象加以联系、联结、思考或思维。没有一综合的、能思维的心灵即知性（Verstand）或理智，知识或判断是不可能的"②。康德已经认识到，无论是没有感性直观还是没有理智思维，都不可能产生普遍的必然的知识，即真知。思维不仅需要有来自知觉的感受性，更重要的是，它还具有自身的能动性和自发性。另外，同亚里士多德一样，康德也把对思维的考察归于逻辑。因为思维实质上就是判断，因此，人思考的方式就是他做出判断的方式。要认识思维就需要通过发现判断的方式，而这正是逻辑的使命。比康德稍后的黑格尔则指出，为了探索事物的性质、缘由和根据，发现事物的存在基础或本质以及目的，靠天才的艺术直觉或某种神秘的方式，是不可能实现的。只有一个有效的方法，那就是严格的思维。黑格尔把经由康德揭示，又被费希特和谢林所运用的思维由简单抽象概念到复杂丰富概念、直至总念（notion）的运动，提升到了辩证的方法的高度。思维的辩证运动指的是思维在逻辑上的自我展开。它是一个过程，在那里，差异和区别、矛盾和对立不仅被识别，而且被消融和保存下来。要成为思想家，就需要让他的思维在这样的逻辑进程中发展，因为，这是事物所固有的发展的重演，只有这样，人才能自

---

①② 梯利．西方哲学史［M］．葛力，译．北京：商务印书馆，1995：403.

由、自主地思维他的思想。

　　显然，对"人何以为人"问题的讨论，或者说，对人的意义与价值的追问，虽然是存在哲学、实践哲学或伦理学的主题，但它总是不可避免地将研究引入"认识论"的地带。而正是在"认识论"这块土壤中，逐步发展出心理学、逻辑学、思维科学以及脑科学等多种学科。

第二节　思维的学科视界

　　思维与存在的关系作为哲学的基本问题之一，它关注两个方面的问题。第一，在思维和存在之间，什么是第一性的，什么是第二性的，思维和存在有没有同一性。第二，思维是怎样有效地反映存在的，人在认识存在时一般要经历哪些思维过程。前者构成哲学中的本体论，后者成为"认识论"讨论的主题。在认识论视野中，人们将思维作为人类认识过程的高级阶段——理性认识，或者说理性认识的"过程"，研究思维与感性认识、与社会实践的关系。正是在认识论的哲学关怀中，思维与实践关系问题的讨论带出了"如何获得正确的认识"以及"如何发展人的思维"的主题。心理学、思维科学、逻辑学以及脑科学等学科对这些主题给予了不同方式的关注。

　　认识论直接推动了心理学有关思维问题的研究。在心理学作为一门独立的学科从哲学中分离出来之前，思维的研究主要是包含在哲学研究的范畴中进行的。但是，哲学对思维的研究，只是以一定的世界观为依据，为人们从根本规定上把握思维提供一个总体的指导。它为思维的科学研究构建了一个世界观框架，为有关思维的科学知识提供了一个总的知识坐标体系。但哲学没有研究思维的具体过程，因而不能代替其他具体学科对思维的研究。

　　心理学研究思维，是把思维当做一种心理活动的自然过程来看的。它着重揭示思维在个体身上的发生、思维在人的各个不同生理发展阶段的发展变化特征和规律等。它要回答的主要问题是：人是怎样思维的？如果按照逻辑学的理解，思维就是运用概念进行判断推理的过程，那么心理学主要研究的不是概念、判断、推理的内容，也不是正确的概念、判断、推理应遵循哪些规律，而是着重研究概念是怎样形成的、人是怎样掌握概念的、人是怎样做出判断的、如何进行推理的、人是怎样解决问题的，等等。从这些视角出发，有人将思维理解为"客观事物的间接和概括的反映。它是以感觉、知觉和表象为基础的一种高级的认识过程。客观事物直接作用于人的感觉器官，产生感觉和知觉。它们以感性形象反映事物的个别属性或个别事物，使人把握各种现象和事物的外部联系。思维则运用分析、综合、抽象、概括等各种智力操作对感觉信息进行加工。以储存于记忆中的知识为媒介，反映事物的本质和内部联系"①。或者说，"思维，是人脑对客观事物的一种概括的、间接的反映，是客观事物的本质和规律的反映，换句话说，它是人脑对客观事物的本质和事物内在的规律性关系的概括与间接的反映"②。总之，不同理论派别的心理学家都对思维进行了大量仔细的研究，使得人们对思维的认识逐步清晰和具体化。由于心理学关注了人如何获得正确认识以及如何发展人的思维的问题，赫尔巴特才将心理学作为教育学的基础，以此"说明教育的途径、手段与障碍"。

逻辑学从哲学中分化出来之后踏上了一条与心理学研究不同的道路，成为专门研究人的思维形式及规律，为人们提供认识事物、论证思想的工具的一门学科。康德第一次明确提出了逻辑是研究思维形式的科学。康德把亚里士多德创立的逻辑称之为普通逻辑或形式逻辑。这种逻辑"抽去一切悟性知识之内容及一切对象中所有之差别，而只论究思维之纯然方式"③。康德并不仅仅满足于形式逻辑，又提出了他所谓的

---

① 荆其诚. 简明心理学百科全书［Z］. 长沙：湖南教育出版社，1991.
② 朱智贤，林崇德. 思维发展心理学［M］. 北京：北京师范大学出版社，1986：7.
③ 康德. 纯粹理性批判［M］. 蓝公武，译. 北京：生活·读书·新知三联书店，1957：71.

先验逻辑。先验逻辑主要研究的是人主观的、先天固有的、同经验及外界对象无关的思维形式，是说明人认识的起源、范围和客观意义的科学；实质上就是认识论。在恩格斯那里，逻辑被直接理解为一种关于思维的科学。20世纪以后，逻辑科学得到了分门别类的发展并在一些基本问题上取得共识，比如都承认逻辑与思维密切相关，是思维的构成成分，逻辑是思维中的规律、方法和形式。逻辑学揭示思维的形式和规律以研究思维的正确性。逻辑学所研究的思维形式和规律，包括概念、判断和推理，即逻辑学主要是从运用概念进行判断和推理的意义上来理解思维的。逻辑学包括形式逻辑和辩证逻辑。形式逻辑主要研究思维的形式结构及其规律，辩证逻辑则着重研究思维的矛盾运动及其规律。逻辑学比之哲学对思维的研究，对象范围缩小了，研究更加深入了。逻辑学对思维形式和规律的研究，既具有认识方法的作用，又具有论证方法的作用。但逻辑学研究思维，局限于抽象的、思维形式的研究，基本上没有考虑具体的活生生的思维过程，也没有研究和解决思维的具体内容问题。

心理学和逻辑学对思维问题的研究直接推动了"思维科学"的产生。1984年以来我国学者钱学森倡导成立和自然科学、社会科学等并列的专门的思维科学，专门把人的思维问题作为研究的对象，对包括抽象（逻辑）思维、形象（直感）思维和灵感（顿悟）思维在内的人类整个有意识的思维活动进行研究。钱学森将思维科学分为基础科学、技术科学和工程技术三个研究层次，并将思维科学的基础科学称之为思维学，专门研究有意识思维的规律。思维科学也只研究思维的规律和方法，并不研究思维的内容。

与心理学和逻辑学相比，脑科学对思维问题的关注显得更朴实而谦逊，它将研究的范围主要限定在思维活动的生理机制上，研究思维活动的脑生理、化学、电的变化规律，旨在为思维问题的研究提供来自生理机制的解释。现代脑科学研究取得的成果已经表明，人的大脑左右两半球各有不同的功能。左半球是语言中枢，主管语言和抽象思维；右半球则主管音乐、绘画等形象思维材料的综合活动。1981 年诺贝尔奖金获得者、美国加利福尼亚理工学院脑神经专家斯佩里（R. Sperry）教授等关于"裂脑人"的研究，证实两个半球可以分别进行相当独立的思维活动。这些研究对于我们进一步揭示思维活动的规律和发现它的物质基础无疑是有着重要作用的，但是思维作为人的高级心理过程，与脑的神经活动相比毕竟不属于同一层次和水平。神经活动只是人的思维活动的媒介，我们仍然需要从更抽象的水平上加强对思维的研究。

以上不同学科对思维本质的理解所存在的差异本身正说明了思维现象的复杂性，同时也展示了人们在"人如何思维""人如何发展自己的思维"等问题上丰富多样的研究成果。本文所讲的思维与哲学、逻辑学、脑科学、语言学和心理学中的思维概念有关联，但主要着眼于教育学的理解，是指人在解决问题过程中的智力活动，接近通常所谓的"思考"（think）。因此，当我们建议教学要"为思维而教"，要"教会学生思维"时，我们主要是指教学要教会学生"学会解决问题"。

如果说哲学以及心理学、逻辑学、脑科学等学科主要围绕"人何以为人""人的思维的可靠性"等问题来考虑有关思维的问题，那么，教育学则直接将它们转换为"我们怎样思维"的主题来提出相应的"怎样发展人的思维"的教育学策略。关于这一学科视角，由于与"为思维而教"的主题密切相关，因而我们在本书的第三章里专门进行探讨。

第三节　思维是否可教？

在提出"教会学生思维"这一命题时，它将不可避免地遭遇"思维是否可教"或"在多大程度上可教"的诘问。

思维究竟能不能教，教育在人思维能力的发展中到底能够发挥什么样的作用，在这个问题上，向来存在着两种观点之间的分歧。

　　在否定的观点中，由于否定的对象不同，又存在着不同的认识，即有认为思维不能教的，也有认为思维教不会的，还有认为思维不需要教的，等等。

　　如皮亚杰认为儿童的思维发展受到成熟、经验知识、平衡等因素的制约，并且思维的发展在不同的年龄阶段，有着相应的不可逾越的顺序不变的阶段，因而受到不同年龄阶段所存在的一般逻辑结构的束缚，因此他认为对思维的强化训练并不能够导致思维的结构发生内源性变化，即否认思维训练的有效性。

　　曾长期从事思维训练研究的海斯（Hayes）指出，"思维训练有三个问题令人头痛：第一，一般思维技能的训练需要辅之以大量的具体知识，而这些具体知识的掌握则并非是朝夕之间就能完成的；第二，我们所教的策略多得数以百计，学生被弄得莫衷一是，无以下手；第三，尽管有时我们把某个策略选准教好了，但换一种条件仍然无效，因为策略的训练常常无法迁移。"①

　　第三种认识是广义的知识观所包含的思维不需要教的观点。现代广义的知识观不同于狭义知识观仅仅把知识看做它的储存和提取，而是认为知识不仅包括储存与提取，而且应该包括它的应用，即所谓"真知"。如加涅的智慧技能，布卢姆的领会、运用、分析、综合、评价，都是指的知识的应用；奥苏伯尔的知识论强调个体的心理意义的习得以及个体的良好认知结构的塑造，他所讲的知识，包括知识的理解、应用、解决问题等。加涅、布卢姆和奥苏伯尔所讲的知识都属于真知，是广义的知识观。即用知识来解释智力（思维），将知识、技能与策略融为一体，由此认为发展智力的任务已经包含在知识教学中了，用不着在知识和技能教学之外另提发展智力的任务。②

　　但是，也有很多人对思维能够教会持有乐观的态度。心理测验的创

---

　　①　汪安圣．思维心理学［M］．上海：华东师范大学出版社，1992：410．

　　②　皮连生．智育心理学［M］．北京：人民教育出版社，1996：41；皮连生．一种关于智力的新观点［J］．湖南教育，1995．

始人比纳坚信思维具有可训练性。他说："对于那些不懂怎么去听、去注意、去保持安静的孩子，我们认为我们的首要任务不是把我们认为最有用的知识教给他们，而是教他们如何学习。我们于是就得到了我们所说的智能矫正练习……与医疗上的矫正使驼背变直一样，智能矫正练习可以强化、培养和增加注意、记忆、知觉、判断力以及意志力。"[①] 美国全国教育协会在《美国教育的中心目的》一文（1961）中声明："强化并贯穿于所有各种教育目的的中心目的——教育的基本思路——就是要培养思维能力。"[②]

其实，在讨论思维究竟是否可教这一问题时，可以从对思维的重新理解入手。在对"思维可教吗"这一问题的否定回答——思维是没法教的这种陈述中，实际上暗含着思维既不可教，也不一定能够教得会这样两方面的否定。

然而，如果我们仔细地推敲这一命题，并把"教思维"和教育中教其他的东西进行联系和对比，我们似乎可以从中受到不少的启示。比如，运用同样的逻辑和思维模式，我们可以对许多早已习以为常的做法进行同样的追问：价值可教吗？品德可教吗？如果都不能教，我们的价值观教育和德育为什么在教育中正日益受到越来越多的重视？甚至我们还可以追问：知识可教吗？能力可以通过教育培养吗？因为在"思维可教吗"的疑问和否定性回答当中，还包含着这样一层意思：为什么思维不能教呢，是因为，思维不是可以直接由教师传递给学生并由学生完全直接接受的那种东西，相反，它更多的是依靠学生自己在经验中的摸索、体悟和积累，依靠学生有意识或无意识的将这种摸索和体悟所得进行内化，从而逐渐掌握应该怎样思维。因此，思维更多的是经由学生自我的摸索学会的，不是由教育教会的，而思维不可教则正是从"思维不是教会的"这个意义上得出的结论。其实，如果这样来理解的话，知识的教又何尝不需要经由学生自我的理解、体悟和摸索呢？当然，同

---

①② 汪安圣．思维心理学［M］．上海：华东师范大学出版社，1992：370.

思维相比，教给学生知识的确较多地表现为学生的被动接受，至少从教育的外部形式上、特别是在应试教育的实践中呈现出这样的特征。但是，学生大量的被动接受，没有或几乎没有主动的理解、体悟和摸索，没有或几乎没有自觉地内化，正是教育多年来存在的一个痼疾，正是在当前的教育改革中要尽力革除的弊病。与教会学生思维一样，教给学生知识，教师的传授也仅只是一个方面，同样需要有学生的理解、体悟和摸索。如果缺失了学生的理解、体悟和摸索，只有外部的灌输和被动的接受，正如当前备受指责的学校教学的所作所为，则学生所获得的知识并不是真正的知识。换句话说，如果仅仅因为思维的培养和发展强调学生的体悟和摸索就断言思维不是教育"教会"的，事实上，知识又何尝能够不经由学生自己的理解、体悟和内化，完全由教育、教师"教会"呢？如果那样联系和比较的话，我们恐怕只能认为，知识，也不是教会的。那么，我们的教育还教什么？！

所以，同知识、价值、美德一样，思维既构成着教育，也依赖着教育。实际上，在将思维同知识、价值和美德等教育中所教的其他东西进行联系和对比的过程中，我们是不是可以换一个角度，这样来理解思维：从某种意义上说，思维其实就是一种程序性的知识。

认知心理学把知识分成两种存在差异的类别：陈述性知识（declarative knowledge）和程序性知识（procedural knowledge）。陈述性知识指的是那些静态的、不变的事实信息，信息的组织对人们是显而易见的，通常能够加以描述。陈述性知识常具有一系列相关事实的形式。比如，某人掌握了许多关于电脑的知识：敲击键盘打字可以产生文件、运用鼠标选择菜单能够对文件进行编辑处理、硬盘驱动器是用来储存文件的，等等。这是一系列的事实，这些事实同时也是其他任何一个懂电脑的人所认同的。陈述性知识通常是静止不变的，比如，某人知道邓小平是改革开放战略的创始人，这种知识将保留一生，没有什么能改变他对这一事实的认识。与陈述性知识相比，程序性知识没有明显的组织，也不容易进行描述，它指的是作为技巧性动作基础的知识，表现为动力的、变化的。程序性知识可以较容易地显示给别人但不容易讲述。比如，某人是一个游泳能手，在水中可以进行多种漂亮姿势的游泳。但却不一定能够详尽地描述整个游泳的过程。与邓小平创立改革开放的知识不同，某人游泳的技巧是不断提高的。即陈述性知识可以保持不变，而程序性知识则可以在运用中得到强化。有人用了两个短语来总结这两类知识间的差别："知道是什么"和"知道怎么办"。

显然，教会学生思维，就是要让学生"知道怎样思维"，让学生掌握作为一种"非言语程序性知识"① 的思维。而不是把有关思维的定义、概念、特性等陈述性的知识传递给学生。其实，要让学生真正达到"知道怎样思维"，也并非必须让学生首先"知道思维是什么"。因为，一个游泳能手，也许根本就不了解或无法讲清楚有关游泳的理论或原理，而他已经是一个游泳能手了。也就是说，程序性知识的获得不是以陈述性知识的掌握为前提的。这暗示我们，在教育中，学生程序性知识的获得不一定要从理论的讲解和灌输开始。思维被划归为一种程序性的知识，意味着，要"知道怎样思维"，就需要主体通过实践中无数次的试误，在多次的尝试中，发现某些思维方法比另一些思维方法更为快捷有效。经过经验的重复印证之后，主体开始反思，并试图构建能够解释此种思维方式的有效性的理论，再用得到的这种理论，指导以后的思维实践。程序性知识的这种习得方式暗示我们，在教育中，思维的教必须强调学生自己自觉主动对思维实践的经常性参与。

所以，我们认为，任何形式和内容的专门教学和训练都会引起个体发生或多或少的变化，绝对的否定训练和一味的崇拜训练都是不可取的。当然，我们所说的教会学生思维指的是那种在科学理论的指导下，遵循一定的程序，对思维能力进行的有系统的、旨在提高学生的思维水平的活动，随意的指导和训练并不是严格意义上的思维教学。从不断积累的事实和已有的研究成果来看，"思维是教不会的"和"思维是不需

---

① John B. Best. 认知心理学 [M]. 黄希庭，主译. 北京：中国轻工业出版社，2000：10.

要教的"这样两个假设都具有明显的片面性。思维可以通过教学训练而提高，思维是可以教会的。在这一点上，杜威也早产生过疑问，并做出明确的回答。在思维训练中究竟有没有训练的迁移？或者说，思维训练到底有多大的可能？"在处理一种情境或一种学科时获得的思维能力是否能表明这一思维本身在处理另一项学科和另一情境时也具有同等的效力"①。对于这一问题，杜威的态度非常鲜明。他认为，迁移不是必然的，迁移的实现有赖于一个前提和基础，那就是迁移源和迁移目标所共同具备的因素。即"技能和理解从一种经验带到另一种经验中去，所依靠的是两种经验存在着同样的因素"。因为，相似性就像一座桥梁，"它使心灵从一种先前的经验通过形似性这个桥梁通达到一种新的经验"。而思维，恰恰"是一种自觉地理解共同因素的过程"。正是由于思维的作用，提高了共同因素的有效性，从而能够达到迁移的目的。而忽视了经由思维得来的共同因素而发生的迁移则是"盲目的"和"纯粹偶然的"。因此，杜威认为，"思维正好是使迁移成为可能的因素，是控制迁移的因素"②。

在实践中，也有许多研究的结果已经证明了思维是可以通过专门的训练教会的。我国张慕蕴等（1980）通过挖掘儿童思维发展潜力的训练，使一年级小学生在第一学期就掌握了八位数的读法、写法，抽象思维能力很快得到明显提高；吴天敏的实验研究（1983、1985）通过给学生增加一些"动脑筋"练习，三个月后学生的智商提高了 5 分至 8 分，证明智慧是可以通过训练得到提高的。王晓平（1987）的思维教学研究采用自编的《思维课学习手册》，对被试进行每周一课（40 分钟）、为期十周的训练，结果，学生思维的流畅性、广度、概括能力、发挥能力均有明显提高。林崇德等人专门通过实验研究来揭示教育在思维发展中的作用。在实验班和控制班里，学生通过智力检查和学科考试

---

① 杜威. 我们怎样思维·经验与教育［M］. 姜文闵，译. 北京：人民教育出版社，1991：55.

② 同①，55－56.

分成成绩没有显著差异的对等组，使用同样的教材，上课、自习的时间和作业量保持一致，学生家长职业大致相同，课外基本没有增加额外的练习量。通过对无关因素的控制，使实验班和控制班之间的差别只在于实验班的教师能够与实验者积极配合，进行教学方法改革，着重在运算中对学生思维品质的培养；而控制班仍然按照一般的教学方法进行，不进行实验班的教学方法改革。通过一段时期的实验，结果也证明，"教育是作用于思维发展的决定因素，合理的适当的教育措施，把握客观诸因素的辩证关系，能挖掘小学儿童运算中思维品质的巨大潜力，并能促进教学质量的提高。"[①]

另外，美国哥伦比亚大学哲学系教授利普曼（Lipman, M.）于1974年提出的"儿童哲学"方案，也是为达到教会学生思维的目的所做过的一个比较成功的尝试。儿童哲学正是以学生思维的发展为唯一目的。利普曼将儿童哲学作为一门促进学生思维发展的专门课程，用集体探究的方式，在培养思维能力方面，显示出特有的功效和价值。在我国的一些学校，儿童哲学在学生思维的发展中也已经表现出明显的效果。

总之，大量的事实和科学研究的成果已经证明了思维训练的有效性，亦即思维是可以教会，能够通过教育得以改善和提高的。事实上，人们在观念里一直接受着思维是可教的事实，因为形形色色的思维课程、思维教学、思维训练正在我们的学校中备受关注和青睐。只是由于长期以来，我们的教育一向偏重于知识的传授，把全部注意力都放在了背记上，因而使思维的训练遭到了忽视和冷落。教师在课堂上馨尽全力传授着人类千百年累积下来的文化知识，而对于前人是如何获取知识以及怎样运用这些知识却无暇顾及。尽管人们知道知识并不等于思维，但常常简单地认为，通过知识的掌握和解决问题，就自然能够获得相应的能力，因此无须专门考虑思维能力的训练和培养。没有将思维训练作为一个专门的课程，使得思维的教没有取得与知识的教同等的地位。其

---

① 朱智贤，林崇德. 思维发展心理学［M］. 北京：北京师范大学出版社，1986：178.

实，"思维训练与传授知识并没有矛盾，前者改善知识获得的心理机制，促进个体产生新的逻辑——数学类型的知识；后者帮助个体接受新的经验知识，为思维提供加工的原料，两者相辅相成"①。然而问题的另一方面是，知识毕竟不等于思维，知识也替代不了思维，更重要的是人们远远无法掌握人类过去、现在和未来的全部知识，这就迫使人们不得不重视能够产生新知识的思维。当代认知心理学已经以动态的思维过程观对思维进行研究，并已经取得新的进展，思维的心理加工过程的研究训练也日益受到重视。人们对思维过程及其心理机制的认识必将为思维能力的培养带来新的思路，预示着关于思维的教学拥有比以往更为科学可靠的理论依据。而且，越来越多的人认识到思维教学在教育体系中应有的作用和地位。毫无疑问，进行专门的思维培养是一种高效的和有价值的智育形式，从思维过程及其心理机制入手去进行思维能力的开发和培养，必将会取得令人鼓舞的成就。

我们正处于一个呼唤创新的年代，思维能力、创新能力的重要性被提到了从未有过的高度。这正是教育的重心从传授知识向教会思维转变的有利时机。随着认知科学研究的深入进展，随着教育科学中思维教学的研究逐步深入，教育在学生思维能力发展中的作用必将得到彰显。

第四节　思维的心理学假设

思维的重要性不仅在教育领域中日益凸显，心理学的发展也呈现出对思维越来越关注的趋势。从早些时候行为主义心理学的"试误说"对思维的忽视，到后来"顿悟说"以及"发现学习"的提倡，思维在教学中越来越成为关注的焦点之一。

---

① 谭和平，李其维．略论思维的可训练性［J］．华东师范大学学报（教育科学版），1998（4）．

一、试误说：没有"思考"的尝试

持行为主义理论的心理学家用根据动物所做的一系列实验，建立了自己的思维和学习理论。最著名的实验就是桑代克的迷箱实验。被关进一只迷箱中的饥饿的猫，为了得到作为奖赏的箱外的食物，必须找到打开箱子的门闩装置的正确办法。在这种实验中，迷箱的内部构成了一个"刺激情境"，处于"刺激情境"之中的猫使出浑身的解数，尝试各种可能的行为或反应，试图逃出箱子。最初的尝试大多是一些混乱、无关、不成功的行为，偶然之中，门闩被碰到，猫得以逃出箱外，吃到食物。随着尝试次数的增加，猫用以进行各种尝试、做出正确反应、直到最终从箱子里逃出所用的时间越来越少。猫似乎"学会"了怎样打开门闩装置逃出箱子吃到事物的正确方法，不再乱抓乱碰，四处乱窜。对此，桑代克的解释是，作为被试的猫并非真正"明了"或"领悟"了解决问题的方法，它只是建立起了情境和反应之间的联结。而学习，就是通过"尝试错误"建立起情境和反应之间的联结的过程。因此，学习就是联结，人之所以善于学习，是因为他形成了许多有效的联结。而教育的目的，就在于把其中的某些联结加以永久保持，把某些联结加以消除，并且把另一些联结加以改变或利导。① 为了产生或消除联结，桑代克提出了三条著名的学习定律：练习律、效果律、准备律。

在桑代克的理论中，无论是"联结学习"还是"尝试错误"，他丢掉了非常重要的一个方面，即思维在其中所起的作用。桑代克一再坚持，学习是刺激——反应之间的直接的联结，思维或推理并不发生作用。他认为，在迷箱实验中，"猫并没有仔细地观察情境，也没有细致地'思考'，就接着做该做的事。出于本能与经验，对于该情境（限于

---

① 张庆林. 当代认知心理学在教学中的应用［M］. 重庆：西南师范大学出版社，1995：2.

猫饥饿时，外面摆着事物）立即引起适当的反应"①。实验中的猫之所以逐渐找到了解决问题的办法，在桑代克这里，被解释为全部的"本能与经验"。而在其所进行的其他动物实验中，桑代克似乎更加坚信了他的这个理论。"如果我们认为心理的内容包含的是情感关系，知觉的相似性，具体与抽象观念以及判断，那么根据猴子的行为使用的心理过程，我们没有发现推理的证据。由狗及猫再做同样的实验，证实这个事实，使得学习是一项推理的论证无效。我们发现动物是凭本能的反应去使用棒条、针钩、扣环等，成功地运用了这些机械的装置，表示动物依机械性从事推理的说法不攻自破。"② 动物的学习和问题解决过程，根本没有思维推理的参与，也并不以思维为中介，只有自身本能的反应。

桑代克通过严格的动物实验，创立了学习的直接联结学说。这无疑给他带来了很高的声誉。他的缺陷在于把经由动物实验得来的结论简单地推广到了人类学习中，忽视人类学习的复杂性，忽视思维在人类学习和解决问题中的作用，把人类的学习简单化、动物化了。尽管后继的行为主义心理学家如华生、斯金纳等对桑代克的理论进行了各种各样的完善和发展，但由于他们否认人的主体性、否认人在学习中积极的思维和推理，容易误导教育中出现机械训练和死记硬背的教学方式，因而共同受到了将人"动物化"的批评，并被新的理论所取代。

二、顿悟说：理解与创造性思维参与学习

对行为主义的学习联结说和尝试错误理论提出了明确反对意见的是格式塔学派的心理学家，认为学习不是"试误"，而是顿悟。

柯勒（W. kohler，1887—1967）用黑猩猩做了一系列的实验，证明

---

① G. H. 鲍尔，E. R. 希尔加德. 学习论：学习活动的规律探索［M］. 邵瑞珍，皮连生，吴庆麟，等，译. 上海：上海教育出版社，1987：37.

② 赫根汉. 学习心理学：学习心理导论［M］. 王文科，译. 台北：五南图书出版公司，1989：74.

学习是一种顿悟。在他的实验中，关在笼中的黑猩猩要拿到放在笼子外面的香蕉。笼子里面有两根短竹棒，其中任何一根的长度都够不到外面的香蕉。一只名为苏丹的黑猩猩在经过了几次的尝试和失败之后，突然领悟到将两根竹棒接起来，就够到了香蕉。而一旦发现了这一方法之后，以后遇到类似的情境便能够迅速重复这一"接竿"行为，而无须再试误。这就是顿悟学习。

比较桑代克和柯勒的实验及其结论，后者的超越之处在于指出了学习不再是盲目的试误和摸索，而是顿悟和理解。柯勒通过对黑猩猩解决问题过程的大量仔细观察和研究，发现黑猩猩在行动之前有长时间的停顿，而停顿之后的行动则是一个连续的整体。这说明黑猩猩在行动之前已经领悟了自己的行动动作与所处的情境，特别是目的物之间的关系。同"试误"说相比，顿悟说肯定学习的过程中已经包含了理解、领会情境的思维活动。因此，顿悟说或者叫理解学习无疑属于更高层次的学习，也更能反映人类学习的特点，因此，更容易被人们所接受。而柯勒之后的心理学家，通过研究认为尝试错误学习和顿悟学习并不是截然对立的。尝试和顿悟是解决问题的两个阶段。一个经过了多次的尝试、掌握了经验的动物将比没有尝试和经验的动物更可能实现问题的顿悟或解决。用这种结论来解释人类的学习，似乎显得更加令人信服。

除了强调理解或顿悟学习之外，格式塔理论的另一个贡献是注重创造性思维对于学习和问题解决的意义。作为格式塔理论的创始人之一，德国心理学家威特海默（Werthermer）是现代心理学史上对创造性思维作了大量的系统研究的第一人。1945 年威特海默出版《创造性思维》一书。在这本书中，他深入细致地论述了创造性思维的过程，从简单的一节数学课上儿童怎样解决几何问题，到爱因斯坦这个天才人物发现相对论，都从思维心理的角度进行了有益的研究。他试图通过对不同年龄的人解决不同难度的问题进行研究来支持其思维理论，即整体支配部分的格式塔观点。

威特海默认为，问题的细节应该放在整个情境中，和整个情境的结构相联系起来加以考虑，解决问题的步骤应是先从整体入手，然后再逐步地分析各个部分。在威特海默和其他格式塔学派的学者看来，思维实际上是知觉的一种形式，思维和知觉受相同原则的支配。在这个前提下看思维，思维的过程是这样进行的：当个体环境中出现尚未解释的紧张时，就可以说出现了问题，而问题解决过程就是这种"紧张"自行消除的过程。一般来说，过去的经验不一定能保证问题的解决，问题的答案是在对"紧张"的知觉中，由"紧张"本身产生的，只有通过知觉的重组，从事件的相互作用中产生一个清楚的图解，即完形的出现，才能消除紧张，找到答案。这是寻找刺激完形和经验整体之间关系的过程。也就是说，思维的过程即是问题解决的过程。

威特海默强调，思维是以顿悟为基础的，主张通过整体来进行思维，因此在解决问题时应将整体情境呈现出来，而不是像联结主义者桑代克那样，把解决问题的办法隐藏起来。在威特海默看来，创造性思维的实质即在于通过顿悟来改造旧的格式塔，重建新的格式塔；创造性思维过程就是对问题的顿悟，并获得新的前所未有的解决问题方法的过程。威特海默阐述了一系列人们在创造行为中应遵守的要求：不要受已经发展的习惯所束缚；不要机械地工作，首先和最重要的是必须将注意力放在整体问题上；必须以"开放的思想"（没有任何偏见）逼近问题的解决办法；他们必须确定结构和问题之间的相互依存关系，认真考虑"它的根源"。在智力活动中，威特海默把令人困惑的问题视为最本质的前提。他强调，不可能以传统逻辑的术语，或者以"尝试—错误"的术语，来对创造性思维过程进行充分描述。为了实现预想的结果，重组材料和重新整理知识体系尤为重要。

顿悟说非常重视教学过程中学生对问题的真正理解，创造性思维的研究也在他们这里得到了最初的发展。格式塔理论强调，只有学生真正理解了解决问题的原则和策略，才有助于这种原则和策略在其他情境中的迁移，学生的学习才会是有价值的、充满创造性的。为了使学生真正理解和领悟学习的内容，教师应当把问题组合成有意义的整体，让学生从整体的问题情境出发去学习和思维。

三、从结构中"发现学习"

顿悟说把人类的学习从"尝试错误"的动物级水平中解救出来，学习过程中的理解和创造性思维开始受到重视。但仅此似乎还不够，因为思维的重要性还没有被提到应有的高度上。

继皮亚杰判定了儿童思维的发展所经历的不同阶段，并把思维的形成和发展看做是由图式、同化、顺应、平衡等不同方面组成的一个建构过程之后，深受皮亚杰影响的美国心理学家布鲁纳（J. S. Bruner 1915— ）深刻认识到，随着社会的发展，单靠对知识的机械理解和记忆，只会加重学生越来越沉重的学习负担。因此，必须注重培养和发展学生的认知能力，才能适应社会的发展。他不仅对作为人类思维工具的概念的习得及其策略做了大量的研究，还对直觉思维、创造性思维等问题进行了深入的探索。在著名的伍兹霍尔会议之后，布鲁纳发表了他的结构主义教育观。强调要让学生学习各学科的"基本结构"，即各种基本概念、基本原理以及它们之间的规律和联系。强调要让学生参与到知识的建构中去，掌握知识的整体和事物间的普遍联系，而不是让学生学习和掌握零碎的知识经验。另外，为了在教学中发展学生的思维能力，布鲁纳还特别强调让学生积极主动地去探索，在探索中发现学习。

发现学习的实质是指学习者通过自己的观察和探索、实验和思考，认识问题情境或事物之间的各种关系，找到问题的答案的过程。无论是苏格拉底的"产婆术"，还是杜威活动课程中的"问题法"，都已经蕴涵着发现学习的精髓。而布鲁纳则是这一方法的积极倡导者。布鲁纳认为，人类全部生活中的最独特之点就在于人类能够亲自发现，而对人类的这种发现行为进行探究，可以找出知识的占有者和所占有的知识之间的关系。他主张，发现并不仅仅限于那种寻求人类尚未知晓之事物的行为，而是包括所有用自己的头脑亲自获得知识的一切活动形式。在布鲁纳看来，不论是学校里的学生凭自己的力量所做出的发现，还是科学家在尖端的研究领域中所做出的发现，按其性质来说，都不过是对现象的重新组织或转换，使人能够超越现象进行新的组合，从而获得新的领悟。布鲁纳把学生的发现和科学家的发现相提并论，指出学生的发现法学习中的"发现"同科学家的"发现"之间，也许在形式和程度上存在着区别，学生的发现基本上局限在人类已经知晓的范畴之中，属于一种"再发现"的活动，但在本质上却是相同的，即都是通过积极的思维活动而获得的认识上的拓展。

布鲁纳在其《发现的行为》一文中，论述了通过个人亲自发现这种学习的形式可能给学习者带来的益处。他指出，教师通过加强对比、要求学生做有知的猜测、鼓励积极的参与、唤起对问题解决过程的认识等可以促进发现。发现学习的方法可以帮助学生学会如何学习或如何获取他一生中某一具体情况下可能需要的知识。他认为，学生通过发现学习，至少可以从以下几个方面得到发展。第一，智慧潜力得以更充分地开发和利用。他通过心理实验研究，特别是他亲自进行达四年之久的对70名在校儿童的一系列认知活动的实验研究，论证了这一结论，并提出运用发现法教学的著名假设。第二，学习由外在的动机转换为内在的动机。他认为儿童认知活动的有效性，主要是让他们摆脱周围环境所给予的奖惩的直接控制。因为像教师赞许这类奖赏或遭受失败这类惩罚来策动的学习，往往导致儿童千方百计寻找怎样与人们对自己的期望一致的线索或暗示，而这样的儿童学习"出类拔萃"，却在将学习转换成活生生的思维结构的能量方面并不突出，他们分析问题的能力反而比不谋求过高成绩的儿童低。由此，布鲁纳大胆假设，要力求达到使儿童把有所发现而不是有所习得作为学习的任务，以"自我奖赏"的自主性来学习。他认为，从认知过程发展研究的结论来看，行为主义着眼于内驱力减退的学习模式，恰好与发展的许多重要现象背道而驰，所以主张强化内在动机的发现学习。认为当发现过程中优胜力或优胜动机达到控制行为的程度的时候，强化的外来恩惠在培养行为中就会逐渐消失。第三，培养儿童学会发现的试探法。布鲁纳认为通过练习解决问题和努力于发现，才能学会发现的试探法，一个人越具有实践经验，就越能把学习所得归纳成一种解决问题或调查研究的方式，而实践活动和经验的"形式"，在教学活动中，应当重视发现法。第四，有助于记忆的保持。布鲁纳认为，亲自查明或发现事物的真正态度与活动，必然具有使材料更容易记忆的效果。而无数研究的结果表明，在信息组织中，如果由于把信息嵌进一个已经构成的认知结构之中而减少了材料的极度复杂性，就会使那类材料易于检索。

发现学习的过程其实就是一种探索的过程，是思维展开的过程。如何使学生走向发现学习呢？布鲁纳提出，首先要引导学生运用自己的头脑，因为发现学习实际上就是引导学生发现自己头脑里的"想法"而不是"发生的事情"的过程。另外还要帮助学生把学习材料同已有的知识结构结合起来，使知识成为学生自己的。而教师的教学则必须改变传统的讲解方法，采用启发式教学法。总之，发现学习使得学生尽可能充分地参与到探求知识的过程中，着眼于学习过程的本身而不是学习的产物或成果，可以培养学生的好奇心和探究的自主性，发展学生的推理能力、观察能力，提高正确解决问题的能力等；它不要求必须遵循一个预定的计划，达到一个具体的目标，而着眼于为学生提供发现的条件、要求和机会，给以适当的鼓励，让每一个人自己去思维，并形成一种有助于独立思维的自由的氛围。所以说，以学生为中心的发现学习其实已经蕴涵了让学生积极思考、学会思维的精神实质。

总之，建立在对"试误说"的否定和批判基础之上的"顿悟说"和"发现学习"都将教会学生思维作为训练和教育的基本任务。思维的可教性在"顿悟说"与"发现学习"的心理学研究中几乎不成为问题。

第五节　思维究竟何在？

一、思维"基于知识"

　　知识是人类在征服自然、改造自然的活动中积累起来的精神文化财富和认识成果。作为人类理智活动的产物，知识是人类最为宝贵的财富，因而人类对"知识的寻求像人类的历史一样古老"①。在不同的历史时代，知识具有不同的发展水平。从刀耕火种的蒙昧时期到信息革命的现代，人类知识的增长获得了一次又一次巨大的飞跃和质变。"知识就是力量"，培根的这句名言曾经激励了一代又一代人在追求知识的漫漫长路上不懈努力。在知识经济的今天，"知识"同"经济"的联姻更赋予知识前所未有的价值。科学知识以空前的速度和规模急剧增长，不但在数量上超过此前任何一个时代，而且在质量上也为以往所望尘莫及。一个古老的追求——人类对知识的追求，在今天正以强劲、不可遏制的势头复兴。

　　但长期以来，人们对"知识就是力量"怀有很多误解。以为知识积累了多少就拥有了多少征服世界的力量。事实上，在培根那里，"知识就是力量"不过是说"知识可以发挥力量"。知识本身并没有力量，只有适当地使用知识、以知识作为基础来解决问题才可能实现知识的力量。而"只有在思维过程中获得的知识，而不是偶然得到的知识，才能具有逻辑的使用价值"②。显然，适当地使用知识、以知识作为基础来解决问题也就是一种基于知识的思维能力，或者说，是一种基于知识的智慧。只有思维能力或智慧才直接地产生力量。知识具有多大的力量

---

　　① 赖欣巴哈. 科学哲学的兴起［M］. 伯尼，译. 北京：商务印书馆，1983：8.
　　② 杜威. 我们怎样思维·经验与教育［M］. 姜文闵，译. 北京：人民教育出版社，1991：53.

总是取决于知识在多大程度上转化为"思维能力"或智慧。而从知识到思维能力、从知识到智慧的转化，正是教育需要关注的问题。人类在追寻知识的过程中，是否同时存在着失去智慧的风险？知识在带给人类恩惠的同时，是否也带来了消极后果？

1. 知识作为思维的基础

思维之所以能够对客观世界做出间接的、概括的反映，是以所积累的知识经验为基础的。知识是思维发挥作用的基础性要素。思维能力的高低部分地取决于记忆储存中相关信息在量上的多少。对于思维而言，大量的知识储备是必需的。没有知识经验，思维就难以很好地发挥作用。思维能力的高低，一定程度上取决于主体的知识结构和文化背景。所以说，一个人所拥有的知识经验是他思考问题、解决问题的基础。思维能力的培养和发展也不能离开主体对知识的掌握而孤立地进行，即使是在教育史上一度曾受到重视的"形式训练"，也需要以古典语言、几何学等知识内容作为智力训练的材料。也就是说，一个人的思维能力只有在学习和掌握知识、解决问题的实践过程中，随着主体知识经验的丰富而得到完善和发展。

心理学上对专家和新手在解决问题时所运用的知识组织和策略之间差别的研究可以很好地说明知识基础对于思维能力所具有的意义。一个象棋大师下棋时能够记得许多有效的棋谱，能看到好几步之外的棋子的变化。而新手则往往难以做到这一点。象棋大师具有新手所缺少的哪些东西呢？为了回答这个问题，蔡斯和西蒙（Chase，Simon）对一个象棋大师和一个初学象棋者进行实验对比研究。实验的刺激物为两种象棋放在棋盘上的位置。一种是实际棋盘位置，即是一场真正的棋赛进行到中间时象棋放在棋盘上的位置（棋盘上有 24～26 个棋子），或者是一场真正的象棋赛终局时象棋在棋盘上的位置（棋盘上有 12～15 个棋子）。另一种是随机棋盘位置，所有棋子都是随机地放到棋盘上的。在实验中，让被试看棋盘 5 秒钟，然后盖上棋盘，给被试者一个棋盘和一些有关的棋子，要求被试者按照刚刚看到的样子把棋子放到棋盘上。结果表明，大师对取自于实际比赛的棋盘位置的重建成绩非常好，他虽只看了5秒钟，然而棋赛进行中棋盘上的24个棋子平均可摆对16个，初学者的情况差得多，只能放对4个棋子；但在随机棋盘位置上，大师和初学者的成绩水平相同，每个被试者只能正确放置4个棋子。

这个研究能够说明一些有趣的发现。很明显，并不是专家有更强的记忆力或者有超级的认知技能，因为他们在记随机棋盘位置上的成绩并不好。是什么使他们在下棋时能作多步骤计划或者记住早先下棋时的棋盘位置呢？蔡斯和西蒙指出，专家储存了大量的棋谱，他们把由许多棋子构成的一个棋谱当做一个有意义的"组块"来处理，而大量棋谱的储存又是建立在多年成百上千次棋赛和对各种棋术进行思考的实践基础上的。西蒙估计一个大师具有50000个组块。这个研究告诉我们，专家有丰富的专门知识，如大量的棋谱，而不是有超人的记忆能力。[①]

专家和新手之间之所以产生明显的差距，是因为专家与新手所拥有的专业知识在质和量上都存在重大差异，正是这种专业知识的差异造成了他们解决问题时技能上的差异。对知识掌握得越好，就越有可能把知识应用于新的问题情境。这个例子启示我们：事先积累起来的丰富的专门知识在思维过程中起着关键的作用。一个知识贫乏的人，头脑中只有凌乱的处于低级的自然状态的信息堆积，而没有系统的知识体系的储存，是不可能站在巨人的肩膀上，充分利用人类已经获得的成果提出新的问题，同时分析问题、解决问题，进而有所创新的。只有掌握了广泛深厚的知识，熟知前人发明创造的成果，才有可能打开思路，增强思维的灵活性和多样性，不断产生新的设想、观念和创意。这正是所谓"举一反三""闻一知十""触类旁通"。如何才能使思维做到发散，做到举一反三、闻一知十、触类旁通呢？一个人在知识积累不够，对于出现的新问题缺乏相关的知识或经验准备的时候，是不可能产生发散性思

---

① 汪安圣. 思维心理学［M］. 上海：华东师范大学出版社，1992：302.

维，不可能达到举一反三、闻一知十和触类旁通的。所以说，知识积累是思维的前提和基础，如果一个人知识面狭窄，知识结构不合理，缺乏知识更新的能力，就难以有思维能力的良好发展。

2. 知识的极限

有一种观点，认为智力不是通过思维而是通过获取和积累知识而得到发展。这种观点面临着这样一个危险：就是曾经被人们讨论过的"智力陷阱"，或者叫做"对知识的错觉"。即阻止人们做出发现的最大的障碍通常就在于人们认为他们知道或能够胜任的那些事物中。他们陷入在他们自以为已经知道的知识中，不愿意接受新的观点。许多阅读面广泛、知识积累较多的学生在学习方式中明显表现出缺乏智慧，提不出新的观点反而被旧的知识和熟悉的思维习惯阻碍。这就是知识与思维关系的另一个方面：知识对于思维的阻碍。

知识和思维是一个统一体，同时又是两个有着明显差异的范畴。知识和思维分别代表着人类思想的两种能力或两个方面。知识就是对某种已经存在、已经决定过的事情的了解和"知道"，因而知识是没有自由的；而思维则是创造，是对尚未发生的事情做出决定，因而思维是自由的。对于思维与知识相异的观点，英国剑桥大学著名的思维训练专家爱德华·德·波诺（Edward de Bono）持肯定的态度。他认为，知识不能代替思维，思维也不能代替知识，即使能够完全掌握过去的全部知识，但对未来的知识知之甚少，这就必须要有思维。[①] 而且，知识和思维之间并非完全对等的关系，知识经验的积累对思维能力所起的作用并不全是积极的，如果一味僵死地储存知识，过分依赖知识，则又会限制和阻碍思维能力的发展。因为知识毕竟是已知的东西，是属于过去的创造成果。人们通过记忆掌握了前人已经发现出来的知识以后，如果不经过自己思考，使已有知识得以改进、扩展和重组，从而对付新的情境，解决

① Kantowitz B, Roediger H. Experimental Psychology：Understanding Psychological Research. [M]．Paul：West Publishing Company, 1997：329.

新的问题，而只是单调地积累知识，过分依赖知识，就会导致顽固的思维惰性和思维定式，使人不愿意或者不能够打破旧有的思维习惯，轻信已有知识的真理性地位，丧失怀疑的精神和能力，从而阻碍了思维能力的发展。

这首先可以从知识的增长得到解释。20世纪人类的社会知识系统得以空前的繁荣和丰富，甚至到了"知识的爆炸"的程度。知识总量的加速增长，无疑是社会发展、文明进步的重要指标。但对于社会个体来说，知识的增长势必成为学习者的负担，增加了个体对社会适应的难度，使得个体不得不在学习和掌握知识方面花费较多的时间和精力，由此不仅个体能够涉足的知识领域和范围受到局限，同时个体对知识和社会能够进行的思维活动也不可避免受到限制。因为，"无论在什么情况下，意义的获得总是以完整性的减少为代价的。意义和完整性两者的不可兼得或许对专家们来说最为明显：他们用自己特有的模式审视世界，而忽略了用其他模式也能呈现出来的意义"①。为了适应时代和社会的发展，人们不得不时时关注不断产生的新知识，在纷繁的新知识面前应接不暇。甚至，有的人还怀有成为兼通自然科学、社会科学和人文科学的现代通才的梦想。然而古希腊时代亚里士多德和柏拉图那样的百科全书式学者恐怕只能作为那个时代的辉煌。而在今天这个知识量剧增的时代，过于关注知识势必在某种意义上造成人类对自身思维的忽视。

知识的增长一方面不仅使得人们无暇顾及自身思维的发展，另一方面还促使人们对知识盲目信仰以至于受知识的控制。而人一旦落入知识的陷阱之中为知识所控制，思维也就失去了自由生长的空间。"不受观点的控制才有智慧"，只有不受知识的控制，思维才有可能得到超越的发展。"当思想操作无法摆脱观点的束缚，思想就不再智慧。知识的积累使事情越来越清楚，而观点的堆积却使思想越来越糊涂。思想总要制造出观念，因此观念的积累是正常的，但思想却应当从问题出发而不是

---

① 美国信息研究所．知识经济——21世纪的信息本质［M］．王亦楠，译．南昌：江西教育出版社，1999：36.

从观点出发，受制于观点就没有思想的自由，也就没有智慧。"① 赵汀阳借用老子的话感叹 "为学日益，为道日损，损之又损，以至于无为"②，这是有根据的。毕竟，追求道理智慧不同于追求学问知识，追求学问知识，当然多多益善，追求道理智慧，却必须不断抛弃观点成见，最后达到自然而然的道理。智慧需要人 "无立场" 或 "无观点" 地去思想，使思想不过多地为已有的知识所束缚。总有一些人，从书本上学的知识并不多，其智慧却并不因此而寒碜。相反，总有另一些人容易沉溺于知识的繁荣之中，任由其控制、掌握着本应自由发展的智慧和思维。

总之，知识构成了思维的基础，掌握知识的多少，知识积累的厚薄，在一定限度内影响着思维能力的发展；但知识渊博和学富五车绝不意味着思维能力高人一筹，即知识的多少不能成为衡量思维能力强弱的标准。更重要的是对知识的理解、运用和转化的能力。教育需要同时在两个支点上努力：既需要尽可能地让学生积累必要的知识，同时又需要引导学生不断地把大脑中沉淀已久的东西清零，让自己回到原始状态和空灵状态，让心灵有足够的空间发展新的智慧。这两种努力看起来是矛盾的，但它统一于学生 "使用知识" 的过程中。当学生进入使用知识的状态时，学生将在获得知识的同时发展相关的思维能力。

二、思维 "在智力中"

人们常常将思维理解为智力。思维确实与智力密切相关，但又不完全相同。

什么是智力，如何给智力下定义，有关智力的理解可谓仁者见仁、智者见智。有人说有多少研究智力的专家就有多少种关于智力的定义。单是《中国大百科全书》（教育卷）就列出了五种智力的解释：

---

① 赵汀阳. 一个或所有问题［M］. 南昌：江西教育出版社，1998：5.
② 志子·道德经.

"（1）智力是适应新情境的能力；（2）智力是指一种学习能力；（3）智力是指抽象的思维能力；（4）智力是从事艰难、复杂、抽象、敏捷创造性的活动，并能集中精力保持情绪稳定以从事这种活动的能力；（5）智力是一个人能够为着某些目标而行动、能够理智地思考和有效地适应环境这三种能力的综合表现。"① 除此之外，还有很多种关于智力的理解，比如认为智力就是智力测验所测量的东西，认为智力就是解决某种智力问题的能力，等等。

不过，人们较多的还是倾向于认为，智力是使人能够顺利从事多种活动所必需的各种基本认知能力的有机结合，包括五种基本因素，即观察力、注意力、记忆力、想象力和思维能力等。

智力的水平决定于五种组成因素的整体水平。要使智力达到较高的水平，必须五个组成因素的水平都比较高才行，如果仅是其中某一个组成因素的水平较高，而别的因素的水平相对处于较低的水平，或者五个组成因素的水平都很高，但彼此没有处在良好的结构之中，那么智力的水平同样不会很高。即五种组成因素在智力结构中是一个整体，各种因素之间相互影响，彼此制约。任何一个组成因素的水平，不仅会影响到整个智力的水平，而且会影响到其他四个因素的水平。同时，五种基本因素在智力结构中又是相互独立的，各自发挥着不同于其他因素的独立作用。

在智力结构的五种组成因素中，思维有着特殊的地位。思维居于智力活动的核心，是整个智力活动的最高调节者，给各种智力活动以深刻的影响。从智力结构的整体来看，其他四个组成因素：观察力、注意力、记忆力、想象力都是为思维能力服务的，不仅要为思维提供可进行加工的信息原料，而且要提供活动的动力资源。虽然思维也需要以其他几个组成因素作为活动的条件，但如果没有思维，则通过其他因素摄入的信息原料和动力资源都将是毫无意义的东西，发挥不了任何有价值的

---

① 中国大百科全书出版社编辑部．中国大百科全书［M］．教育．北京：中国大百科全书出版社，1985：522．

作用。而且，智力结构中的其他因素，都必须受思维能力的制约和支配，都必须围绕思维活动而进行；而其他因素自身的活动，必须有思维力的参与，才能有效地进行，一旦离开思维，其他智力活动都将停留在较低的层次和水平上，甚至就不能发挥其应有的作用了。

总之，思维"在智力中"，与智力是两个既有联系又有区别的概念，两者之间呈现出一种复杂的关系。

三、思维通过"问题解决"展现

无论什么时候，只要遇到必须付出认真的思维努力才能处理的情境，我们就必定面临着一个或更多的需要解决的问题。当然，有些问题并不是真正的问题。比如，当前标准化考试中出现的那些学生事先已经背记好了答案的问题。真正的问题是那种必须包含有重建新的信息或已有信息的新组合的问题。所以，从某种意义上说，思维实质上就是问题的解决，而问题解决也不能没有思维。即思维和问题解决几乎是不可区分的。

在思维和问题解决之间，首要的一点在于，问题是思维的起点。关于什么是思维的起点，人们曾经有过不同的认识。如有人认为知识是思维的起点，有人认为观察是思维的起点，等等。知识和思维之间的关系我们已经做过分析，知识作为先前思维的成果，是构成思维的内在要素，是思维活动的前提和基础，却不能直接成为新的思维的起点。观察是人们发现新的事实的重要途径，经由观察所获得的，更多的可能是属于经验层次的知识，如果没有在此基础上形成的问题，仍然不足以引起进一步的思维。所以，思维的起点，只能是问题。

对于问题在激起人的思维活动中的重要作用，人们早有认识。实验科学的鼻祖培根曾经说过，如果科学研究从肯定开始，必将以问题告终，如果从问题开始，则必将以肯定结束。现代科学之父爱因斯坦更为深入地阐述了这个问题。他说："提出一个问题往往比解决一个问题更重要，因为解决一个问题也许仅是一个数学上的或实验上的技能而已，而提出新的问题、新的可能性，从新的角度去看旧的问题，却需要有创造性的想象力，而且标志着科学的真正进步。"[1] 所谓问题就是未解的疑难或矛盾，就是理想与现实之间的差距。有问题就意味着对现实对现状的不满，就意味着有自己的思维。一个没有任何问题的人很难想象会打破现状，超越常规。所以今天的教育开始注重和强调要培养学生的问题意识。问题意识指的是学生面临需要解决的问题时的一种清醒、自觉，并伴之以强烈的困惑、疑虑、想要去探究的内心状态。正是这种内心状态驱使着学生积极地思维，不断地产生解决问题的办法，不断地提出新的问题。

问题是思维的起点，而问题的产生则来自怀疑、疑虑、疑惑。所谓的"疑问"，便是指由疑而问，有疑才有问。科学发展史上许多重大问题的提出，都是从怀疑开始的。哥白尼如果对"地心说"深信不疑，则不会有"日心说"的创立；伽利略假如认为亚里士多德的落体理论已经天经地义、不容置疑，也不会有科学的落体定律的发现。一些有重大价值的问题，往往就是在对多数人看来是天经地义的东西的深刻怀疑中产生的。然而怀疑绝不是无缘无故想当然的猜测。怀疑的基础是正确、合理、审慎的思维。只有善于思维才能善于怀疑，因此，思维是批判的怀疑精神的必要前提。

基于思维的怀疑产生真实的问题，问题作为起点引起人们思维的产生和发展。思维和问题在发生上原本就是"蛋和鸡"的关系。而两者之间的关系似乎还不仅止于此。作为起点的问题在激活思维之后，又成为问题最终得以解决的动力。问题的存在，就是矛盾和不平衡、不一致的存在。它将始终吸引着人们投入思维的努力去探究、追问和解决。对于问题意识强、创造性高的学生来说，一旦发现了问题，就会产生解决问题的需要和内驱力，产生一种心理上的不平衡，从而激起强烈的求知

---

① 爱因斯坦，英费尔德. 物理学的进化 [M]. 周肇威，译. 上海：上海科学技术出版社，1962：66.

欲和好奇心，唤起内心创造的需求与兴趣，在强烈的创造动机的驱使下，激励他进行积极自主的思维，直到解决问题，达到创造的目的。

思维由问题产生，又因问题而得到持续不断深入的发展，思维的最终目的则在于问题得以解决，做出有所创新的发现。思维和问题、思维和问题解决始终互相伴随左右。凡思维发生作用的地方必定有问题的存在，必定有解决问题的需要。唯有问题存在的地方才能够产生真正的思维。

总之，思维是一个复杂的范畴。思维的特性究竟是什么至此似乎仍然只有一个大致的轮廓。思维的复杂性几乎不允许我们为思维给出一个明确的定义，我们所能做的只是尽量考察"思维不是什么"或"思维同什么相关"等问题，由此对思维有一个基本的了解和认识。

3

"我们怎样思维"的教育学探索

　　哲学、心理学等学科对"人何以为人""人如何获得正确的认识"或者"人怎样思维"等问题的关注一直在影响着教育，以及教育学的发展。如果说认识论在教育学中成为课程与教学论的基础，则伦理学、价值哲学或实践哲学的讨论在教育学中往往成为构建"教育目的"的基础。赫尔巴特就提出"教育学作为一种科学，是以实践哲学和心理学为基础的。前者说明教育的目的；后者说明教育的途径、手段和障碍"①。赫尔巴特正是从心理学原理出发提出教育中的思维训练问题，在教育史上尤其在教育学研究史上第一次明确地提出"明了—联想—系统—方法"的思维程序。到 19 世纪末 20 世纪初，杜威在批评以赫尔巴特学派为代表的"传统教育"基础上构建其"现代教育"体系，将培养学生的思维作为一个重要的教育使命。

---

　　① 赫尔巴特. 普通教育学·教育学讲授纲要 [M]. 李其龙，译. 北京：人民教育出版社，1989：190.

第一节　科学的思维方法的雏形

当赫尔巴特提出将教育学建立在心理学之上时，他实际上将教育学建立在他所经营的以"明了—联想—系统—方法"为思维过程的心理学之上，这使发展学生的思维问题第一次正式地获得了形式化的思维步骤以及相应的教学程序。按照杜威的看法，"赫尔巴特的伟大贡献在于使教学工作脱离陈规陋习和全凭偶然的领域。他把教学带进了有意识的方法的范围，使它成为具有特定目的和过程的有意识的事情，而不是一种偶然的灵感和屈从传统的混合物。而且，教学和训练的每一件事，都能明确规定，而不必满足于终极理想和思辨的精神符号等模糊的和多少神秘性质的一般原则。他抛弃形式训练的理论，这种理论主张，我们有许多现成的官能，可以通过联系任何材料得到训练。他十分重视注意具体教材，注意内容。赫尔巴特在注意教材问题方面比任何其他教育哲学家都有更大的影响，这是无疑的。他用教法和教材联系的观点来阐明教学方法上的各种问题：教学方法必须注意提示新教材的方法和顺序，保证新教材和旧教材的恰当的相互作用"①。

可见，在当时的条件下，赫尔巴特为教育学引荐的"心理学"虽还算不上严格意义上的"科学的"心理学，但他在教育史上第一个明确地将心理学研究应用于教育以及教育学研究，对后来的教育研究以及教育学研究的影响不可低估。而从他所设计的思维的形式阶段来看，也确实有不少科学的、合理的成分。

在赫尔巴特看来，学生在接受新事物时，总有一条明显的思维主线，即"明了—联想—系统—方法"。

从明了到联想，是一个进入"新旧知识相遇"的过程。赫尔巴特

---

① 杜威. 民主主义与教育［M］. 王承绪，译. 北京：人民教育出版社，1990：75－76.

所说的"明了",是专心地注意某种个别的事物。"静止的专心,只要是纯正而明确的话,是能够看清楚各个事物的。"① 为了使学生真正明了个别事物,教学速度必须放慢一些并尽量将教学内容分解为小步骤。"开始学习的人只能慢慢地前进,以最小的步伐前进则最为稳妥;他必须在每一点上做必要的停留,以便能确切地理解各点。在他这样做的时候,他必须把自己的思想完全集中在一点上。因此,对于最初阶段的教学来说,教学艺术首先取决于教师是否知道应把教学内容分解为若干极小的组成部分,以免不知不觉地跳跃了某些部分。"②

他讲的"联想",是将眼前的个别事物与经验中另外的事物(原有观念)联系起来考虑,"当每一件相似的事物在人的回忆中重新呈现整体——同类体时,人总是只能在新的事物中看到旧的"③,而在新旧事物的相互观照的过程中,联想起了作用。"从一个专心活动进展到另一个专心活动,这就把各种表象联想起来了。想象徘徊在各种联想中间,品尝着每一种表象的混合体,只是舍弃无味的东西。"④赫尔巴特将这种从明了到联想的心理活动称为"专心"。"专心"是思考眼前的事物与先前的事物(经验)之间的联系,而一旦将眼前的事物与先前的经验联系起来,也就意味着学生在心中已经产生了某种关于新旧事物之间的关系,这种关系可以称之为"假设"。

赫尔巴特讲的"系统"是针对初步形成的新旧事物联系(假设)进一步检查,使新旧事物处于恰当的位置。按照赫尔巴特的说法,"它把每个个别事物看成是这种关系的一个成分,并处在恰当的位置上。一种丰富的省思活动产生的最好的次序叫做系统"。⑤ 也就是说,在"联系"中,学生只是初步形成新旧事物之间的联系;而在"系统"中,

---

①③④ 赫尔巴特. 普通教育学·教育学讲授纲要 [M]. 李其龙,译. 北京:人民教育出版社,1989:53.

② 同①,220.

⑤ 同①,70.

学生进一步考察"联想的前后一贯次序"①。他可能由此而"理解"新旧事物之间的联系，此时学生对新旧事物的联系将更"清楚"，"不清楚各个事物也就没有系统、没有次序、没有关系。因为关系不存在于混合体中，所以只存在于既分开而又重新联合的各部分之中"②。

赫尔巴特讲的"方法"即"应用"（或练习），比如作业、写作与改错。赫尔巴特认为"学生通过作业、自己写作与修改可以得到方法的思考练习"③。人们容易理解练习的种种作用，比如练习就是使学生应用所学的原理去解决类似的习题，这样可以加深学生对新知识的理解。但在赫尔巴特看来，作为应用、练习的"方法"的真正价值乃在于让学生在类似的情境中获得对新知识的理解、提升、抽象，"因为这里可以表明学生是否正确地把握主要思想，同时表明他是否能在附属的事情中看出这种主要思想来，从而也就表明他能否应用它们"④。显然，"在附属的事情中看出主要的思想"也就是让学生在类似的情境中重复验证对新旧事物之间的关系（假设）。

赫尔巴特将系统与应用一起视为"审思"活动，它是由明了—联想构成的"专心"活动的延续。他认为教学的步骤应该是一个从专心到审思的过程，"专心活动应当发生在审思活动能够之前"，必须使两者尽可能地相互接近，而审思又可变为新的专心，专心与审思必须交替进行。⑤

第二节   "传统教育"中的思维训练

赫尔巴特提出的"明了—联想—系统—方法"使教育工作成为一

---

①⑤ 赫尔巴特. 普通教育学·教育学讲授纲要［M］. 李其龙，译. 北京：人民教育出版社，1989：70.

② 同①，53.

③④ 同①，221.

种具有"主动性"的、"自由想象"的过程。也就是说,作为"传统教育"的代表,赫尔巴特在构建自己的"普通教育学"时,已经实际地提出了发展学生的智力以及主动学习的问题。

一、"明了—联想—系统—方法"中的思维训练

杜威也承认,赫尔巴特对心理的解释有三个方面的教育意义:(1)我们所以有这一种或那一种心灵,完全是由于利用事物形成的,这些事物能引发这样或那样的反应,所引起的反应能产生这样或那样的安排。心灵的塑造完全是一个提出恰当的教材的问题。(2)因为先前的表象构成"统觉器官",用以控制同化新的表象,所以,先前表象的性质十分重要。新表象的作用是强化以前形成的组合。教育者的任务,首先就是选择恰当的材料以固定原来的反应,然后根据先前的处理所积蓄的观念,安排后来的表象的顺序。(3)一切教学方法都可以规定几个正式的步骤。提示新教材显然是中心一环。在此基础上,杜威将赫尔巴特的教学步骤概括为三步:第一步就是"预备"。以便唤起旧表象的特殊活动,使它升到意识的表面,同化新的表象。第二步是使新旧材料之间发生联系。"在提示新教材以后,跟着是许多新旧表象相互作用的过程";第三步是运用新形成的内容,完成某种工作。"无论教什么,都必须通过这样的过程。因此,不论学生年龄大小,一切科目的教学完全采用统一的方法。"① 也就是说,赫尔巴特所设计的教学程序是基于"明了—联想—系统—方法"的心理学观察。从赫尔巴特所理解的思维过程以及教学程序来看,他是重视学生的思维发展与主动学习的。但赫尔巴特究竟重视知识传授还是更看重思维训练,无论在国外教育界还是国内教育界,一直存在分歧。有人认为赫尔巴特是形式教育论者,如我国范寿康就断言赫尔巴特主张"各科之教授,氏所主持为新人文主义,则其

---

① 杜威. 民主主义与教育 [M]. 王承绪,译. 北京:人民教育出版社,1990:75.

重视形式陶冶自属自然"①。南京师范大学教育系编写的《教育学》一书也将赫尔巴特视为"形式教育派"的主要代表。而另外一些学者却不以为然,将赫尔巴特视为典型的实质教育论者。比如美国学者柯尔认为赫尔巴特"注重的是心理的内容,而不是形式上的训练"②。我国也有学者从赫尔巴特反对官能心理学而提倡联想心理学的倾向出发,将赫尔巴特作为"实质教育论的主要代表人物",并认为"实质教育形成于赫尔巴特时期,盛行于斯宾塞时期"③。但在我们看来,将赫尔巴特所坚持的心理学理解为联想心理学是有根据的,但并不能因此而推论赫尔巴特的教育主张属于"重视知识传授"的实质教育论一派。因为联想心理学在应用于教育时,它可以重视知识传授,也可以重视思维训练,它可以为实质教育提供依据,也可以为形式教育提供支持。而从赫尔巴特对"明了—联想—系统—方法"所做的论述上看,他已经实际地强调了某种思维训练以及主动学习的意义。这样说的理由如下。

第一,赫尔巴特明确提出要发展学生的智力,反对过多地让学生死记硬背。他坚持"对于教育性教学来说,一切都取决于其所引起的智力活动。教学应当增加而不是减少这种活动,应当使它高尚而不是变坏"。相反,"凡不能激发每个学生智力活动的一切,根本不会受他们重视,而也许会被视为负担"④。由此,他反对让学生长时间地忍受那些不能激起学生兴趣的学习。"假如体格要忍受这样多的学习、坐着不动,特别是常常徒劳无益地抄写各种教科书,以致迟早对健康造成危

---

① 范寿康．教育大辞书 [M]：下册．北京：商务印书馆,1928：1445．转引自：瞿葆奎,施良方．"形式教育"与"实质教育"：下 [J]．华东师范大学学报（教育科学版）,1988（2）．

② 柯尔．西洋教育思潮发达史 [M]．于熙俭,译．北京：商务印书馆,1935：457．转引自：瞿葆奎,施良方．"形式教育"与"实质教育"：下 [J]．华东师范大学学报（教育科学版）,1988（2）．

③ 瞿葆奎,施良方．"形式教育"与"实质教育"：下 [J]．华东师范大学学报（教育科学版）,1988（2）．

④ 赫尔巴特．普通教育学·教育学讲授纲要 [M]．李其龙,译．北京：人民教育出版社,1989：215 – 216.

害，那么，这就会削弱智力活动。"①

第二，在强调发展学生的智力时，赫尔巴特提出要让不同的学生得到不同的发展。"假如智力活动具有同样的性质，那么青少年同什么样的教学材料打交道，这个问题就显得无关紧要了。经验却得出相反的结论，它表明，人的天赋是千差万别的。"②既然如此，教学就不应该强迫学生千人一面地得到相同的发展。"与其使教学能够有助于改善青少年智力方面的差异，不如决心使教学做到多样化，并对许多学生都具有同样的多样化。"③

第三，在强调发展学生的智力时，赫尔巴特尤其重视让学生在"自由想象"，即在"自由想象"中发展学生的智力。在解释"明了—联想—系统—方法"的思维过程时，赫尔巴特很重视学生的自由想象。他认为"有缺陷的联想通常存在于在学校学得的知识中。因为或者在学习的内容中没有足够的力量使儿童产生想象，或者学习甚至于抑制了日常想象的运行，而智慧在各部分中停滞了。"④ 在他看来，理想的教学就在于引导学生在"明了—联想—系统—方法"的进程中充分地展开想象，"它一下子可以展现广阔的场面，目光从猝然惊愕中收回、分散、合并、往返、凝视、停留、重新升起——然后出现出动，其他感觉参与进来，思想聚合起来，开始尝试，从中产生新的完形和激发起新的思想，到处丰富的内容以及在没有要求和强迫的情况下提供这种内容。"⑤ 在赫尔巴特那里，这是教学期望能达到的境地。在他所憧憬的理想的教学境地中，"想象""联想""智慧"新旧事物之间的"关系""应用""尝试""产生新的完形和激发起新的思想"等成为教学关注的重要因素。

第四，在强调发展学生智力时，赫尔巴特重视了学生的"主动

---

①②③　赫尔巴特.普通教育学·教育学讲授纲要［M］.李其龙，译.北京：人民教育出版社，1989：216.

④　同①，54.

⑤　同①，63.

性"。尽管他重视"管理"对教学的重要意义，但同时强调"管理"应以不压制学生的主动性为前提。也就是说，当教师在管理学生时，"会使他们在某种程度上处于被动，但这种被动性不应当压制他们身上较好的主动性，倒是应当激发起这种较好的主动性"①。赫尔巴特强调学生学习的"主动性"与他重视"多方面兴趣"有关系。他有时将"多方面兴趣"与"主动性"相提并论，提出"兴趣就是主动性。兴趣应当是多方面的，因此要求多方面的主动性"②。在他看来，教学的关键在于激发学生的兴趣，让学生被兴趣所吸引而展开主动学习。"有时教师只需在某些事情上给学生以初步的推动，并继续注意引起他们的动机，给予他们材料，这样，他们就会自己进行学习，并且也许会很快摆脱教师的照料。"③ 赫尔巴特甚至对那些过于束缚学生自由、使学生处于被动状态的"传统教学"提出了批评，认为"使听者仅仅处于被动状态，并强迫要求他痛苦地否认自己活动的一切方式，本身就是使人厌恶与感到受压抑的。所以一种连贯的讲课必须通过使学生始终保持急切的期待心理来激发学生"④。如果教师不能做到这一点，那么他就不要把课讲下去，由学生自己自由地发表意见。无论如何，"教师在必须确保正在进行的工作能顺利进行下去的范围内，可以给予学生最大限度的自由，这种方式乃是最好的方式"⑤。在赫尔巴特那里，"主动性"将决定学生智力发展以及想象的性质。他将那种具有主动性的想象称为"自由想象"，而将受控制的想象称为"被唤起的想象"。他提出"有必要从心理学上区别被唤起的想象与自由产生的想象。被唤起的想象表现在重复所学习的东西方面，自由产生的想象表现在儿童的幻象与游戏方面。仅仅引向死记硬背的学习，会使大部分儿童处于被动状态，因为只要这种学习继续下去，就会排斥儿童通常可能具有的其他思想。然而，在幻

---

①② 赫尔巴特. 普通教育学·教育学讲授纲要［M］. 李其龙，译. 北京：人民教育出版社，1989：222.

③ 同①，74.

④⑤ 同①，78.

象与游戏中，自由活动占优势，因此在那种相应的提供幻象与游戏的教学活动中，自由活动也占优势"①。由此，赫尔巴特提醒教师在教学中应当注意他的学生是否在产生自由想象。"假如在自由产生，则可以认为学生是注意的，而教学本身是有趣的；假如不在自由产生，那么学生的注意虽然并非确实完全消失掉，同时在他们出现真正疲劳之前，还可以迫使它保持一段时间。"②但赫尔巴特认为即使能够保持一段时间的注意，这样的教学却不能保证学生对未来的有关内容的教学继续发生兴趣。

由此可见，在赫尔巴特的教学思想以及心理学思想中，发展学生思维问题一直处于中心位置。就整个教育目的而言，赫尔巴特关注的是内心自由、完善、仁慈、正义和公平五种道德观念的培养，即他所理解的教育的根本目的乃是培养"性格的道德力量"。但正因为他将五种道德观念的塑造作为教育的根本目的，他才特别重视学生的"思维发展"，他坚信"愚蠢的人不可能是有德行的"：在考虑德行的概念时，我们必须记住，虽然教学应当产生的多方面的直接兴趣还远非德行，但是，反过来，最初的智力活动安排的越少，对德行的培养也就越少，特别是考虑不到德行培养可能具有的多样性③。而这也正是赫尔巴特一再强调的"教育性教学"的一条基本原理。按他的话说，"我得立刻承认，不存在'无教学的教育'这个概念，正如反过来，我不承认有任何'无教育的教学'一样，至少在这本书中如此"④。在这个意义上，发展学生的思维（或智力）成为培养"个性的道德力量"的一个无法分开的整体。

二、"明了—联想—系统—方法"的变异

后人往往批评赫尔巴特不重视学生的主动学习，将他的教学理论等

---

①② 赫尔巴特. 普通教育学·教育学讲授纲要 ［M］. 李其龙，译. 北京：人民教育出版社，1989：222.

③ 同①，218.

④ 同①，12.

同于"接受学习"或"讲授教学",杜威也认为赫尔巴特的教育学以及心理学理论的主要缺陷在于"忽视生物具有许多主动的和特殊的机能,这些机能是在它们对付环境时所发生的改造和结合中发展起来的"①。杜威认为它过分夸大了有意识地形成和运用的方法的可能性;而低估了充满活力的、无意识的态度的作用。在杜威看来,"赫尔巴特的哲学考虑教育的一切事情,唯独没有考虑教育的本质,没有注意青年具有充满活力的、寻求有效地起作用的机会的能量"。杜威认为,尽管一切教育都能塑造智力的和道德的品质,但是,"这种塑造工作在于选择和调节青年天赋的活动,使它们能利用社会环境的教材。而且,这种塑造工作不只是先天活动的塑造,而是要通过活动进行塑造"②。这也就是杜威所提倡的使教育成为一种经验的改组和改造的过程。

赫尔巴特的"明了—联想—系统—方法"原本注重学生思维的发展以及相关的"主动学习""自由想象"。而后人何以将赫尔巴特的教学思想指责为"接受学习""讲授教学"以及"忽视学生的主动性""低估了充满活力的、无意识的态度的作用"呢?其主要原因在于:他的教学思想被他的学生"过度解释"而形成所谓的"赫尔巴特学派"以及大规模的班级教学所流行的"集体教学"使之无法估计学生的"自由想象"以及"主动性"。在赫尔巴特发表《普通教育学》(1806)的半个世纪之后,1862年曾经听过赫尔巴特教育学讲授的学生齐勒尔成了莱比锡大学师范研究班的负责人,从而形成了赫尔巴特学派的首领。1868年他创建了《科学教育学会》,出版教育年鉴,宣传赫尔巴特教育思想。1885年齐勒尔的学生莱因接替了斯托伊在耶拿大学的教育学讲座与研究班,在他的努力下耶拿大学成为赫尔巴特研究的世界中心。在齐勒尔和莱因等人的努力下,赫尔巴特教育思想逐步走向通俗化和大众化。尤其在他们将赫尔巴特的"明了—联想—系统—方法"扩展为"准备—提示—联想—概括—运用"的五段教学法之后,赫尔巴

---

① ② 杜威. 民主主义与教育[M]. 王承绪,译. 北京:人民教育出版社,1990:76.

特的教育思想对教育实践的影响越来越大。但是，从赫尔巴特的"明了—联想—系统—方法"到其弟子发展出的"准备—提示—联想—概括—运用"，这里有明显的变化。前者主要是对个别化学习的思维过程的一种形式阶段的大致描写，它适用于赫尔巴特曾经做过的"家庭教师"式的个别教学，也适用于学校教育中"小班"制度中的个别化教学。也就说，即使在班级教学中，赫尔巴特强调必须"使教学做到多样化，并对许多学生都具有同样的多样化"，在这样多样化（个别化）的教学中，才有可能让学生在"明了—联想—系统—方法"的思维活动中"自由想象"以及"主动学习"。但后者在应用于教育实践时，学校班级规模越来越大，一个班的学生人数越来越多，个别化教学基本为强调统一进度的"大班"制度的"集体教学"所取代，这时，学生的"主动学习"以及"思维发展"问题就发生严重的危机。难怪有人感叹说，"只是经过赫尔巴特学派的改造，《普通教育学》原有的精神似乎黯淡了"①。不过，《普通教育学》原有精神的黯淡主要是因为后来的班级规模越来越大以至于个别化教学日益困难，而不完全是赫尔巴特弟子"过度解释"的原因。所以，杜威等人在指责赫尔巴特的教育思想不重视学生的主动性以及思维培养时，实质上是将赫尔巴特作为"传统教育"的替罪羊而加以批评。真正说，杜威等人与其是在批评赫尔巴特的教育思想，还不如说是在以之为借口而批评传统的"集体教学"模式。而从杜威开出的处方来看，他的整个反传统的"进步教育"主张，比如他的"做中学""问题教学法"或者"五段思维"等，基本上都是建立在"个别化教学"模式之上。

---

① 陈桂生. 历史的"教育现象"透视——近代教育学史探索［M］. 北京：人民教育出版社，1998：104.

第三节 "五步思维"或反思性思维

赫尔巴特的"明了—联想—系统—方法"显然对杜威发生了影响。也许正是受了赫尔巴特的影响，杜威把自己关于思维过程的理论也概括为三要素：即事实、暗示过程和事实间的实在联系，并指出，任何方法，均有：（1）特殊事实的认识。（2）合理的概括。（3）应用与证实。① 后来杜威进一步提出"五步思维"，他称之为"反思性思维"（reflective thinking），也称之为"科学的思维"②。杜威的"五步思维"在教育史上具有经典的意义，为后来的教育研究者作为"五步教学"或"问题解决教学法"的五步而广泛引用。

"五步思维"的第一个阶段是"暗示"。当我们面临某种困境时，关于种种可能的行动方法的"暗示"也就随之出现了。思维总是起源于疑惑、迷乱或怀疑。疑惑、迷乱或怀疑出现之后，人们不得不提出某种暗示，暗示就是"制定某种尝试问题的办法，考虑对问题做出某种解释"。手头拥有的资料并不能提供解决问题的答案；它们只能提出解决问题的暗示。暗示从何而来呢？它凭靠人们以往的经验和可供自由使用的相关知识的储备。如果没有某些类似的经验，那么，疑难终究是疑难。

第二个阶段是"问题"。就是使感觉到的、直接经验到的疑难或困惑理智化，成为有待解决的难题和必须寻求答案的问题。

第三个阶段是"假设"。假设其实是对前面暗示的修正。先前的暗示是自发出现的，它自动地出现于人们的心头——忽然跳出，忽然出

---

① 杜威．我们怎样思维．转引自：张法琨．"传统教育"与"现代教育"的一致性初议——杜威、赫尔巴特教育思想的异同［C］//中国教育史研究会．杜威、赫尔巴特教育思想研究．济南：山东教育出版社，1985．

② 杜威．我们怎样思维·经验与教育［M］．姜文闵，译．北京：人民教育出版社，1991：88．

现，如同人们所说的"掠过心头"。第一个暗示的出现并没有受到直接的控制，它来自来，去自去，如此而已。第一个暗示的出现也不含有什么理智的性质。只有将暗示与实际要解决的困难联系起来考虑，随着对问题的洞察和理解，逐步改正或扩展原来发生的暗示，这种暗示就变成确定的推测，用专门术语来说，这种暗示就称为假设。

第四个阶段是"推理"。就是对一种概念或假设从理智上加以认真的推敲。

第五个阶段是"用行动检验假设"。即精心布置符合观念或假设要求的种种情境，从而审视这种观念的理论解释在实际上是否有效。如果试验的结果同理论的或推论的结果一致，如果有理由相信只有这种情境才能产生这种结果，那么，这种认识便强而有力。如果没有相反的事实表明要修正这种结论，那么，这结果就是可信的。

不过，若要具体地描写思维的步骤，反思性思维可能远远不止于杜威所设计的"五个阶段"，因为暗示、假设等每一步思维都有分析、综合或观察的介入，且各个阶段的顺序也不见得很乖巧地依次出现。杜威本人也承认①：（1）"五个阶段的顺序不是固定的"。五个阶段并不是按一定的次序一个接一个地出现。相反，在真正的思维中，每个阶段都有助于一种暗示的形成，并促使这个暗示变成主要的观念或成为指导性的假设。它有助于明确问题究竟在何处，问题的性质究竟是什么，这种观念的每一次改进都可引导到新的观察。精心地提出假设，并不一定要等到问题确定之后，任何时候都可以提出假设；检验也并不需要到最后阶段才进行，可以依照出现的结果，引导新的观察，做出新的暗示。所以"五个阶段只是一个大概的轮廓，是反省思维不可缺少的几个特质。实际上，它们中间有的可以两个阶段合并起来，有的阶段也可以匆匆地带过，而谋求结论的重担也可能主要地放在单一的阶段上，使得这一阶段看来似乎是发展不匀称的。怎样处理，完全凭靠个人的理智的技巧和

① 杜威. 我们怎样思维·经验与教育［M］. 姜文闵，译. 北京：人民教育出版社，1991：94－95.

敏感性"。（2）五个阶段的每一个阶段均可展开。在复杂的情况下，五个阶段中的某些阶段范围是相当广泛的，它们内部又包含着几个小阶段。在这种情况下，哪些较小的功能被看做是一个部分或被列为独特的一段，都是任意的。

看来杜威已经意识到自己所倡议的五个阶段只是一个大致的框架，并没有严格的先后顺序，也不是断定了不多不少正好五个阶段。按他本人的话说，关于数目"五"，"也没有什么特殊神秘的意义"。倒是后来的好心的追随者过分抬举五个阶段，将"五"个阶段搞得不但特殊且异常神秘。

不过，除了杜威所补充的两点之外，五个阶段的问题还在于，杜威谈论的暗示、问题与假设之间往往相互缠绕牵连。他的"五个阶段"透露了两条相互矛盾的信息：（1）五个阶段是独立的。（2）五个阶段中有些阶段是相互包含甚至是无法分开的。很多时候获得了暗示就有了问题意识，甚至暗示就是假设，是化解问题的一个初步方案。但后人在接受他的五个阶段时似乎一致地捡拾了第一条信息，而将第二条信息轻易地放过了，忽视了其中的暗示、问题与假设可能是同一个思维过程。

由此可以认为杜威所设定的五个步骤虽详细却显累赘且不完整，反思性思维真正的核心不过是"假设—检验"，也就是他的学生胡适所提出的"大胆假设，小心求证"。这种"假设—检验"又后来被波普尔（Popper）以"猜想与反驳"的知识程序巧妙地点破。

第四节　思维的一般步骤

人们常常看到杜威对赫尔巴特以及赫尔巴特学派的批评，却看不到两者在根本上的一致性。实际上，无论是赫尔巴特的"明了—联想—系统—方法"还是杜威的"暗示—问题—假设—推理—用行动检验假设"，它们都是对人类思维活动的一些共同要素的描写。这些共同的要素即"假设—检验"。

经过"明了—联想—系统—方法"等过程而发生的理解也就是赫尔巴特所谓的"统觉"。"统觉"是基于察觉或觉察之上的理解（可见翻译为"觉解"也许更合适）。人在经验中获得了一定的表象，于是在吸收新的表象时就依靠这种旧的表象来同化新的表象，形成表象体系或"统觉群"。发生"统觉"的过程也就是学生根据原有的经验"理解"新事物的过程。"统觉或掌握是通过以前获得而现在出现的表象产生的，特别（但不一定最出色）通过自由升华的表象产生的。"[①] 杜威将这种心理学解释为，"多种实际存在的事物作用于心灵，心灵不过是富有对这些事物做出反应，产生各种特性的能力。这些在性质上各种不同的反应，称为表象。每一个表象一旦产生，就持续存在；我们的心灵对新材料的反应就是产生新的、更有力的表象。旧的表象也许被驱至意识阀之下，但是，它的活动通过他自身固有的动力，在意识底下继续进行。所谓官能，如注意、记忆、思维、知觉甚至情操，都是这些被淹没的表象相互作用，及其与新表象相互作用所构成的种种安排、联合和复杂结构"[②]。也就是说，赫尔巴特的心理学实际上是将思维的发展视为新表象与旧表象之间相互作用的过程。

"明了—联想—系统—方法"关注的是新旧事物相互作用时所产生的心理活动，它可以算是"科学的思维方法"的雏形。（1）"明了"是了解新出现的个别事物。它相当于出现某种新"问题"。学生头脑中思考的问题"这是什么"。（2）"联想"是将新出现的个别事物与经验观念中的原有事物联系起来考虑，初步形成新旧事物之间的某种暂时的"关系"。它相当于针对新问题而初步提出某种"假设"。学生头脑中思考的问题是"它与某事物之间可能是如此这般的关系"。（3）"系统"是明确刚才提出的关于新旧事物之间的假想的关系。学生头脑中思考的

---

① 赫尔巴特. 普通教育学·教育学讲授纲要 [M]. 李其龙，译. 北京：人民教育出版社，1989：224.

② 杜威. 民主主义与教育 [M]. 王承绪，译. 北京：人民教育出版社，1990：74.

问题是"它们真的是这种关系"。（4）"方法"是通过重复推广应用，进一步验证原来假想的关系。在整个明了—联想—系统—方法的过程中，"联想"乃是初步提出新旧事物之间的某种可能的"关系"，它实际上起着科学研究中的"猜想""假设"的作用。"假设""联想"在科学研究中提出被认为是极其重要的步骤，而"假设""联想"在赫尔巴特的整个"明了—联想—系统—方法"的思维过程中也受到特别的关注。

杜威的"五段思维"的主要步骤也是"假设—检验"以及"检验"之后的再"假设—检验"。"假设—检验"式的反思性思维意味着教师需要持续地关注从学生那里发生的种种创造性思维的暗示，还意味着追问暗示的由来并形成假设，在形成假设之后教师在后续的教学中观察学生的行为且采用相应的教学策略检验这些假设。也就是说，"假设—检验"中的"假设"实际包含了"获得暗示—确定问题"的思维程序，而"检验"实际蕴涵了"观察—分析"的思维步骤。

一、假设

假设一般被视为"解释"或"解决"问题的一个设想、计划或方案。确实，假设总是对问题的解释或解决，所有的假设都是对问题原因（解释）以及问题的化解（解决方案）的关注，是关于"为什么发生这样的问题"（解释）以及"如何解决问题"（解决方案）的估计和预谋。但事实上，假设又不仅仅是对问题的解释和解决，它也涉及对问题的"发现"和"猜想"。

比如，教师发现若一个平时表现出色的学生忽然长时间地保持沉默，接下来教师考虑怎样解释并解决这个问题。一般认为，"学生沉默"是一个"问题"，而当教师忖度"学生父母的关系是否出现了矛盾以至于影响了学生的情绪"时，或者当教师怀疑"学生是否对自己身体的第二性征忽然出现而恐慌"时，这是对问题的"解释"；当教师设想"做家长工作可以缓解学生的精神压力"或"用适当的方式让学生了解青春期变化可以消除学生的恐慌"时，这是针对问题提出的"解决方案"，"解释"与"解决方案"一起构成"假设"。将假设视为对问题的解释或解决问题的设想并不错误，但它很容易使人将发现问题作为一个独立于假设之外并发生在假设之前的一个步骤，忽视了"发现问题"也是另一种意义上的假设。杜威的教育思路大体是清晰的，但他在暗示与假设等问题上却含糊。他的"五个阶段"将发现问题、明确问题作为假设之前和暗示之后的阶段，就暗含了这样的错误。暗示与假设原本具有相同的性质，只不过暗示是一种松散的假设，假设是较正式的暗示，用杜威自己的话说，对暗示加以控制……这种暗示就变成确定的推测，或者用专门的术语说，这种暗示就称为假设；杜威的另一个错误是将问题与假设分离，却忘记了明确问题的过程也是假设的形成。他在另外的地方也说，题目出得规范，答案有了一半。事实上，我们知道，问题恰好是与寻求答案同时发生的。问题和答案完全在同一时间呈现出来。在这之前，我们对问题的理解或多或少是含糊不清、没有把握的。这说明，杜威有时也是承认明确问题的过程，也是提出相关的假设的过程。

有人可能怀疑，假设虽离不开问题，但问题可以离开假设而独立呈现。而实际的情境常常是，如果问题不被人意识到，不进入人的意识和假设领域，或者说，如果问题不经由"假设"而成为"问题意识"，那么，问题就不成为问题。"学生沉默"并不是一个问题，它本身并没有意义，只有将某种现象与某种后果联系起来时，某种现象才成为问题。只有当教师设想"沉默可能导致某种后果"（比如长时间沉默影响学业成绩或心理健康发展）时，"学生沉默"才成为问题，且这个问题才称得上被"发现"。若教师没有设想"沉默可能导致某种后果"，那么，"学生沉默"本身不是一个问题，也不能称其为"发现问题"。"发现"并不是"看见"或"听见"，而是"思"和"想"，是"思考""判断"和"猜想"，直接说，"发现问题"意味着对某个现象的"假设"，发现是另一种理解和假设。所以，问题的发现与假设，实在是一个东西。

这些"假设"其实也是杜威所谓的种种"暗示"。暗示不过是将两件事联系在一起做因果关系的考虑（假设也是因果关系的考虑）。乌云密布与下雨之间的联系是一种暗示。在经验中，没有绝对简单的、单一的和孤立的东西，所以暗示总是随时随地隐藏在我们的身边。但由于每件事物一旦被视为中心，其他事物就被遮蔽而暗淡模糊。不善于反思者将只看到中心，无法想象中心之外被遮蔽的边缘。善于思考者则可能将那些进入中心视野的某种事物或事件与周遭的事物或事件联系起来，于是获得一些相关的暗示。可见暗示就是将中心与边缘勾连而获得的因果联系。获得了教学中的暗示也就是找到了教学中的某些因果联系。将学生沉默可能与学生父母的吵架或闹离婚有关就是一种"暗示"。学生在学校受了同学的欺辱而情绪受阻；或者，学生平时总是出于竞争而不是出于兴趣投入学习，因此尽管成绩优秀却担忧自己的前途和发展方向，等等，这些是系列的"暗示"，也是系列的"假设"。问题在于，满足于习惯性思维的教师会对教育中大量的因果联系视而不见，暗示很少发生。乐于反思性思维的教师会迅速及时地由此及彼发生联想，敏感地意识到事物、事实之间的因果联系而且由一个因果链引起另一个或更多的因果链。

但因果链似乎并不容易被发现和确定，因果链的不确定性往往使人处于迷惑、困顿的状态之中，使形成假设成为一件艰难的尝试。而正是迷惑、困顿将人抛掷到艰难而高级的反思性思维中。反思性思维出于解决疑惑的需要。"思维起始于可称之为模棱两可的交叉路口的状态，它于进退两难中任选其中之一。"① 如果没有解决疑难问题或需要克服的困难，则暗示的过程必流于胡思乱想；如果我们的行动顺畅无阻地从一事物进行到另一事物，或者我们任意想象，在幻想中求得欢乐，那便不

---

① 杜威．我们怎样思维·经验与教育［M］．姜文闵，译．北京：人民教育出版社，1991：10.

需要反思性思维。可是，当我们树立一种信念而遭遇困境或障碍时，便需要暂停一下，在暂停和不确定的状态中试图寻找某个立足点去审视补充的事实、寻找证据，从而判定事物彼此之间的联系，确定事物之间的因果链条。

因果链条就是暗示吗？是的，它也是假设，是针对问题的假设。假设总是与问题一道出场，共同亮相。暗示是对假设的另一种理解。而无论问题还是假设或暗示，只有等到进入了检验，才有教育或科学研究的意义。即使经过检验之后被证明是错误的假设或暗示，或者被查明是虚假的伪问题，这样的问题、假设或暗示也具有科学或教育的价值。否则，问题、假设或暗示不过是一堆无意义的与人无关的"事物"和"现象"，不构成与人的活动有关的"人事"和"事情"。①

二、检验

真正使教学中的问题发生意义，使教学中的现象成为有意义、有价值的教育事实，还需要做进一步"检验"。问题与假设只有进入了检验的程序，问题才成为问题，假设才成为假设，问题与假设才获得最后的意义。这就是所谓"事实是我们做出来的事情""做事造问题"。这也就是杜威所强调的"理解事物的意义"②：一种观念在得到理解之后，这样的事件或事物便有了意义。理解了的事物才是具有意义的事情。它既不同于存有疑问的和仍未获得意义的观念，也不同于单纯的没有感觉到的物质的东西。我们在黑暗中被某种东西绊倒了，而且受了伤，但是不理解那是由什么原因造成。就此而言，它只是一件事物，一件这样或那样的事物。如果有一点点光亮，又经过调查研究，发现那是一个凳

---

① 我们赞成赵汀阳对事物与事实所做的区分："事物并不能给我们提出问题，事物自己好端端在那里"，所以，"思想是从某种事实而不是从某种事物开始的"。参见：赵汀阳. 一个或所有问题 [M]. 南昌：江西教育出版社，1998：52－56.

② 杜威. 我们怎样思维·经验与教育 [M]. 姜文闵，译. 北京：人民教育出版社，1991：113.

子、一个煤斗或一块木柴，那么，它就是一种已知的事实（人被凳子绊倒），是一种被理解了的事情或一种有意义的事情。

但检验并非只是简单地检查思考假设在语法或逻辑上是否成立，也不仅仅只是思考某个特定的暗示是否真实，真正的检验是对假设做"持续性"的、"批判性"的考察，而且最终一定是"经过行动"的考察。"批判性""经过行动"和"持续性"是检验的特性。

"批判性"考察意味着教师不得不在多种暗示之间做出选择，对已有的假设不断的质疑追问。习惯性思维之所以是习惯性思维，因为那些沉浸在习惯性思维中的教师往往获得简单的情境暗示之后轻易地放弃了进一步思考的努力。或者，一些教师发现两件教育事件相伴发生就以为得到了某种暗示，却不顾其中有些暗示只是在某种程度上反映了真实的联系但这种联系既不深刻也不全面，比如，学生个性的内向与学生的成就，教师的严厉惩罚与学生行为习惯的改变，对知识点的关注与学生的创造性思维，这些松散的联系可能被简单地强化，被紧紧地钉牢在习惯性思维的教师心中。习惯性教学的危机还在于，日常教学经验和习惯总是充满了大量表面的、浅薄的甚至错误的暗示，比如，教师可能将知识训练与学生的学业成就联系起来，忘记了知识不过是一种手段，手段所指向的根本目的系于学生的思维发展并获得自由的另一端。教师可能将学生的厌学与学生的情绪联系起来，忽视的是教师的教学方式的沉闷与武断或者其他。教师也可能将学生的踊跃提问与学生的思维发展联系起来，忽视了学生只是为提问而提问，以便迎合教师的期望，但这种迎合可能与发展学生思维的深刻性并不相关。在一个以举手活跃为目的的课堂教学中，可能恰恰是那些喜欢沉思的学生发展了自己的思维。

因此，由一件事联想到另一件事尽管意味着教师获得了某种暗示，但这种暗示只有经过检验才被给予科学的含量。反思性思维与习惯性思维的不同正在于前者进一步寻找资料、确证自己获得的暗示，后者放弃了检验的努力。

"经过行动"关注的是教师不得不通过进一步的后续教学来观察学

生的问题发生的由来，尽管它并不排除查阅已有的教育文献寻找类似的教育问题的案例。但这还不是"经过行动"验证的全部，"经过行动"验证的关键性意义，在于反思性教学中的"假设—检验"策略不同于一般的科学研究。一般的科学研究唯一关注的是假设是否得到证实或证伪，假设一旦被大量的事实重复证实，或者大量的观察结果一再显示原来的假设的不成立，它就意味着此项科学研究的终止和结题。而且，科学研究有时完全可以通过观念与命题之间的相互说明得到检验。比如，数学就可以通过观念与观念之间彼此相互作用来进行推理，而不需要凭借感觉的观察。"在一条直线外的任意一点作一条平行线，这两条线永远不可能相交"就可以不"经过行动"。而教学中的反思性思维所操作的"假设—检验"除了在"证实或证伪"意义上与科学研究相同之外，还有一个更重要的额外的关怀：它需要采取相关的教育或教学行动改变学生的思维或其他教育问题。反思性教学若经过"假设—检验"的程序发现了"学生沉默"的原因在于学生父母的长期争吵，反思性教学并没有到此终结。接下来的事情是采取相应的教育行动解决"学生沉默"的相关问题，让相关的教育行动进入学生的家庭。但"让教育行动进入学生家庭"显然已经涉及另外一个问题或假设，即怎样教育学生的家长。由一个问题进入另一个问题，一个课题飘逸出另一个课题，正是反思性教学的特性之一。

"持续性"也就意味着反思性思维中的问题总是不断地呈现，一个问题往往只能获得大致的化解而不可能一次性地解决，而且原有的问题淡出了，新的问题又会凸显，问题与问题之间总是源源不断或接踵而至，永远没有完全平息的时候。问题的不间断性决定了教师的教学不得不"持续性"地处于反思中，在反思中教学，在反思中思维。这也就是我们所强调的，检验是对假设展开"持续性""批判性"和"经过行动"的考察。正是对假设进行持续性、批判性和经过行动的检验，构成了反思性思维的一般过程。

第五节　多元智能理论[①]的解释

其实，人类对于智慧的热爱和追求自古以来就没有停止过，尽管智慧究竟是什么，在有些人看来是一个永远不可能有确切答案的"彼岸性问题"。日常生活中我们常常用感性的"是否聪明"作为标准来区分不同的人群，而一些科学研究的结果，如心理测量理论，则用明确的数字"智商130、智商70"等，告诉我们不同人之间在智能方面存在的差异。

具体到学校里，判断一个学生是否聪明的标准常常是他的学业成绩或者能力测验成绩。考试分数高、学习好的学生就是我们需要、认可、喜欢的聪明学生、好学生。然而，人们发现在学校里学习成绩优异的学生，走上社会之后取得突出成就的几率并不是很高；相反，上学期间成绩平平的学生反而多有干出一番大事业者。古今中外，从爱迪生到比尔·盖茨，从韩寒到满舟，无论是学校拒绝了他们，还是他们放弃了学校的教育，显然他们都并非学校教育中的佼佼者。在他们身上，传统学校教育理论中关于智慧、智能的论说显得那样苍白乏力。

所以，我们越来越发现，仅仅以学校里的考试成绩、智力测验中得来的分数为判断标准，无法回答一个人"聪明与否"的问题，更无法解释众多学校教育的失败者却在不同领域中取得了非凡成就（如世界顶尖级的运动员、演员等）的事实。世界体操冠军、著名歌唱家、表演家，他们聪明吗？如果是，为什么学业考试和智力测验无法测出他们的聪明和能力呢？如果不是，那么是什么使他们在各自的专业领域取得了如此杰出的成就？为什么已有的智力概念和理论不能解释人类的许多

---

① 这一部分有些内容参阅了本人曾经发表过的有关文章，如：教育：开发多种智力潜能［J］. 福建教育，2002（7B）；多元智能理论对课堂教学改革的启示［J］. 中小学管理，2002（5）.

卓越表现呢？

一、多元智能：一个全新的智能理论

　　面对这样的困惑，哈佛大学心理学教授、"零点项目"的共同主持人之一——加德纳对于智能的全新阐释不仅消除了人们的疑虑，而且为人们重新认识和思考这一问题打开了一片全新的视野。

　　智能究竟是什么呢？加德纳超越了传统智力理论所依据的两个基本假设，即第一，人类的认知是一元的；第二，人类的智力是可以测量的。按照他的理论，智能绝不是在标准化测试中所得到的成绩，智能是在特定的文化背景下或社会生活中，解决问题或创造产品的能力，就是能够针对某一特定的目标，找到通向这一目标的路线。对于学生来说，完成一道数学题是解决问题，缝补一件衣服也是解决问题。创造产品的能力，则不仅指能够获取知识、传播知识，而且包括能够表达个人的观点或感受的能力。创建一种新的理论是创造，创作一支乐曲是创造，制作一个风筝对于小学生来说同样也是创造。

　　从这个关于智能的定义中可以看出，它特别强调的是个体解决实际问题和创造出社会所需要的有效产品的能力。将智能定位于问题解决和产品创造，显然就已经超越了传统智力理论仅仅把语言能力和数理逻辑能力圈定为智力的核心的窠臼，从而使智力得以走出书本、走出学校，与社会生活实践发生实际的联系。

　　加德纳不仅重新界定了智力，而且提出了关于智力结构的新理论——多元智能理论。这一理论认为，从基本结构来讲，智力不是一种能力而是一组能力，也就是说，智力不是单一的，而是多元的。加德纳把构成多元智能理论基本结构的智力类型划分为与特定的认知领域或知识范畴相联系的七种（后来又补充为八种）智能。这些智能分别是：语言智能、数理逻辑智能、视觉—空间智能、身体运动智能、音乐智能、人际交往智能、自我认识智能。补充的第八种智能为自然智能。

其中，语言智能是指用语言进行思维，用语言表达自己的想法，以及欣赏语言深层次内涵的能力。作家、诗人、记者、演说家和节目主持人一般都具有较强的语言智能。数理逻辑智能是指能够进行数字计算、将物体量化、对命题和假设进行思考和推理，并进行复杂数学运算的能力。科学家、数学家、会计师、工程师、经济师和电脑程序设计师都具有很强的数理逻辑智能。视觉—空间智能是指利用视觉信息和三维空间的方式进行思维的能力。航海家、飞行员、雕塑家、画家和建筑师通常表现出高度的视觉—空间智能。身体运动智能是指一个人灵活地操纵物体、调整身体的能力。运动员、舞蹈演员、外科医生和手工艺者都具有较高的身体运动智能。音乐智能指的是对音调、音色、旋律和节奏进行敏锐感知的能力，如作曲家、指挥家、歌唱家、音乐评论家等表现出较高的音乐智能。人际交往智能是指善于理解别人和与人交往的能力，政治家、社会工作者、成功的教师、演员等都具有很强的人际交往智能。自我认识智能指的是善于准确自我感知，并运用这种知识规划和调整自己人生发展方向和道路的能力，如神学家、心理学家和哲学家一般都拥有高度的自我认识智能。后来增加的自然智能是指善于观察自然界中的各种形态，对物体进行辨认和分类，洞察自然的能力，植物学家、生态学家、猎人、园林设计师具有较高的自然智能。

在这八种智能之间，不存在哪一种智能更重要，哪一种智能更优越的问题，八种智能在个体的智能结构中占有同等重要的位置，只是在不同的个体身上表现出不同的特点，并具有自己独特的表现形式。换句话说，任何一个正常的人都在一定程度上拥有其中的多项能力，人类个体的不同只是在于所拥有的能力的程度和组合不同。正是由于不同智能之间程度和组合的不同，人类才会拥有苏格拉底、爱因斯坦、毕加索、米开朗琪罗、乔丹、帕瓦罗蒂等不同领域的杰出人物。如果有人非要追问，在这六个人中间，谁的智商更高，谁更聪明一些呢？用多元智能理论的眼光来看，他们都拥有高度发达的智力，他们都取得了无与伦比的成就，他们的聪明都毋庸置疑，也难以区分高下。

实际上，加德纳告诉了我们一个很简单的事实：人与人之间的差别，不是智商高低、聪明与否的差别，而是智能类型、智能强项是什么的差别。对于每一个个体来说，不存在谁比谁更聪明的问题，只存在谁在哪一个领域、哪一个方面更擅长的问题。

二、多元智能的教育意义：素质教育的最好诠释

在我们中国，有一句大家都耳熟能详的话，叫做"三百六十行，行行出状元"。在这句透露着典型的东方式思维的话语中，其实从某种意义上说早已道出了多元智能理论的真谛。加德纳的理论，再怎样演绎，再怎么阐释，其精髓也就是这句中国古话的现代西方翻版。不过，折射到教育当中，加德纳则从更新的高度、更深的层次、更广的意义上引发我们对这一问题的重新思考。

尽管中国早有饱含智慧的"行行出状元"的认识，可由于对考试和升学的过分热衷与追求，成绩成了我们衡量人才的唯一标准，"状元"也只能经由考试这一"行"产出了。而经由教育所培养的，也就是学生的读书、考试、做题的能力。教育已经被过分"言语"化了，除了对应试比较重要的语言智能和数理逻辑智能之外，几乎没有什么是我们的教育所特别关注的。

然而，越来越多的人认识到了这样的事实，我们的学生在国际奥林匹克竞赛中能够拿大奖，而中国本土却从未产生过一位诺贝尔奖获得者；我国的学生长于接受和记忆，因而考试总是第一，但却不善于发现和提出有价值的问题，所以往往发展的后劲不足。多元智能理论对于教育最大的启示就在于改变以往的教育目的理念。教育究竟教给学生什么？教育到底为了什么？是传授知识还是发展智力？在今天的社会中，没有任何一个人能够学会需要学会的一切东西。因此，首先教育必须走出传授和掌握知识的误区，以学生智慧潜能的开发以及人格的完善为最终目的；其次，每个学生的智能强项是各不相同的，教育的作用应该是

"扬长"，而不是"补短"。发挥每个学生的潜力，让每一个人都找到努力的方向，体验到成功的感动。由此带来的不仅是教育观念和思维的重新定位，而且是课堂教学规则和秩序的重构，以及教师自身的不断学习和提高，等等。从这个意义上说，多元智能理论的精髓与素质教育的理念在许多方面有异曲同工之妙。

1. 关于"为何而教"的启示

为何而教？教学究竟为了达到什么目的，是教给学生知识，还是发展学生的智能，关于这个古老而又常新的话题，我们已经在前文指出，走出形式教育与实质教育之争的困境似乎并不在于采取"非此即彼"的办法，也不一定在于像德国学者第斯多惠所设计的那样在小学以形式教育为主，在中学"逐步提出实质教育"的目的。简单的非此即彼或直线式的加法处理可能都无法超越形式教育与实质教育的藩篱而提取二者的合理精神。我们的基本观点是，知识的主要价值在于"解决问题"。只有智能得到发展了的人才能将知识灵活地运用于实际问题的解决。也就是说，智能，而不是知识，应该成为教学最明确的目标。

多元智能理论的提出，与素质教育和创新教育的改革相互呼应，再一次将"智能"置于教育教学改革的核心，及时地唤起人们对于这一问题的重新思考。在这个问题上，多元智能理论的创始人加德纳有过另外一个表述。他强调"为理解而教"（teaching for understanding），并且，他专门对"理解"一词做了界定。他把"理解"同"知识"进行比较，他指出，当我们说一个人"知道"某事，通常是指他已经把信息储存在脑子里，并随时可以取用。也就是说，"知识"只是对某一件事物的了解或知道，但仅仅知道，并不一定就理解了。而当一个学生"理解"了某事情时，就表明他具有驾驭所储存的信息的能力。也就是说，所谓"理解"是指个体不只是掌握了静态的信息，不只是他记得什么，而且可以运用信息做事情，运用信息解决问题。换句话说，当学生理解事物时，他们可以用自己的话来解释概念，当面临新的情境时，能够适当地运用信息，做出创新和推论。从加德纳对"理解"的阐释中可以看出，他所谓的"为理解而教"，其中的理解和我们通常所指的记忆、背诵和知识都是不同的。其实，加德纳所讲的"为理解而教"，这里的理解实际上指的就是学生所掌握的知识经过了内化，加入了自己的思考，有了自己的东西。他的核心仍然是强调学生个人智能的作用，强调学生思维的因素。按照我们的思维方式和使用习惯，用"为智能（思维）而教"这样一个说法更容易被理解，它的含义和指向也更明确。当然，从本质来说，这两种说法并没有根本的差别。

2. 关于"全体学生全面发展"的诠释

素质教育强调的是让全体学生在德智体几个方面都能够得到全面的发展。根据这一基本精神，从其发展的对象看，是全体学生而不是少数精英或尖子学生；从发展的内容看，是素质的所有方面而不是某一方面的片面发展。在这一点上，多元智能理论的观点不仅与其体现出在精神内核方面的一致，而且还对素质教育做出了理论的诠释和解答。

多元智能理论认为：世界上没有两个人具有完全相同的智能组合。这个理论的创新之处在于提出了"智能多元"的新认识。"智能是原始的生物潜能，从技能的角度看，这种潜能只有在那些奇特的个体上，才以单一的形式表现出来。除此而外，几乎在所有的人身上，都是数种智能组合在一起解决问题或生产各式各样的、专业的和业余的文化产品。"[①] 正是因为人的智能是多元的，因此，人与人之间在智能上的差别就不再是过去所理解的智商高低的差别，而是智能类型的差别。

因此，对于教育工作者来说，非常重要的一点是要能够正视差异，尊重差异，正确认识每一个学生，对不同的学生实施有差别的教育，而不是用同一个标准去要求衡量所有的学生。这一理论告诉我们，每一个孩子都是一个潜在的天才儿童，只是每一个人表现出来的方式经常是不

---

① 霍华德·加德纳. 多元智能 ［M］. 沈致隆，译. 北京：新华出版社，1999：10.

相同的。除了极少数发展有缺陷的孩子之外，对于一般人而言，只要教育得当，每个人的七八种潜能，都能够得到相当高的发展水平。也就是说，从智力的角度而言，每个学生都具有一方面或几方面的才能。而长期以来，我们习惯依据学习成绩把学生分为三、六、九等，这样的做法是不合理的。不同的学生在智能方面都是平等的，所不同的只是每个人所擅长的方面或者说智能强项不同。而每个人所具有的不同的智能或智能结构，正是一个人不同于他人的特异之处，正是他的特殊禀赋或天性所在。如何根据每一个学生不同的禀赋或天性，开发其潜能，以优势智能的发展带动全面素质的完善，把每一个学生都培养成为智能发达、人格健全的人才，这才是摆在每一个教育工作者面前的一项重要任务。

在追求学生群体的全体发展的同时，还应该关注每一个个体的全面发展。多元智能理论所强调的个体的全面发展，并非每一个个体在德智体诸方面都均衡的、同步的发展。它所提倡的是每一个学生各自在自身不同智能强项带动下的个性化的发展。群体的全体发展之所以可能，正是因为每一个人都拥有不同于他人的强势智能所在，而实现个体的全面发展，也应该以个体所拥有的智能强项作为出发点和基础。过去我们常常根据学习成绩的好坏区分学生的好差，于是那些学习成绩稍差的学生就成了老师和家长眼里的后进生、问题学生或差生，被认为是难以进行培养和发展的教育的失败者。问题并不是这些学生真的难以培养和发展，而是我们没有用正确的眼光去看待他们。"你的教鞭下有瓦特，你的冷眼里有牛顿，你的讥笑中有爱迪生"，陶行知先生早就告诉过我们这样一个显而易见的道理，换一个眼光，即使在过去我们认为最差的学生身上，也会发现最耀眼的闪光点所在。因此，实现每一个个体的全面发展，最重要也是最有效的方式莫过于找出其强势智能所在，首先以强势智能的发展为学生树立起自信心和强烈的成就动机，在此基础上带动其他智能的良性互动。如果看不到不同学生在智能方面的类型差异和强弱区分，一味地要求所有的人达到同一个标准，其结果可能是鸭子忘记了如何游水，兔子不知道怎样奔跑，燕子荒废了空中飞翔，而人们不顾它们自身特点所要求它们做到的，却一个也做不到。学生的全面发展也是这个道理，全面发展不是均衡发展，不是所有方面的同步发展。全面发展的前提是发展，没有发展，没有进步，也就根本无所谓全面还是片面。而只有符合个性，符合强项和优势智能，才可能实现发展。因此，每一个学生不同于别人的强项所在、优势所在——哪怕这个优势与传统的纸笔测试没有丝毫的关系——才是其发展应该确立的起点和可能性所在。

　　多元智能理论不仅与素质教育一道，加强了我们对于促进全体学生全面发展的必要性的认识，而且进一步从理论上告诉我们，全面开发学生的智力潜能，促进全体学生的发展是有科学依据的，完全是有可能实现的。

4

为思维而教：课程资源的开发

　　任何学科都对思维能力的培养具有自身特殊的意义和作用，然而也都包含着无法克服的缺陷和不完整性。在知识性的学科中，教师和学生往往容易把注意力放在积累知识上而疏忽了思维能力的培养和发展。针对这些学科，学校的目标常常似乎只是让学生成为所谓的"无用知识的百科全书"，认为让学生掌握"无所不包的原理"，才是当务之急，而培养心智乃是低劣的次等的事。比如语文、政治等文科，对学生的要求是要背诵的一字不差，对数学、物理等理科只要求某一种解法，等等。因此，知识性学科的缺点在于容易忽略思维和智慧的发展。

　　而专门的思维课程似乎也有另外一种危险，即容易形式化、机械性。"纯粹的模仿、采用指定的步骤、机械式的练习，均可能最快地取得效果，然而，对反省思维能力的增强，却可能铸成不可挽回的错误。学生们被命令去做这种或那种具体的事情却不知道任何道理，只是为了谋求以最快的速度达到所要求的结果。"① "学生只是单纯地重复某种活动，以便达到机械式的自动程度。后来，教师们发现学生读书几乎没有领悟书中的含义，学生作演算却几乎对演算的课题没有什么理解"，这

---

① 杜威. 我们怎样思维·经验与教育. 姜文闵，译. 北京：人民教育出版社，1991：52.

是因为，专门的思维课程如果完全以技能训练的外部效果作为信奉的依据，这种方法就容易把人类的思维训练降低到动物训练的水平。

所以，从学科的角度看思维能力的培养，无论只有知识性学科，还是只有专门的思维课程，都是不够的。只有构建一个两种课程共存的课程体系，实现两种课程的整合与互补，才能达到最终的思维能力培养的目标。

第一节　学科课程中的思维教学

"思维是特定的，而任何学科都可以是理智的"，这是杜威对思维与学科的一个明确表述。"身体的生长是由于食物的消化吸收，同样，思维的生长是由于教材的合乎逻辑的组织。"更加明确地说就是，"思维是一种能力，它把特定事物所引起的特定的暗示，贯穿到底并联成一体。因此，任何学科，从希腊文到烹调学，从绘画到数学，都可以成为智能的学科，说它完全是智能的，不是指它的固定的内部结构，而是指其特定的功能——它的引起和指导富有意义的探索和反省的作用。有人用几何学训练思维，有人用操作试验装置思维，有人用音乐作品训练思维，有人用处理商业事务训练思维。"① 因此，每一门学科课程，都可以采用某种恰当地方式，有效地达到促进学生思维能力发展的目标。

一、语文教学与思维能力的培养

语文是母语教学。语文课是基础教育阶段中一门非常重要的课程。这门课程的重要性在于它是其他所有课程的基础，所以语文作为学生继续学习其他课程的基础，向来是受到更多的重视和关注的。语文除了基础性之外，同时还具有另外一个特点，即工具性。1992 年国家教委颁布的"九年义务教育初中语文教学大纲"开宗明义提出："语文是学习和工作的基础工具。语文学科是学习其他各门学科的基础"。2001 年中华人民共和国教育部制定的《全日制义务教育语文课程标准》（实验稿）中明确提出"语文是最重要的交际工具，是人类文化的重要组成部分。"我国语文教育的"元老"——叶圣陶、吕叔湘、张志公等都多

---

① 杜威. 我们怎样思维·经验与教育［M］. 姜文闵，译. 北京：人民教育出版社，1991：38.

次阐述过"语文是个工具"的观点。作为工具，语文不仅是思维和交流的工具，还是进一步学习文化知识和科学技术的工具，甚至可以说是进行各项工作的工具。所以，对于这样一门同时兼备基础性和工具性的学科，语文课的教学在学生思维能力的培养和发展中也起着其他学科无法取代的作用。

1. 语言和思维

究竟什么是"语文"？叶圣陶先生对"语文"这一学科名称的来历和原意有过一段专门的论述。他说："彼时同人之意，以为口头为'语'，书面为'文'，文本于语，不可偏指，故合言之。……其后有人释为'语言''文字'，有人释为'语言''文学'，皆非立此名之原意。第二种解释与原意为近，唯'文'字含义较'文学'为广，缘书面之'文'不尽属于文学也。课本中有文学作品，有非文学之各体文章，可以证之。第一种解释之'文字'，如理解为成篇之书面语，则亦与原意合矣。"① 从中不难看出，无论将"语文"理解为"语言""文字"还是"语言""文学"，都离不开包括口头语言和书面语言在内的广义的"语言"。

一旦把语文还原为广义的语言，那么，语文就将与思维发生无止境的牵连。因为语言从来就离不开思维，就像思维离不开语言一样。离开了语言，思维将陷入混乱，所谓语无伦次，实质上是思维的迷乱。而没有思维，语言也没有了意义。所以，语言与思维互为工具又互为目的。它们天然地纠结在一起，相互从对方那里得到说明和解释。

当人们在头脑中思考问题时，是运用语言在进行思维加工。思维的过程和结果要外化，要实现思维以语言为载体和工具在人际间的交流和互动，需要采用的形式不外乎说、写、听、读四种形式。思维的过程和结果要由主体内部向外传输，要么采用说的表达形式，即运用口头语

---

① 叶圣陶语文教育论集（下）．北京：教育科学出版社，1980：730.

言；要么采用写的表达形式，即运用书面语言。而思维的过程和结果要从外部向主体内部摄入，则不是通过听就是通过读。由听和读将外部的信息输入大脑，经由思维的加工，达到理解和交流的目的。由此可见，听说读写是一系列既需要语言的参与，又需要思维的参与的活动。而语文教学就是以培养学生听说读写的能力为目的的，所以，语文教学也是既需要语言的参与，同时也需要思维的参与的活动，语文是语言和思维的辩证统一。对此，朱绍禹教授曾有过精辟的阐述。他说："语文科是语言学科，同时也是思维学科。同对语文科是工具性学科和思想性学科等的认识一样，这样的认识也是语文科的一种本质观。在语文教学中，对语言和思维同等重视，是众多国家的现状，也是世界性的趋势。而在我们，过去有文道关系之争、读写地位之争、训练比重之争、语言因素和文学因素之争，唯独很少涉及语言和思维的各自地位和相互关系的讨论，这足见我们对这一关系语文科根本性质问题认识的不足。"①

其实，在20世纪90年代展开的对我国语文教育的大讨论中，之所以方方面面对语文教学有着那么多的不满和指责，或者说，语文教育本身之所以存在那么多的弊病，一个不可忽视的根本性原因恐怕还在于，长期以来，语文教育失落了培养学生的思维能力这个最终的目标。在讨论中，出现了许多不同的观点，如有的强调语文教育应加强文学教育或人文教育，有的强调语文教育应加强的是做人教育或人格教育。这些观点有其合理的一面，但我们认为，语文教育中更大的问题是应该强化对学生的思维能力的培养。一个没有学会如何思维的人，不要说其文学修养、人文素质和人格魅力是很难真正养成的，就是正确合理地运用语言、文字的能力，都很难得到发展和提高。这正像乌申斯基所说的，"语言并不是什么脱离思想的东西，相反的，语言乃是思想的有机的创造，它扎根于思想之中，并且从思想中不断地发展起来；所以，谁想要发展学生的语言，首先应该发展他的思维能力。离开了思想单独地发展

---

① 朱绍禹. 中学语文教学法［M］. 北京：高等教育出版社，1988：16.

语言是不可能的；在发展思维以前发展语言甚至是有害的"①。《全日制义务教育语文课程标准》（实验稿）在"课程目标"部分明确提出"在发展语言能力的同时，发展思维能力，激发想象力和创造潜能。"

总之，一个正常的人，思维的发展与语言的发展总是同步协调进行的。语文正是通过发展学生的语言，来发展学生的思维，在语言和思维的结合上，进一步使语言和思维得到协调发展。在语文学习中，只有学生的语言和思维都得到发展，才能更好地进行其他学科的学习。语文的责任正在于促进学生的语言和思维都得到良好的、协调的发展。

2. 语文思维的特性

从不同的角度，采用不同的标准，可以将思维划分出多种不同的类型，如形象思维、抽象思维、直觉思维、灵感思维、辩证思维、创造性思维，等等。应该说，学生的思维能力，在单独的某一门学科学习的过程中，并不会单纯地只是发展某一种类型的思维能力，其他的思维能力则一概不发展，而在另外一门学科的学习中，又会绝对地只发展另一种思维能力。不过，相比较而言，不同的学科对学生思维能力的影响是不尽相同的。

斯佩里对"裂脑人"的研究已经证实了，人的大脑分为左右两个半球，其中左半球主要控制人体右侧的运动，具有逻辑思维、求同思维以及言语、计算等能力，被称之为"理性半球""逻辑半球""知识的脑"。右半球主要负责人体左侧运动，对音乐、舞蹈、节奏、旋律、绘画等空间形象有较强的感受和识别的能力，具有直觉思维、求异思维，有发达的想象能力，被称之为"情感半球""想象半球"或"创造的脑"。即人脑的两半球是用根本不同的方式进行思维的。另有一些研究证明，科学家在进行紧张的研究工作时，大脑左半球是明亮的，即抽象思维处于异常活跃的状态；右半球虽然也有亮点，但大部分区域是暗淡

---

① 转引自：张焕庭. 西方资产阶级教育论著选［M］. 北京：人民教育出版社，1964：470－471.

的。相反，艺术家在艺术创作的高潮时，右半球是明亮的，左半球只有少数亮点，大部分区域是暗淡的，表明是形象思维正在发挥作用。这说明，在不同的活动中，不同的思维类型所起的作用也是不尽相同的，虽然也要强调各种思维类型之间的协调和配合，但总是某一种思维类型占据支配地位，发挥主要作用。

由此，我们认为，在不同性质的学科之间，学生思维活动的类型也有所区别。根据语文的学科特点，在语文学习的过程中，形象思维是起主要作用的思维类型。这当然并不排除在其他学科的学习中，在科学研究和发明创作中，甚至在日常生活中都要广泛运用形象思维。例如，数学作为一门抽象性很强的学科，也经常需要形象思维的配合和参与。几何图像在几何题的解题思维中起到的重要作用就说明形象思维在数学中的重要性。但形象思维在文学、艺术等领域中，是运用更为充分、起决定作用的思维类型。对此，作家刘白羽在谈到自己的创作经验时，曾有过肯定的论述。他说："对一个创造者来说，是生活中种种具体的动人形象打动你，给你带来思想、认识，你通过复杂的生活形象，才提炼出你的一点理解、一种思想、一分诗意，这是作品的灵魂；但同时理解、思想、诗意也只有得到最能恰如其分的表达它们的典型的形象、细节，才能取得反映生活的艺术形象的鲜明光彩。"① 在这个意义上，我们认为，形象思维在语文中使用更加普遍和频繁。

在语文教学中，无论阅读还是写作，其实都是学生通过艺术形象来把握和体验现实的思维活动。当阅读的时候，无论文学作品还是一般的记叙文，作者在作品中所描绘的形象经由形象思维跃然纸上，让读者不仅会在头脑中再造出相应的形象图像，而且这种形象图像会与读者的生活体验相结合，使头脑中的形象活起来，成为有血有肉的真实的形象；当学生自己写作的时候，又是形象思维，使得他对事物的形象的理解转化为文字，用书面语言的形式表达出来，并使得这种表达，为阅读它的

---

① 十四院校《文学理论基础》编写组．文学理论基础［M］．上海：上海文艺出版社，1981：234．

读者传达着逼真的原型形象的信息。例如，朱自清在《春》中对春天的描绘："小草偷偷地从土里钻出来，嫩嫩的，绿绿的。""桃树、杏树、梨树，你不让我，我不让你，都开满了花赶趟儿。""野花遍地是……散在草丛里……""雨是最寻常的，一下就是三两天……像牛毛，像花针，像细丝，密密地斜织着，人家屋顶上全笼着一层薄烟。"小草、树、花、雨，呈现在我们眼前的是一副多么生机勃勃、充满希望的春景图！再如郁达夫《故都的秋》中对北国秋天的槐树的描写："北国的槐树，也是一种能使人联想起秋来的点缀。像花而又不是花的那一种落蕊，早晨起来，会铺得满地。脚踏上去，声音也没有，气味也没有，只能感出一点点极微细极柔软的触觉……"北国秋天的槐树，俨然已经出现在了我们的面前。不仅在景物描写的作品中使用，形象思维在记叙事件、在表现人物的作品中，同样起着非常关键的作用。

对于形象思维，人们的认识经历了一个发展的历程。从最初认定形象思维是不同于科学思维的、文学和艺术家所使用的一种掌握世界的独特方式，到从根本上否定形象思维的科学性、否定作家和艺术家有这种独特的思维，其间理论界围绕形象思维问题展开了广泛深刻的讨论。经过不同观点之间的激烈交锋，以 20 世纪 80 年代以后钱学森倡导建构包括形象思维在内的思维科学为标志，形象思维已经被人们所肯定和接受。作为肯定形象思维论的代表，李泽厚关于形象思维的论述为多数人赞同。他说："思维，不管是形象思维或逻辑思维，都是认识的一种深化，是人的认识的理性阶段。人通过认识的理性阶段才达到对事物的本质的把握。形象思维的高潮，在实质上与逻辑思维相同，也是从现象到本质、从感性到理性的一种认识过程。但这过程又有与逻辑思维不同的本身独有的一些规律和特点。这就是在整个过程中思维永远不离开感性形象的活动和想象。相反，在这过程中，形象的想象是愈来愈具体、愈生动、愈个性化。因此，形象思维是个性化与本质化的同时进行。这就是恩格斯称赞黑格尔所说的'这一个'：典型的创造。形象思维的过程就是典型化的例子。"李泽厚同时还列举了果戈理和鲁迅等作家、艺术家塑造典型形象的例子。对于形象思维和逻辑思维的关系，李泽厚认为，"逻辑思维是形象思维的基础"。因为形象思维作为思维已不是感性的东西，只是不脱离感性而已。"艺术家的形象思维和感性能力像长着眼睛似的遵循着暗中的逻辑规律正确无误地进行"①。

其实，从人类思维的产生和发展来说，在原始时期，人类还不懂得抽象思维，他们的思维主要是形象思维，被称之为"原始形象思维"。形象思维在人类思维史上存在并持续了漫长的时期，大约"有十几万年的历史，比抽象思维的资格老得多。抽象思维发生于社会从公有制向私有制分化的时代"②。所以，从人类思维的发展看，是从形象思维到抽象思维，形象思维是抽象思维产生的基础，抽象思维是形象思维分化的结果。在形象思维的作用和意义这个问题上，朱光潜先生也坚持认为，文学艺术对现实的反映不同于科学对现实的反映，形象思维与抽象思维不同。他认为，"艺术的思维不同于科学的思维，艺术的思维主要是形象思维，科学的思维主要是抽象思维或逻辑思维。形象思维就是用形象来思维（英文是 think in image，变成名词是 imagination）"。对于形象思维与逻辑思维的异同，他说："思维不只是只有科学的逻辑思维一种，此外还有文艺所用的形象思维。这两种思维都从感觉材料出发，都要经过抽象和提炼，都要飞跃到较高的理性阶段，所不同者逻辑思维的抽象要抛弃个别特殊事例而求抽象的共性，形象思维的抽象则要从杂乱的形象中提炼出见本质的典型形象，这也就是和科学结论不同的另一种理性认识。"③

脑科学的研究成果和人们对形象思维认识的深化告诉我们，人脑的左右两个半球之间并没有优劣之分，一度流行的左脑优势理论是片面的；形象思维和抽象思维也没有高下之别，以往的认为只有抽象思维才是认识的高级阶段的看法是不正确的。语文对学生产生教化作用的媒介

---

① 转引自：赵光武. 思维科学研究［M］. 北京：中国人民大学出版社，1999：257.

② 王方名，张帆. 从人类思维实际看形象思维［J］. 文艺研究，1979（4）.

③ 朱光潜. 形象思维在文艺中的作用和思想性［J］. 中国社会科学，1980（2）.

和材料是相当数量的文学作品，它们包含着大量的形象思维表达的艺术形式，具有鲜明的形象性、具体性、生动性的特点。语文教材内容的特点决定了语文教学同形象思维之间有着一种天然独特的联系。语文教学应该用与其内容相适应的思维方式来讲解、传授、交流，只有这样，才有利于学生的理解和接受，有利于语文教学质量的提高。从这个意义上说，语文思维的特性正在于它的形象性，在语文教学中发展学生的思维应该从形象思维开始。

3. 语文课：在听说读写中培养思维能力

有一种观点认为，在教育上一直存在一个严重的弊端，就是忽视学生右脑的利用和开发，忽视形象思维的培养和发展。教育的重点只是在于知识和技能，教育成了一种"过度言语化了的教育"。就连同形象思维有着天然特殊联系的语文课，也质变为以语言为核心和目标的语言课。因此，越来越多的研究者呼吁，是到了开发右脑、发展形象思维的时候了，教育上应该掀起一场轰轰烈烈的"右脑革命"。而无论要求发展形象思维，还是要求开发右脑，其实质都是为了左右脑协调并用，最大限度地发挥出学生的创造性思维的能力。

语文课培养学生思维能力的途径是多种多样的。可以渗透到听、说、读、写的任何一个过程和环节之中进行。

比如在阅读教学中。面对一部文学作品、一篇语文课文，如果学生在阅读的过程中，能够根据文字的描述随之在头脑中产生联想和想象，也就是能够透过文字看到文中的人和事，看到人物的生活，看到事情发生的场景，那么他们对作品和课文的理解，对知识的掌握，才会是活生生的、真切的、深刻的、持久的。从文字中看到图画，从文字中看出生活，这就是阅读过程中的再造想象，是阅读教学中形象思维的一种重要作用形式。只有这样，才会有真正自己的理解。再造想象以学生已有的生活经历和生活体验中建立起来的丰富的表象储备为基础，将作品或课文中的文字描写按照自己的理解，还原为事物或生活本身。在再造、想象、还原的过程中，需要的以及体现出来的正是阅读者自身的形象思维能力，是阅读者创造力的一个方面。全国著名特级教师于永正，就非常注意引导学生在阅读过程中发挥形象思维的作用。在《我爱故乡的杨梅》一课的教学中，先是让学生读课文，"细雨如丝，一棵棵杨梅贪婪地吮吸着春天的甘露……端午节过后，杨梅树上挂满了果实。杨梅的形状、颜色和滋味，都非常惹人喜爱……没熟透的杨梅又酸又甜，熟透了就甜津津的，叫人越吃越爱吃……"。课文读过以后，于老师表扬听得认真的同学把课文中描写的事物在自己的脑海里变成了鲜明生动的画面，甚至"仿佛看到了那红得几乎发黑的杨梅，仿佛看到了作者大吃又酸又甜的杨梅果的情景，仿佛看到了那诱人的杨梅果正摇摇摆摆地朝他走来"，运用这样的肯定和表扬引导、要求学生在读文章时，一定要边读边想象情节，"在脑子里'过电影'，把文字'还原'成画面"，只有那样，才证明真正读进去了，读懂了。①"边读边想象情节"，这个想象情节，其实就是形象思维的发挥。

　　如果阅读教学根本不鼓励学生产生丰富的再造想象，失去了形象思维的参与，则学生对作品或课文的理解必然是干巴巴的，是空洞无物的；对知识的掌握是生硬的，是机械记忆的。这也正是当前我们的语文阅读教学中普遍存在的众多弊端之一：本应生动形象、充满情感和情趣的语文课却枯燥乏味、抽象死板，不但没有任何乐趣可言，反而成为加重学生学习压力和负担的主要来源。所以，在语文阅读教学中，教师一定要善于根据教学内容，在课堂上创设一种良好的、恰当的教学情境和氛围，引导学生充分调动已有的知识和生活经验，调动先前的表象储备，唤起丰富的情感体验，将自己融入课堂教学内容之中，身临其境，设身处地，让再造想象和形象思维充分活跃起来，把书本上的文字的、抽象的东西还原、拉近，使其进入学生自己的生活世界，从而达到学生对课文内容有深刻的、真正个人的、创造性的理解。

---

① 于永正．教海漫记［M］．徐州：中国矿业大学出版社，1999：103.

写作课也同样可以培养和发展学生的思维能力。比如，通过让学生对同一命题从不同的角度的理解，运用不同的文体练习写作，可以发展学生思维的灵活性、发散性和求异性等思维创造性的不同方面。下面这种形式的练习就是一个很好的例子。①

"圆"像什么
——多文体对比写作练习

●作文一 你对于"圆"不会陌生吧？在数学课上，在日常生活中，圆几乎无处不在地伴着你，它真可说是你的老朋友了。请写一篇300字以上的科学小品文，介绍一下圆的特征和应用等，要写得生动有趣。

●作文二 你说"圆"像什么？是像空虚，还是像充实？是像一无所有，还是像丰满充盈？是成功者的花环，还是失败者的陷阱？是表结束的句号，还是表开始的零？请展开想象的翅膀吧，相信你能以"圆"作为某种象征，写一篇优美的散文。

●作文三 由"圆"很易想到"圆滑"一词。圆滑的人，为人处世只顾对各方面讨好，对工作敷衍塞责，不负责任。你在生活中一定见过这种人，也一定很讨厌这种人，请展开想象，构思情节，写一篇讽刺性很强的记叙文，刻画一个圆滑者的形象。

●作文四 人们在大森林里或茫茫雪原上探索前进的道路，往往费了不少力气，走了很多路，却发现又回到出发地；只不过绕了个大圆圈子。对这种现象加以认真思考，你一定能悟出点什么，请写一篇议论文谈谈你的感想。

---

① 周先乾，文兰森. 中学作文新题设计精编 [M]. 重庆：西南师范大学出版社，1990：264－265.

通过对"圆"这个图形不同视角、不同方面的形象化的理解，经由形象思维的丰富联想和多种想象，创造性思维得到了锻炼。正可谓创造性思维的创造性通过形象思维得以发挥和体现。有这样一种说法，文章是"形象大于思想"的，也就是说，"形象大于逻辑"。人的复杂多样性决定了不同的人对同一事物的理解是差异很大的。"一千个读者就有一千个哈姆雷特"，正是这种丰富多样，蕴藏着创造力的源泉。

另外，作文对学生创造性思维能力的培养还有一个很好的途径，就是让学生写想象作文。想象作文根据学生已有的知识和经验，在此基础上展开充分的想象，通过想象力的开发锻炼学生的创造性思维能力。想象作文有各种不同的设计形式，常见的有：第一种，给出一个开头，限定事情发生的时间、地点和环境，让学生补充主要情节。第二种，给一个故事的梗概，让学生通过自己的想象加以扩展。有一位教师在教学《蚊子和狮子》一课后，出了一道《蚊子撞到蜘蛛网上以后》的作文题目，要求学生不违背原文的意思，展开想象，进行创造性地发挥，给原文补充一段情节。有一个学生做了这样的补充：

蚊子撞到蜘蛛网上，一动也动不了。他有战胜狮子的经历，而今要死在蜘蛛手里，真是难过极了，懊悔极了。他懊悔自己战胜狮子以后得意忘形，以致撞到了这蜘蛛网上。这时，那蜘蛛一步一步地向蚊子爬了过来。当那蜘蛛临近蚊子，张开了他的大嘴的时候，蚊子的泪水夺眶而出。他悔之晚矣，闭上了眼睛，等待着那可怕的时刻。就在这时，从那棵高大的松树上，掉下来一滴松脂。那松脂不偏不斜正好落在了那张着大嘴的蜘蛛身上。顷刻之间，那蜘蛛就被松脂包在了里面，再也动弹不得了。由于松脂的重量，那蛛网被拉破了，蚊子也因此得救了。蚊子高高地飞着，他下决心要改掉自己的毛病，力戒骄傲，不断发扬自己勤于思考的优点。[1]

在类似这样的练习中，学生通过自由的想象，创造性思维得到了训

---

[1] 宁鸿彬．发展学生的创造性思维［C］//江明．问题与对策——也谈中国语文教育．北京：教育科学出版社，2000：179.

练和开发。第三种，让学生将学过的文言文、古诗等改写成为适当文体的白话式文章。事实上，还有其他多种不同的练习形式。在想象作文的练习中，要求学生的联想和想象能力最大限度地发挥，而联想和想象是形象思维中最具有创造性的两个重要因素。通过想象作文的联想和想象，学生的思维能够不受限制地发散和扩展，既增强了思维的广度和灵活性，又体现出了思维的个性和创造性。

在听话和说话的教学中，也可以充分发掘联想、想象的作用，让听、说中的"形象"都活起来，思维起来。有一位教师在课堂上出了这样一道题目——《男子汉穿裙子》，要求大家以此为题说一段话。有一个学生做了这样的回答：

男子汉穿裙子，可以说是不伦不类。但是，此类不伦不类的事情，在我们的现实生活中却时有发生，叫人哭笑不得。某县城有一座明代的楼阁，是明代建筑风格的代表作，很有价值。可是最近在维修的时候，有人竟然把这座古典式楼阁的下半部抹了厚厚的一层水泥。就像一个峨冠博带的男子汉，穿上了一条灰色的西服裙，古不古，洋不洋，令人啼笑皆非。我希望，在我们的现实生活中，多一些不懂就学的谦逊之风，少一些自以为是的蛮横举动。让穿裙子的男子汉，从祖国的大地上消失吧！①

一个初看上去让人无法言说的话题，经由学生的充满想象和创造的形象思维，给出了一段精彩的表述。

在小学二年级《孔雀、八哥和母鸡》一课的教学中，教师先用听录音故事，学生复述故事的形式让学生熟悉课文的内容。之后，教师对学生说："故事里的农夫选择了母鸡和他住在一起，如果让你来选择，你愿意和谁住在一起呢？"有的学生选孔雀。因为孔雀很美丽，它的尾屏像鲜花一样漂亮，和孔雀住在一起，就像每天看到鲜花一样，生活中充满了情趣，人的心情也会很愉快。有的学生选八哥。理由是八哥非常

---

① 宁鸿彬．发展学生的创造性思维［C］//江明．问题与对策——也谈中国语文教育．北京：教育科学出版社，2000：187.

可爱，会学人说话，当主人感到寂寞的时候，它能够跟人逗乐，当有客人来的时候，它会和客人打招呼，八哥能给人的生活带来乐趣。有的学生选母鸡。因为母鸡会下蛋，鸡蛋不仅是一种很有营养的食品，还可以孵小鸡，可以作为商品拿去交换，成为人们生活的一个来源。[①] 在这样的不拘泥于课文内容，鼓励学生自由发散和想象的提问和回答之中，学生通过听和说，在运用语言的过程中发展了自己的思维。

二、数学教学中的思维发展

数学是一门语言精确、抽象性、逻辑思维性强的学科。数学的学科特性决定了数学是培养学生思维严密性、抽象性的最好途径。

1. 数学：数量关系和空间形式的科学

恩格斯给数学下过一个经典性的定义：纯数学的对象是现实世界的空间形式和数量关系。恩格斯指出，数学的目的是以纯粹的形式研究量的关系和空间形式，所以，数学从它的实际内容中被抽象了出来。对于数学而言，球是用什么材料造成的无关紧要，重要的是球形几何体本身；同样，对于数学而言，函数是由哪种自然过程的变化形成的也无关紧要，重要的是函数本身。为了能够从纯粹的状态中研究这些形式和关系，必须使它们完全脱离自己的内容，把内容作为无关紧要的东西放在一边；这样，我们就得到没有长宽高的点、没有厚度和宽度的线、a 和 b 与 x 和 y，及常数和复数。所以，数学是研究现实世界空间形式和数量关系的科学。

数学中的任何一种数，自然数、整数、正数、负数、有理数、无理数、实数，这些数中的任何一个数字，自身并没有什么特定的含义，只是作为一个符号，反映着现实世界中事物之间的数量关系。比如，一个

---

① 材料来自笔者整理的杨浦区六一小学的课堂教学实录。

自然数 9，在数学中，它可以代表世界上任何一个数目为 9 的东西，而不管这个东西具有什么样的属性。9 个苹果、9 本书、9 个人、9 个城市、9 个国家，9 的含义都是一样的。"形"也是如此。一个正方体，可以代表一个房子的空间大小，也可以代表一个容器中液体的量的多少。一个数学公式，如 $X = Y \cdot Z$，可以表示路程、速度和时间之间的关系，也可以表示长方形的面积与长和宽之间的关系，还可以表示其他一切具备这种乘积性质的事物之间的关系。数学就是用数和形，反映着现实世界中事物之间的关系。

作为一门以现实世界的空间形式和数量关系为研究对象的科学，需要一种在"纯粹的状态中"研究的能力，即撇开研究对象的一切其他特性而只着眼于数量关系和空间形式的能力。这种能力，正是在数学学科的学习过程中，培养和发展起来的一种数学抽象思维能力。

2. 数学思维的特性

爱因斯坦说过，为什么数学比其他一切科学受到特殊的尊重，一个理由是它的命题是绝对可靠和无可争辩的。数学之所以获得高于其他学科的声誉，还有另一个理由，那就是数学给予精密的自然科学以某种程度的可靠性，没有数学，那些学科是达不到那么高的可靠性的。在数学中，哪怕最微小的误差也不能被忽略，因为最微小的误差也有可能出现结果的"谬之千里"。

正是数学语言和命题的高度可靠、精确的特性，使得数学成为训练学生思维抽象性的最好途径。也就是加里宁说的，数学可以使人的思想"纪律化"，能教会人们合理地去思维。即数学是锻炼思维的"体操"。体操能够使人的身体健康，动作灵敏，数学能够使人的思维正确敏捷。

在数学中，关注的主要是把现实世界的数量关系和空间形式抽取出来，事物的其他属性则不在考虑的范围内，这就是数学抽象的过程。数学的抽象形成了数学中的概念、关系、定理、方法、符号等思维结果。抽象性是数学本身的特点，抽象思维是数学学习中的主要思维形式。现实生活中有许多实际问题，只有抽象成为纯数学的问题，才能找到解决的办法。如果没有抽象思维能力，很多数学问题根本就无法解决。当然，抽象并不是数学所独有的特点，凡是科学基本上都有抽象，比如物理学，研究物态的匀速直线运动，经由抽象得到三个物理量之间的关系 $s = vt$。但物理学中的抽象不同之处在于不能脱离具体的物理量，而数学则是进一步撇开具体的量而得出更为抽象的量的关系，如 $x = ab$。这个 $x = ab$ 就不只可以用来表示匀速直线运动 $s = vt$ 的关系。所以，数学的抽象是"撇开对象的其他一切特性""完全脱离自己的内容"的"极度抽象"，抽象性成为数学、数学思维的最为突出的特征。

3. 数学课培养思维能力：以问题解决为核心

数学的产生是从生活当中的实际问题开始的。古人结绳计数为的是要知道生产与生活用品的数量。几何学在埃及萌芽之初是为了解决尼罗河流域的土地测量问题。我国秦汉时期的数学著作《周髀算经》和《九章算术》，都是当时的数学家解决生产和生活中的数学应用问题的成果汇集。因此，数学的核心就是问题。数学因问题而生，数学的目的则是解决问题。

数学成为学科之后，仍然有着突出的以问题为核心的特征。在这样的一门学科中，学生思维能力的发展，就是问题解决能力的提高。所以，数学课对学生的思维能力进行培养，是通过解决问题来实现，并最终以问题的解决为目的。即围绕问题而进行，以问题解决为核心。这是数学同其他学科相比，在思维能力培养方面一个最为明显的特征。

从学生的认识过程和思维过程看，对于一个问题的解决，一般要经过这样几个阶段：第一，对问题的理解，即"审题"阶段；第二，产生一个解决问题的假设，即"明确思路"阶段；第三，将假设付诸实施，即动手"解题"阶段；第四，对解题思路、方法和结果进行检验，即"反思"阶段。要成功的解决问题，这四个阶段都是非常关键的。

第一阶段的审题即对问题的理解，是解决问题的整个思维活动的开端。能不能正确的理解题意，弄清题目所提出的条件、问题以及条件和问题之间的关系是问题能否得以解决的先决条件。在这一阶段，学生的思维活动应该循着这样一条路线：问的是什么？已经知道了什么？要解决问题，必须具备什么样的条件和数据？题目已经提供的条件和数据是不是够用？如果不够，还需要哪些条件？要让学生养成细心审题的习惯。为了更明确理解题意，可以通过画图、运用符号和线条等直观的方式将条件和问题表示出来，以帮助分析和思考。

第二阶段的明确思路是解决问题的过程中思维活动最为紧张、最为活跃的阶段。主要是要在已知和未知之间建立起联系，并建构一个解决问题的整体计划。在这一阶段，学生清楚了题意之后，要能够迅速将问题同已有的知识关联起来，明确这一问题的解决需要用到的是哪个方面、哪一部分的知识，并能够准确回忆相关知识。对于这个阶段的思维活动，G. 波利亚曾经在他设计的一个"怎样解题"表中有过一段详尽的描述。[①]

你以前见过它吗？你是否见过相同的问题而形式稍有不同？

你是否知道与此有关的问题？你是否知道一个可能用得上的定理？

看着未知数！试想出一个具有相同未知数或相似未知数的熟悉的问题。

这里有一个与你现在的问题有关，且早已解决的问题。

你能不能利用它？你能利用它的结果吗？你能利用它的方法吗？为了能利用它，你是否应该引入某些辅助元素？

你能不能重新叙述这个问题？你能不能用不同的方法重新叙述它？

回到定义去。

如果你不能解决所提出的问题，可先解决一个与此有关的问题。你能不能想出一个更容易着手的有关问题？一个更普遍的问题？一个更特殊的问题？一个类比的问题？你能否解决这个问题的一部分？仅仅保持条件的一部分而舍去其余部分，这样对于未知数能确定到什么程度？它

---

① 波利亚. 怎样解题［M］. 阎育苏，译. 北京：科学出版社，1982.

会怎样变化？你能不能从已知数据导出某些有用的东西？你能不能想出适于确定未知数的其他数据？如果需要的话，你能不能改变未知数或数据，或者二者都改变，以使新未知数和新数据彼此更接近？

你是否利用了所有的已知数据？你是否利用了整个条件？你是否考虑了包含在问题中的所有必要的概念？

波利亚的这段话，用一连串问题和一系列建议，讲出了理清解题思路应该采取的思维程序。从中可以看出，解题的过程，就是想方设法将问题进行简化和转化，最终归结到先前熟悉的问题或知识那里，借助于已有的知识和经验，使问题获得解决的过程。

第三个阶段动手解题阶段，就是将已经形成的解题设想用语言或文字等外化的形式表示出来。

第四个阶段对整个解题过程进行验证和反思。看结论是否可以逆推，是不是可以用另一种方法得到同样的结果。对整个审题、解题思路和解题过程再次进行梳理。

提高学生解决数学问题的能力，学生在以上解题的四个阶段中的能力缺一不可。数学教学应该以"审题""明确思路""解题""反思"这四个方面的思维能力为重心，将这四种能力的提高渗透到数学教学的整个过程当中去。以此为基础，提高学生的问题解决能力和数学思维能力。

重视问题解决能力已经成为世界各国数学教学大纲的一个显著特点，也是国际数学教育改革的一个热点问题。在我国最新颁布的《全日制义务教育数学课程标准》（实验稿）中明确提出"义务教育阶段的数学课程，其基本出发点是促进学生全面、持续、和谐地发展。它不仅要考虑数学自身的特点，更应遵循学生学习数学的心理规律，强调从学生已有的生活经验出发，让学生亲身经历将实际问题抽象成数学模型并进行解释与应用的过程，进而使学生获得对数学理解的同时，在思维能力，情感态度与价值观等多方面得到进步和发展"[1]。从中可以看出，

---

① 中华人民共和国教育部制订. 全日制义务教育数学课程标准（实验稿）［M］. 北京：北京师范大学出版社，2001.

数学的精神和数学思维方式已经成为数学教学的重要目标之一。

然而，应试教育对我国的数学教学也产生了深刻的影响。传统数学教学的本质缺点之一，在于没有着重教给学生科学的数学方法。更多的是把书本上的定理、法则让学生背会、记牢，将课本上的例题、练习题让学生熟练掌握。为了应付考试，还有的甚至不管学生理解与否，或者根本不要求学生必须理解，只是通过反复多遍练习的方法让学生背记题目、解题过程和答案。学过数学之后，学生虽学到了各种题目的具体解法，但并没有真正掌握数学方法和数学思维，因而独立自主解决问题的水平并没有得到有效提高。表现之一就是，如果考试学生曾经做过的题目，则可以正确解答，因为答案就在记忆中；而如果问题稍作变换，就往往不知如何下手了。

而之所以会出现数学教学没有很好地教给学生科学的数学方法，原因之一正在于数学教学法本身尚不科学。所以，为了教会学生思维，数学教学改革的突破口应该定位在探索科学的教学方法上。在指导思想上，数学教学应该把数学结果的教学变为数学过程的教学。应该明确，数学问题的解决并非数学教学的全部目的，数学教学不是要专门地、孤立地解决数学问题，而是在于，以问题的解决为途径，提高学生解决问题的能力，发展学生的数学思维能力。在教学中，应培养学生探索、猜想、归纳、分析、综合等各种能力。教学的重心应该定位在教会学生推理、教会学生思考上。为此，数学教学应该在几个方面进行改革。

第一，数学教学不是直接把定理和法则告诉学生，让学生生吞活剥地死记定理和法则。而是启发、引导学生从一个个问题的解决中，从自身经验的归纳中，自己发现定理和法则，自己总结出定理和法则。只有这样，学生对定理和法则才会有真正深刻的理解；才会无须死记硬背，就能正确掌握并熟练运用。

第二，数学教学不把教科书上的答案、教师指导用书上的答案强加给学生，不让这些答案限制学生的思维，而是鼓励学生自己去探究。

第三，数学教学不满足于一个问题只有一种解法，而是不断地启发学生从不同的角度理解问题，用不同的方法解决问题，引导学生养成创新、求异的思维习惯。

总之，以问题为核心的数学在教学方法上，应以问题解决为契机，避免由教师灌输知识、教授内容的死板做法，调动学生思维的主动性，形成以学生为主体的探究、发现的学习。教师的价值和意义就在于根据不同的教学内容，创造性地设计教学程序，充满智慧地引导和调节整个课堂教学，让学生的思维活跃起来，创造性发挥出来。

第二节　思维作为一门独立的课程

近几十年来，包括基础教育和高等教育在内，并波及其他级类教育的普遍领域中出现了一种新的趋势，就是在学校里增设一门新的课程，通过系统的教学和正规的训练，专门对学生进行思维能力的培养。

对于这一做法，理论界和实践领域都颇有争议。而争论的焦点其实还是思维是否可教的问题。在这一点上，杜威早就曾经发表过观点。他在肯定任何学科都对思维训练有成效的同时，告诫人们要排除另一种想法，即"认为有些学科就其内在性质来说是'智能的'，具有训练思维官能的不可思议的魔力"[①]。实际上，任何一门学科，都对思维能力的培养具有特殊的作用，但同时也都有自身的局限。语文更有助于形象思维的培养，数学更倾向于抽象逻辑思维能力的养成，等等。但无论是只有语文课还是只有数学课，都无法保证能够对学生的思维进行全方位、多维度的培养和训练。因此，要使学生的思维能力得到全面的、均衡的发展，在学科教学之外，的确还需要有专门的思维课程。

---

① 杜威. 我们怎样思维·经验与教育［M］. 姜文闵，译. 北京：人民教育出版社，1991：38.

一、思维课程的必要与可能

思维课程不是一门因为教学时间尚且允许而充塞到本已拥挤不堪的教学计划中去的课程，也不是一项在所谓的基础已经掌握之后开始的教学程序，更不是只为少数天才学生和一定能够考上大学的学生而开设的。思维课程需要这样一种认知理论，即所有真正的学习都离不开思维，每一个人的思维能力都可以经由训练和培养而得到提高，因而所有的教学计划必须重新改革和构建，从而使得思维能够渗透到学生从幼儿园开始的全部生活中，渗透到包括语文、数学、历史、科学、作文和艺术等在内的所有学科中。

1. 为什么开设思维课程

开设专门的思维课程有几个方面的益处。

第一，有利于教师和学生在学习过程中形成主动、自觉地培养思维能力的意识。我们常常指责过去的教学中存在学生的思维能力没有得到应有发展的弊端，这与过去的教学中思维能力的培养没有引起足够的重视是分不开的。知识掌握越多越好，知识是教学的唯一要素和目的，这是过去的教学中广泛存在并被普遍认同的一种观念。通过开设专门的思维课程，思维能力的培养和发展就会作为教学的一个很重要的目标而引起教师和学生的关注，通过这门课程的学习，改变过去那种知识的掌握高于其他一切目标、知识的积累重于其他所有价值的不正确现象，能够使教师和学生在课程的学习中，改变陈旧的灌输和被动接受的观念，形成主动、自觉、积极发展思维能力的意识。

第二，能够帮助学生改善自己的思维，掌握"最好"的思维方式。有的人认为，思维方式无所谓好坏，只存在人与人之间风格的不同而已。其实不然。比如，为什么对于同样一件事情，有的人一下子就看到了问题的本质，而有的人却懵懵懂懂、难得要害呢？对于同样一道习题，为什么有的学生能够采用最简便的方法迅速解决，有的学生却要按部就班，甚至兜圈子、绕弯路呢？虽然最后问题都被解决了，得到的结果也许都是一样的，但思维的过程却有着很大的差别。这反映出不同的人在思维方式上的优劣高下之分。对于这个问题，杜威也曾经有过专门的论述。他说："某些思维方式同另一些思维方式相比，是比较好的。为什么好呢，也可以提出一些理由来。那些懂得什么是较好的思维方式，并且知道为什么这些思维方式比较好的人，只要他愿意的话，他就可改变他个人的思维方式，从而使思维变得更有成效；这就是说，按照这种思维方式，他们就能把事情搞得好些，而按照其他的心理活动方式去办事，就不能取得同样好的效果。"① 而什么样的思维方式是好的，是应该学习和掌握的？什么样的思维方式是不科学的，是应该改正和避免的？通过专门的思维课程的学习，学生们将找到正确的答案。

第三，专门的思维课程对学生思维能力的培养更为系统、科学，因而效率更高。在不同的学科教学中，通过知识的传授有意识地培养学生的思维能力也是能够收到明显成效的。问题的关键在于教师是不是把知识的传授作为手段，把思维能力的培养作为目的。只要教师能够自觉、主动的以发展学生的思维能力为最终目的的，在任何一门学科的教学中，都能够达到学生思维能力发展的目标。然而即使如此，与开设专门的思维课程相比，在学科教学中培养和发展学生的思维能力还是有着很大的局限性的。首先它不得不受具体的教学内容的限制。我们说任何能够成为教学内容的材料都可以作为培养和发展思维能力的素材，但也必须承认，由于学科教学长期以来是以知识的传授和掌握为目的的，因而有些教学内容对于思维能力的培养和发展来说，相对具有更强的适宜性和更多的可挖掘部分；而另有一些内容，知识性的成分更多，不容易作为培养学生思维能力的材料。特别在目前思维能力毕竟还没有真正成为一种广泛认同的目标的形势下，在学科教学中培养和发展学生的思维能

---

① 杜威. 我们怎样思维·经验与教育［M］. 姜文闵，译. 北京：人民教育出版社，1991：1.

力，在适宜的教学内容中相对容易实现，而在大量的知识性更多的教学内容中，思维能力的发展目标容易流于空泛。另外，在学科教学中培养和发展学生的思维能力还要受到教师素质的限制。在学科教学中，长久以来教师所做的就是把教材上体现的知识内容全面准确的传递给学生，这已经是凝结在教师观念中的根深蒂固的认识。因此，要在学科教学中达到培养和发展学生思维能力的目标，不仅取决于教师是否已经具备以培养学生的思维能力为教学目标的观念，还取决于教师是否具备准确把握教学内容、具备把知识的传授转化为思维能力培养的素质。而在专门的思维课程中，这些问题都将迎刃而解。因为思维课程的教学内容是专为培养思维能力而设计的，不会出现偏重于知识掌握而忽视思维目标的缺陷；思维课程的教学目的是非常明确的，教师是经过专门培训的，在思维课程的教学中，教师会像语文课的教师专门教学语文、数学课的教师专门教学数学，以及其他任何一门具体学科的教师都有明确的、特定的目标一样，责无旁贷、理所当然地把思维的教学、把学生思维能力的获得，作为自己唯一的、最重要的目的。由于以思维能力的发展为唯一内容和最终目标，所以思维课程对思维的培养不但是系统的、科学的，还将会是有效的。

2. 开设思维课程的困难

在现有的课程结构中增设一门新的课程，虽然不至于被认为是天方夜谭般的幻想，但也的确面临着许多困难和风险。

首先，开设专门的思维课程是否会增加学生的学习负担。学生的学习负担本来就已经超过负荷了，这个问题是如此严重，以至于学生的学习负担在当前已经成为一个全社会关注的话题，上至中央领导人下至学校校长、教师，甚至负担的承受者学生，都在想对策、出主意，以求解决这个问题。于是，主张消减教学内容的有之，主张降低课程难度的有之，主张减少在校时间的有之。在全国上下风风火火"减负"的大背景下，提出再开设一门新的课程是否会与当前的形势相左？因为任何一门课程，一旦被写进学校的教学计划，就必然要占去学生相当的时间和精力，就必然要对学生提出一定的要求和目标。所以，开设专门的思维课程，遇到的第一个诘难就是增加了学生的学习负担。但有关思维课程的实践证明，思维课程非但不会增加学生的学习负担，相反，通过思维课程的教学，学生真正学会了思维之后，学习负担还会随之减轻。我们已经看到，中央和教育行政部门、学校，都已经为"减负"采取了一系列措施，然而措施是有了，实践中也执行了，效果却不乐观。问题出在什么地方呢？我们认为，在当前的用人制度和知识经济的社会背景下，学习负担问题靠"减"是解决不了的。实践中不是已经出现了"学校减负，家长加负"，甚至学生自己也要"自加负担"的现象吗？学生的学习负担之所以过于沉重，主要原因在于我们的教育在培养人、发展人的问题上，一向过分看重了学生对知识的习得和识记，而对学生思维能力的培养和提高，却始终存在着忽视现象。多年来我们注重的就是把更多的知识传授给学生，评价好学生的标准就是比谁记得准、记得牢、记得多。正是由于教育的重心没有放在教会学生思维方面，所以教师恨不得让学生一字不差背诵每一篇课文，希望学生在考试前完成每一份模拟试卷，因此，才一再人为加重了学生的学习负担。相反，假如我们的教育目标在于教会每一位学生思维，那么学生只需要掌握最基础的知识、最基本的原理和方法就足够了。因为会思维的学生能够举一反三，能够闻一知十，能够运用书本上的知识解决实践当中的问题，并有所创新，有所发明。所以，从教给学生知识转变到教会学生思维，才是减轻学生学习负担的标本兼治之策。从这一点上说，那种担心开设思维课程会增加学生学习负担的忧虑是多余的。

其次，开设专门的思维课程还面临着如何适应现行考试制度的问题。考试在我们的教育中占据着无比重要的地位，以至于它不仅影响到学生，而且影响到教师，影响到教师的生活和生命质量，甚至影响到整个教育事业。所以，无论如何也不可能撇开用以评价学生、教师和学校的考试而单独考虑增设思维课程。从总体上说，目前一些学科考试与思维课程是不兼容的。学科考试的理论依据是联想主义和行为主义心理学家关于教育中的知识本性之假设，而思维课程的理论基础是认知心理学家提出的学习和思维的原理。这两者之间是格格不入的。学科考试内容中很少包含思维和推理的成分。这种考试的理论假设是，知识完全可以被定义为是一组可以任意组合的信息的集合体。因此，相互之间毫不相关的一个个问题的集合，而不是涉及知识的综合和扩展的问题解决或推理活动的样本，构成了我们的考试。这种考试还假设，知识和能力可以脱离它们运用其中的背景而被孤零零地抽取出来。这就是为什么人们总认为，用一些零碎的知识点就可以测量出学生完整的理解、掌握和运用知识的能力的原因所在。

比如，对写作能力的测试，传统的认识和做法就是，只要用几个孤立的关于语法、词句用法、拼写和词汇的问题就完全可以测量出学生真实的写作水平。而事实上，在知识点早已被分割得支离破碎的考试当中，是很难真正测量出学生对知识的理解、掌握和使用的真实水平，也很难测量出学生的各项能力包括思维能力的发展水平的。所以，如果在我们的教学计划当中增设专门的思维课程，则需要重新审视和构建我们的考试。比如，怎样对学生在这门课程中的发展做出科学客观的评价？也就是说，拿什么作为评价学生思维能力达到何种水平的指标？

应该说，考试的问题是开设思维课程将会遇到的一个最难解决的问题。如果考试仍然停留在过去的做法中，思维能力没有成为考试要测量和评价的主要对象，则难以发挥考试对思维课程的指导作用，而思维课程如果不能够真正进入和影响到考试大纲，则思维课程必将流于形式，引不起教师和学生的真正重视，最终沦为形同虚设的副科、选修课的命运。如果考试迎合了思维课程，从内容到形式都进行深度改革，重在测量和评价学生思维能力的发展水平和提高程度，则考试势必冲击到占据学校大部分教学活动的学科教学，对现有的教学内容、教学目标、教学计划都将提出有力挑战。另外，这种以思维能力为主要测试对象的考试，它的信度、效度如何保证，它能不能、是不是真正测到了我们想要测量的学生思维能力的发展水平，等等，这些都是需要重新考虑和解决的问题。

不过，随着近年来考试改革的持续深入进行，我们已经看到，从注重考查学生对知识的记忆，到注重考查学生能力的发展，甚至考察学生的创新能力，已经成为当前考试改革的大势所趋。我们有理由相信，随着考试科学的不断完善，在不久的将来，考试将不再是思维课程的障碍，而会成为思维课程的一个有力支撑。

而从"学习负担"和"考试障碍"中解脱出来的思维课程可以是多种形式和多种结构的。根据我们自己的实验和所见所闻，这里重点讨论"儿童哲学"校本课程的探索。

二、"儿童哲学"校本课程的探索

"儿童哲学"的兴起是 20 世纪 70 年代欧美一些国家开始的一个被称之为"批判性思维"或"思维技能"运动的结果。这个运动的主要目的之一就是创建思维课程，从而把思维能力的发展置于教育过程的核心地位。有关儿童哲学的实验和研究正在世界上越来越多的国家中开展。从教师和学生那里反馈回来的结果来看，"儿童哲学"的教育魅力是令人鼓舞的。一些新的有关思维教学的材料正在得到发展。它把传统的教学方法和挑战儿童智力的创造性教学方法结合了起来，引导儿童进行复杂、抽象的思维，通过培养学生对问题的哲学探究的敏感性和主动探究的意识，提高课堂教学的质量。

"儿童哲学"是一门专门用来对学生进行思维能力培养的课程。

1. "儿童哲学"的兴起

"儿童哲学"是研究者们为了达到教会学生思维的目的所做过的一个最成功的尝试。它最初由美国学者利普曼和他的同事设计制定。1969年，利普曼发表了他的第一部儿童哲理小说《哈里·斯脱特迈尔的发现》（Harry Stottlemeier's Discovery），中文版翻译为《聪聪的发现》。这本令人耳目一新的儿童哲理小说标志着"儿童哲学"的诞生。目前"儿童哲学"已经发展到为包括幼儿园直到大学的学生在内的不同人群提供哲学探究课程，而且正在世界范围内被越来越多的国家所采用。美国有 5 000 多所学校在教"儿童哲学"课程。相关的"儿童哲学"小说和有关理论著述已经被翻译成 18 种语言。"儿童哲学"在南美洲也颇为流行，统计资料显示单在巴西就有大约 30 000 个儿童在学习"儿童哲学"课程，其他采用"儿童哲学"的国家还有秘鲁、哥伦比亚、危地马拉、智利，等等。墨西哥有 6 个"儿童哲学中心"，在澳大利亚、加拿大和我国台湾省也有很多专门研究"儿童哲学"的学者并有相关的"儿童哲学"活动。东欧的一些国家，尤其是俄罗斯、亚美尼亚、波兰、匈牙利、保加利亚等都对"儿童哲学"表现出强烈的兴趣。

利普曼在离开了哥伦比亚大学哲学教授的岗位之后，于 1974 年创立了"儿童哲学促进协会"，专门研究和发展"儿童哲学"课程。"儿童哲学"课程由一些精心编制好的作为哲学讨论的起始话题的故事组成，该课程的核心部分是一些适用于所有三岁到成人的篇幅短小的哲学小说和教师指南。这个计划被广泛用来把哲学教给儿童，以哲学为手段培养学生的思维能力。

来自许多国家的研究者出席由"儿童哲学"的创立者利普曼主持的"儿童哲学"促进协会的年度会议。"儿童哲学"探究国际理事会致力于在世界范围内的中小学提高和促进哲学探究发展性研究，而且定期召开国际会议。"儿童哲学"作为一项对儿童进行思维教学的计划正在世界范围内兴起。利普曼因为"儿童哲学"的成功深受鼓舞。他认为学校教育在教会学生思维方面是失败的。他在自己的大学课堂教学中总能发现不少学生表现出低水平的思维状态。为此他常常慨叹："为什么一个四五岁的孩子总是充满了好奇心、创造力和对世界的兴趣，而且总是不停地追问'为什么'，而到了 18 岁却变得消极、缺乏反叛精神甚至厌学呢?"① 如果教育应该教会学生思维,为什么它却培养了那么多不会思维的人?在利普曼看来,思维能力是可以通过练习和训练而得到确立和内化的。教育可以改变一个人,但教育要改变人必须首先改变自己,即把思维而不是知识作为教育的首要目标。为此,他力主在课程计划中增设一门新的课程,这门新的课程也就是"儿童哲学"。利普曼说,儿童们带着强烈的好奇心和求知欲进入学校,而这种好奇心和求知欲却在学校生活中逐渐消退殆尽,这是传统的学校教育的结果。他强调,我们应该充分利用孩子身上的潜质,充分利用他们的好奇心和求知的强烈欲望。他之所以认为"儿童哲学"课能够教会学生思维,因为在他看来,这门课程可以发展推理能力,可以弥补在普通的教学计划中被忽视的那些方面,同时还可以作为提高学生的自尊心和道德价值观的手段。他认为我们所需要的是这样一门学科,经过这门课程的学习和训练,学生们在其他课程学习中的思维能力也能同时得到提高,传统的哲学正好可以满足这种需要。利普曼认为,推理和思维能力并不是像有些人认为的那样,"在学习的过程中自然就能够得到发展和提高",他坚持,作为专门训练学生思维的"儿童哲学"对提高学生的思维能力具有其他学科无法取代的功效。

至今,利普曼的"儿童哲学"思想在我们国家也已经有了相当的影响,不少中小学校都在尝试进行"儿童哲学"课程的实验。我国云南省昆明市的铁路局南站小学以对教师进行"儿童哲学"培训为开端,首次将"儿童哲学"引入国内。几年来,通过举办国际性的培训班、研讨会,"儿童哲学"课程的实验在昆明铁路局南站小学已经取得了明显的成效。在前期借鉴国外的"儿童哲学"教材和教学方法的基础上,经过该校教师的摸索和创造性工作,他们编写出了符合中国国情、体现中国文化传统和底蕴的"儿童哲学"教材。而且,"儿童哲学"课程的开设极大地推动了该校教学改革的进程,提高了学校的整体教学质量。

---

① LIPMAN M. Philosophy for children [J]. Thinking: The Journal for Philosophy for Children, 1982 (1. 3): 37.

上海市的一些学校如杨浦区六一小学也正式确立并启动"儿童哲学"实验课。显然，"儿童哲学"在中国的教育改革实验领域将发出它的声音，显示它在发展学生思维和个性方面的潜力。

2. "儿童哲学"的实质

"哲学"和"儿童"之间原本就有天然的亲缘关系。

"哲学"并不是智慧，而是对智慧的热爱。"哲学就是爱智慧"，这是哲学自从在希腊诞生之后的童年时代起，就具有的最本真、最纯正的意义。有人专门对"哲学"一词的来历作过考证，认为哲学就是"爱智慧"一说源于毕达哥拉斯的首创。据说是毕达哥拉斯最先使用了"哲学"（Philosophia）一词，他嫌"智慧"（sophia）之称自负，便加上一个表示"爱"的词头（philo），成了"爱智慧"。对于所有的希腊哲人而言，不管他们对什么是智慧有多少争论，对智慧的热爱和追求则是他们共同的精神素质和取向。"在此意义上，柏拉图把哲学家称为'一心一意思考事物本质的人'，亚里士多德指出哲学是一门以求知而非实用为目的的自由的学问。"① 翻开任何一本《西方哲学史》，都可以看到泰利士"因为在一个圆内画出直角三角形而宰牛欢庆"，毕达哥拉斯"因为发现勾股定理而举行百牛大祭"，阿基米德在罗马军队已经攻入叙拉古城，就要杀死他时还在专注于他"潜心研究的一个图形"等诸如此类的记载。透过这些广为流传的哲学故事，我们体会到的便是哲学家对真理、对求知、对智慧的那种深沉执著的热爱。从这个意义上说，把哲学理解为"爱智慧"便是回到了哲学本身。

哲学是对智慧的热爱，对真理的追求，这种热爱和追求都源自于人类困惑和好奇的心理。在儿童的本性中，天生就有一种形而上学的冲动，有追究人生根底的欲望。人类最初的哲学兴趣，正是产生于"寻找变中之不变，相对中之绝对，正是为了给人生一个总体说明，把人的

---

① 周国平．守望的距离——周国平散文集．北京：东方出版社，1996：165–166.

瞬息存在与永恒结合起来"。于是，"我从哪里来？我到哪里去？我是谁？"成为哲学永恒的主题。而孩子也经常关心这样的问题，"妈妈，我是从哪里来的，为什么会有我"，或者"这是什么，那是什么，为什么会这样"。从儿童的这些不经意的问话当中，蕴涵着的何尝不是一种哲学的精神，一种对智慧的热爱和追求呢。

可见，哲学始于人类的困惑和好奇，而困惑和好奇是孩子的天性，从这个意义上说，儿童和哲学天生就有不解之缘。"哲学"和"儿童哲学"进入教育关怀对教育提出了新的要求。教育是保护还是戕害儿童好奇、惊异的天性？教育能不能将儿童思维"哲学化"，使儿童学会像哲学家那样思考问题？这是一个全新的挑战，也是充满诱惑和希望的改革。利普曼设计"儿童哲学"课程的目的正在于此。

利普曼①把"儿童哲学"定义为，"一种运用到教育中、目的在于培养具有高水平的、熟练的推理和判断能力的学生的哲学"。"儿童哲学"是一种应用哲学，但它并不是一项用哲学家的观点去澄清和解决非哲学家所遇到的问题的计划。它的目的是使儿童"哲学化"，使儿童学会像哲学家那样思考；使儿童从日常思维转向反思性思维、从不假思索转向深思熟虑、从常规思维转向批判性思维。

利普曼从美国的哲学家皮尔士和杜威那里获得了其"儿童哲学"的理论基础。皮尔士提出了"集体探究"的概念，他认为科学的进展依赖于一个大的智囊集体的共同探究，这个集体超越了任何一个个体的思维者，最终超越了时间和地域的界限。在杜威的理论中，利普曼找到了促使教师把课堂转变为集体探究的教育学根据。那就是杜威坚持的"学习是从对经验的反思开始"的观点。利普曼希望学生体验到作为一个哲学家和用哲学家的方式思考问题的感受。在杜威看来，经验不只是做事情，而是要进行主动的、反思性的思维。在经验中学习，不仅包括学生带进教室的经验，而且包括他们在教室中获得的想象性的、反思性

---

① LIPMAN M. Thinking in Education [M]. Cambridge：Cambridge University Press，1991：112.

的思维的经验。当人们遇到难题、疑惑和不解时，就需要反思性思维。常规思维意味着对问题提出雷同的解决办法，反思思维是对更好答案的探求。

在"儿童哲学"的视野中，哲学是引起学生探究和创造的诱因，而不是一堆强加给学生的知识。哲学始于孩子对世界的疑惑和天生的好奇心。哲学以问题吸引儿童对真理探究的兴趣和注意力。它用"为什么""怎么办"等问题去为事物寻求合理的解释。哲学最典型的问题分为几类。第一，逻辑学的问题，比如：真理是什么，它意味着什么，它能否被证明。第二，伦理学的问题，包括：什么是对的、什么是错的，我们应该怎样生活，我们应该怎样对待别人。第三，认识论的问题，比如：知识是什么，我们怎样变得有知识，我们能否对世界不再疑惑。第四，形而上学的问题，包括：思考人是什么，时间是什么，上帝是什么。第五，美学的问题，诸如：美是什么，艺术是什么，如何评价艺术品，等等。而所有这些都与学生的思维有关，与问题解决程序有关。

哲学是当思维意识到本身的存在时所发生的那些事情。它为学生们提供了一个机会：不仅开始学着接受各种不同的观点，而且更加清楚地意识到自己是一个批判性的思维者。实践的结果显示，接受过"儿童哲学"课程的孩子往往能够开始用一种全新的方式看待他们自己和这个世界。他们接受了以前从来不曾想过的观点，而且他们不再受他人答案的限制，而是自由地探求新的可能性和新的思考问题的方式。他们愈益认识到自己是一个思考的主体。一个 11 岁的孩子这样总结哲学，"哲学是一种练习，通过这种练习，你可以训练自己更好地思维"①。

3. "儿童哲学"的价值

"儿童哲学"在世界范围内迅速引起广泛的关注，是由于人们逐渐认识到"儿童哲学化"与"哲学儿童化"，既满足了儿童发展思维的内

---

① FISHER R. Teaching Thinking : Philosophical Enquiry in the Classroom. London：Cassell，1998：21.

在需要，又顺应了当下社会发展的文化特性。

第一，接受思维训练是儿童的内在需要。每一个儿童的思维都有着大量的发展潜力。潜藏着大量思维发展潜力的儿童有权要求自己的思维能力得到应有的发展，有权要求所有那些使人之所以为人的潜力获得适当的教育。因此，发展学生的思维不是将儿童训练成为一个会思维的工具，而是使儿童成为会思维的、真正意义上的人。思维训练也就是为渴望获得发展的儿童提供创造性思维的材料和发展空间，使儿童摆脱传统的知识传递、机械性操练的记忆之学，让儿童学会思维，学会批判，学会创造。

第二，思维给人们带来快乐。头脑是用来解决问题的，从解决的疑难问题当中，人们能够体验到一种成功的乐趣。比如对于希腊人来说，哲学就是提出问题和解决问题的过程，同时也是给人快乐的过程。他们认为，人类对自身智慧的使用不仅产生美德而且带来充分的满足感。19世纪的哲学家们进一步发展了这种观点，他们把人类的快乐分成高级的快乐和低级的快乐，高级的快乐来自于精神方面，这种快乐比来自身体方面的低级的快乐更为深刻持久，能够产生的满足感也更为强烈。问题的复杂程度越高，思维能力体现得越充分，带给人的快乐也越多。今天，现实中的情形仍然是这样的，从"动脑筋"类书籍的畅销和"测试型"电视节目的流行，我们也可以感受到思维给人们带来的快乐。学校里的情况也是如此，一些研究发现，如果学生在课堂上受到更多的智力方面的刺激，他们则表现出对课堂的更积极热情的参与。学生们普遍反映，他们喜欢能够激起他们进行思维的教师，这些教师不是告诉他们那些已经知道的东西，而是要求他们必须自己去思维、自己去发现；他们更愿意上这样的课程，在这种课程中，他们不断地被要求对信息进行解释、分析、操作，或者把学到的知识和技能运用到新的问题和新的情境中。总之，能够对学生的思维不断地发出挑战被认为是"高成效"的教师和成功的学校教育的最典型特征。

第三，思维不仅能带来快乐，它还是有用的。许多要求发展思维和学习能力的理由都是工具主义和实用主义的，或者同公民个人和社会的成功直接相关。这种观点产生于整个国际社会对教育标准降低的忧虑。"返回基础"运动正在包括英国、美国和加拿大在内的许多国家中进行着。同时，一种新的观点认为，包含"读、写、算"三种能力的"3R"教育应该被补充为"4R"教育，即推理（Reasoning）能力已经越来越重要。这种"回到基础"的观点主张，教会思维和推理对于提高教育标准是最核心和最关键的。一个社会所拥有的最重要的资源是它的人民的智力资源，一个成功的民族将是一个善于思维的民族。在这个社会中，公民的终身学习的能力能够得以充分体现。

第四，社会在急剧的变化，很难判断未来需要的是什么样的知识，这意味着学校必须从关注信息和知识的传递转变到关注教会学生学会学习和学会思维。学生们将来要面临的是一个无法预知的世界，这需要他们掌握足以能够控制自己的生活和学习的思维技能。为此，他们需要尽最大可能地进行批判性、创造性的思维。我们不知道将来会有些什么问题，所以我们最好从现在就开始思考。

第五，思维不仅有助于获取快乐及在迅速变革的社会中立于不败之地，而且还可以提高道德品质、养成美德。智力美德可以被看做一系列品质的组合，包括好奇心、深思、追求真理的勇气和决心、进行思考和分析、做出判断和否定自我的意愿、对不同观点的开放态度以及在实践中发展的观念，等等。这些品质都需要经由自己思维或者同他人共同思维得以培养形成，而"儿童哲学"探究正是培养这些品质的一种较好的方式。人之所以成为一个人，意味着人有了关于自我的概念，包括把自己作为一个主动的思维者。"我思，故我在"，如此我才是我自己而不是别人，我是有个性的而不是芸芸众生中的一个标准件；有合理的"自我意识"的人才会获得真实的"他人"概念，才会在与他人交往的过程中对"他人"有合理的态度。广义的教育目的本身就包含了发展学生的注意、合作、组织、推理、想象和探究等智力美德和品质。学校教育有责任培养学生不断追求真理、踏踏实实和尊重别人的优点。"儿童哲学"探究的核心目标就是发展学生的这种智力美德。曾经接受过"儿童哲学"训练的学生有一种共同的感受就是：一个人也许原本是一个很善于思维的人，但有时出于懒惰不愿意动脑子。而在"儿童哲学"课上，会有一种冲动促使他思考，因而人会变得愿意思考，同时也不得不真实地、努力地思考。

第六，人类生活的社会本质，特别是民主和公民的权利义务之间的联系决定了教会学生思维的重要性。一个充分鼓励民主参与的社会需要的是能够自己思维、自己判断和自觉行动的高度自主的公民。教育要培养有着高度自主性的人，首要的一点就是教会他进行批判性的思维。如果公民不具备区分谎言和真理的能力，就根本不可能有民主自由的社会。随着外界铺天盖地的信息都以强力之势试图说服人们接受它们各自的见解和观点，人们需要的是批判性思维帮助其形成对公共事务的智力判断能力。哲学探究涉及对道德模式和社会价值的探究，目的在于通过儿童作为对世界的思维者以及将来作为对世界的改造者，在对世界的参与中发展他们的批判意识。教育应当是一个过程，在这个过程中，儿童逐渐认识到人所拥有的自由和所承担的责任的本质。而在今天的学校里，学生面对这样一种危险：他们的真实想法被忽略和掩盖，为的是复制和模仿老师和其他同伴的想法。学生们受着一种诱惑，就是过分依赖于海德格尔所批判的"传闻"，即把没有经过学生自己的思考和解释的第二手观点和经验从外部灌输给学生。而教会学生思维，意味着不人云亦云，不随声附和，不道听途说，能够清醒地认识到自主思维和表达自己观点的责任。

总之，"儿童哲学"作为一门促进思维发展的专门课程，它将以一种集体探究的方式，对于培养和发展人的思维能力，显示出它的价值和功效。

4. "儿童哲学"的教学

考虑到苏格拉底的对话法已经被公认为是为有关生命的最基本问题

寻求答案的最有效方法，利普曼决定通过这种方法将哲学引进到学校课程中。在实践中他发现，语言是思维最本质的工具。儿童在合作和对话、讨论中能够发挥出较好的思维水平。利普曼设计的"儿童哲学"课程计划有一个总体的目标，就是要通过"集体探究"的形式在课堂上发动学生们进行哲学讨论。

根据利普曼的设计，每个哲学小说有一个关于人类心灵活动的主题，小说的唯一目的是要引起智力争论。哲学小说有一个最大的缺憾，它们不是文学意义上的好作品，不能够像故事那样吸引人们的兴趣。但利普曼把这一点看做是有利条件。过去学生们读的故事大多不含哲学问题，也不给学生提供探究性思维的模式。因此，很多学生只是文学素养得到了提高，而思维并未能够发展。学生们甚至由此认为读书只是明白书中字词的含义，而不去思考这些词语在故事中具体意味着什么，要向他们传递一种什么样的信息。利普曼的"哲学小说"中到处充满着令人难以回答的问题，这些问题的目的很明确，就是要激起疑问和哲学讨论。这种讨论主要在学生之间展开，而且充满了推理性和思想性。利普曼设计的"哲学小说"的目的就是希望读者能够就作品的内容提出问题开展这种讨论。

"儿童哲学"课究竟应该怎样上呢？按照利普曼的建议，每周上两次，每次一个小时。每一堂"儿童哲学"课包括几个环节：阅读一段利普曼的哲学小说，由学生们提出问题，选出一个主题进行集体讨论。教师还可以根据讨论计划提出问题对讨论进行拓展，或者通过准备性的练习发现特定的主题进行哲学讨论。

下面是一个摘自利普曼哲学故事的片段。节略和改编后被一个英国的教师用作引起哲学讨论的材料。①

一个星期五的晚上，弗冉和劳拉在吉尔家里玩。

吉尔说："好像有一首曲子一直在我的脑子里面回荡，它似乎已经

---

① FISHER R. Teaching Thinking：Philosophical Enquiry in the Classroom. London：Cassell, 1998：30.

把我萦绕了。每当我想要做作业或者睡觉的时候，它就来了。"

劳拉说："我有时也做那样的梦。我的祖母病了很长时间，她死了以后，我一直梦到她，而且我总感觉到她使我梦到她。可是她已经死了，怎么会这样呢？"

弗冉说："死了的人什么也不可能对你做。"不过又加了一句："他们能吗？"

吉尔冲弗冉做了一个鬼脸，说："我最后一次听到曲子的声音是在一个星期以前，但它给我留下了一个非常强烈的印象。那么，是不是有这样一种可能：劳拉祖母的去世给她留下了深刻的印象，所以她从那时起一直做梦？"

劳拉摇头道："我看到月亮，是因为月亮就挂在外面，使我看到了它，不是吗？现在在我的思想中，我听到你的声音，那是因为你正在同我说话。所以我想，我头脑口所有的想法是由头脑以外的事物引起的。"

"那太荒谬了。"吉尔说，"在我的思想里只有想象的东西，而在我头脑之外的生活中，则根本没有这些东西。比如，小精灵、吸血鬼等。"

"是的，"劳拉说，"确实我不相信有那种东西。但即使如此，总有些人在告诉我们这些东西，让我们思考这些东西。"

"劳拉"，弗冉打断道，"你一直在讲什么在你的思想里，什么不在你的思想里，到底什么是思想？你是怎样知道你有一个思想的？"

通过这样的谈话，一个作为哲学讨论的主题的问题被提了出来。

在典型的"儿童哲学"课上，学生围坐成一个圆圈，教师也是这个群体的一分子。选好的哲学小说轮流由每一个人朗读一个部分。读完以后教师请大家一起回过头看整个故事，提出大家认为感兴趣、有疑问或者值得讨论的问题。先给一定的思考的时间，然后是共同讨论提出的问题的时间。教师记下每一个人提出了什么样的问题。当足够数量的问题被提出来以后，教师要求大家选出一个问题作为讨论的主题。主题选出之后，教师要求这个问题的提出者对问题做一个简短的说明，以明确从哪个角度开展讨论。接下来的活动包括对具体问题进行讨论、形成概念、得出有创意的结论等。这些都可以在教师的引导下完成。在这样的讨论中，学生的判断能力和创造性思维能力都得到了发展，而且形成了一个特殊意义上的集体，就是被利普曼所说的"探究的集体"。

看来"儿童哲学"的教学主要以讨论的方式展开。利普曼认为儿童天生倾向于用早已被成人遗忘的方式对问题进行质疑和思考。而恰恰是这种讨论有助于儿童去感觉、构建和解释他们的生活世界，让儿童以一种有利于他们对自身及对世界的理解的方式去构建他们的生活世界。当然，在讨论中，教师有责任捕捉讨论的思维火花并帮助儿童清理讨论的成果。这种讨论有助于提高三种类型的思维能力：批判性思维、创造性思维和情感思维。利普曼和他在"儿童哲学促进协会"的合作研究者把经由"儿童哲学"发展起来的思维能力分成几类：形成概念的能力、探究的能力、推理的能力、解释的能力等。而且，利普曼认为光有能力是不够的，"儿童哲学"还必须同时培养个体具备一种态度和主动运用这些能力的倾向和意愿。只有具备了主动的态度和意愿，这些思维能力才会有实效。另外还有三种意识是"儿童哲学"应该培养的，即批判的意识、创造的意识、合作的意识。

"儿童哲学"课程提供了这样一条途径：通过一个故事作为刺激物，发展推理的多种能力。美国和其他许多国家的一些试验研究已经证明，由受过良好培训的教师对儿童进行哲学思维的教学，能够使学生在推理能力、阅读理解能力和运算能力等方面得到明显的提高。因为这种讨论的形式非常灵活，各种各样的观点都可以在讨论中自由的发表。而一个称得上有效的"儿童哲学"讨论，需要使推理、反思和道德责任感都能够得到训练，真正像有的孩子所感受的那样："儿童哲学"使人善于思考，使人更为完善。

然而，这个计划在实际的教学中向教师提出了一系列的问题。教师遇到的第一个问题是利普曼的哲学小说缺乏文学色彩。这使得一些教师从传统的故事、图画书和其他作品中去发现哲学讨论的素材。他们认为，很多的儿童文学作品都可以提供丰富的哲学探究的内容。教师面临的第二个问题是，他们缺乏实施哲学讨论的训练，而且要将哲学讨论和学校课程结合起来有一定难度。正因为如此，我国一些中小学校在探索"儿童哲学"的教学进程中做了一些调整。

5. "儿童哲学"的重构

经过多年不懈的大胆尝试和深入探索，上海市杨浦区六一小学的"儿童哲学"课程实验已经积累了不少有效的经验。不仅"儿童哲学"作为学校的一门常规课程已经在一至五年级形成了一个有机的整体和连贯的系统，而且，"教育应发展学生的思维能力"已经成为一个教育理念渗透到全校教师的意识和观念之中。同时，经由这门新的课程的开发，学生们的精神面貌大为改变，"每一个人都是思维的主体"正在成为六一小学教师和学生的一种自觉的生活方式。

利普曼的"儿童哲学"在中国的学校里得到了创造性的重构和发展。上海市杨浦区六一小学的教师并没有完全按照利普曼编制的"哲学小说"来进行教学，更多的是由教师自己寻找那些适合中国学生并容易激发思维的"哲学故事"。"儿童哲学"课在六一小学的不同年级是以不同的形式进行的。针对不同年龄学生认识能力和思维能力的特点，一年级的"儿童哲学"课主要是让学生"听故事提问题"，二年级和三年级分别采用了"寓言故事"和"成语故事"的形式，四年级是"时事论坛"，让学生们就当时发生的热点问题发表自己的意见和想法。五年级采用的形式是"辩论演讲"，更注重学生自己的参与，也体现出对学生思维能力的更高要求。除了"儿童哲学"作为一门基本课程的形式之外，各年级、各学科同时强调"儿童哲学"课的思想、内容、方法在本门课程中的渗透。比如，语文课和数学课，要求教师们一方面要注意挖掘教材中渗透的哲学内容和方法，更重要的是，教师必须能够把"儿童哲学"课注重培养学生的思维能力和探究精神的理念带到本门课程的教学之中。包括思想品德课、自然课等，都必须体现"儿童哲学"的学科渗透。此外，六一小学还创造性地提出了"儿童哲学"的拓展课。开设课外拓展的对象主要是四、五年级的学生，目的在于以"儿童哲学"为中介，让学生学习和思维的空间得以延伸，让学生在"做"中学到知识，在参与中思维能力得到提高，探究的意识和精神得以养成。即"儿童哲学"课在六一小学是以三种形式呈现的："儿童哲学"活动课、"儿童哲学"渗透课、"儿童哲学"拓展课。其中，"儿童哲学"活动课是最基本的。渗透课和拓展课的展开以活动课为基础，不但借鉴活动课的经验，而且利用在活动课上积累的经验和取得的成果。一般的活动课的基本模式包括这样几个环节：先让学生了解材料；由学生提出认为感兴趣、有疑问或值得讨论的问题；选出一个主题进行讨论。教师的作用主要是组织和引导。整个讨论并不追求必须得到一个一致的结论。在这样的提问和讨论中，学生的判断能力和创造性思维能力得到了发展，形成了一个接近利普曼所指的"探究集体"的特殊意义上的集体。

　　笔者曾在六一小学听过这样一堂三年级学生的"儿童哲学"活动课，课堂的基本材料是一则题为"嗟来之食"、内容约 200 字的成语故事。在学生阅读了教师事先发下的故事材料之后，教师要求学生对有疑问的地方提出自己的问题。全班 50 位学生每个人都提出了自己的问题。其中，不乏有一些精彩的问题。如有的学生提出疑问："为什么会发生饥荒""为什么饿汉那么穷，财主却有钱有食物""饿汉为什么情愿饿死也不吃财主给他的食物"，等等。教师引导学生选择一个问题作为课堂讨论的主题，大部分同学都选了"为什么饿汉情愿饿死也不吃财主给他的食物"这一问题。在全部学生积极动脑思考，为这个问题寻找回答和进行讨论的过程中，教师引导学生提升出了一个与这个问题有关，但又富含哲学意味的另一个问题，就是"生命和尊严哪个更重要"。在激烈的讨论中，有的学生认为，生命比尊严更重要，"因为没有生命就什么都没有了"。有的学生觉得：尊严比生命更重要，"因为没有尊严人家会看不起你"。还有的学生语出惊人，说生命和尊严同样重要，"因为没有生命就没有尊严，没有尊严生命就没有意义。生命和尊严的关系就像一个人的手心和手背"。

在这样的课堂教学中，学生的思维明显被激活了。整个一堂课听下来，最深刻的感受是，学生思维的潜力是巨大的，只要为学生创设适宜的氛围和条件，学生思维的积极性就能够得到发挥。整堂课上学生的兴致高涨，思维活跃，真正成了课堂的主人。相反，教师讲的反而少了，只是在关键的时候起到指引的作用。但教师的作用却显得更为关键了，学生的思维朝向哪个方面发展，都需要教师的引导。课后任课教师告诉我们，整个一节课上她都精神高度紧张，因为事先不知道学生会有什么问题。所以，怎么设计问题，把学生的思维往什么方向引导，都需要教师临场发挥。这对教师驾驭课堂的能力是一个挑战。

"儿童哲学"课程实验给六一小学带来了变化。在目睹六一小学变化的过程中，我们对"儿童哲学"课程实验有了更多的感悟。

经过"儿童哲学"课程理论的学习和实践的探索，六一小学最大的变化是领导和教师的教育理念得到了明显的更新。尤其表现在两个方面。第一，学生思维能力的发展成为该校教育教学的重要目标。过去，受应试教育的影响，在应试教育的大环境中，六一小学也存在着教学以知识的传授为最终目的的现象。经过"儿童哲学"课程的实验，教师们普遍认为，学生思维能力的发展才是教育的最终目的，只有思维能力得到发展，才有助于学生整体素质的提高。第二，把课堂还给学生，让学生成为教学的主体成为该校教师的共识。在"儿童哲学"课上，教师们都发现了一个长期被他们忽视了的事实：学生是能说的，他们也是会说的；学生是会思考问题，会解决问题的，关键是教师要把说的自主权、思考的自主权还给学生。观念更新了之后，教师们的确是这样做的。一个三年级的学生许冰清在日记中这样写道："以前无论上什么课，都是老师讲，学生听，现在我们自己能讲，同学能讲，大家都讲，不用害怕会有标准答案，不用害怕讲错，这太好了！"

　　"儿童哲学"课上过以后，反应最直接、最强烈，变化最明显的还是学生。这是家长和教师共同的一个感受。学生的变化主要表现在：第一，思维潜力激活了。学生从过去的被教师提问到现在的自己提问题，从过去被动等待教师的答案到现在自己解决问题，从过去不善于提问、提的问题不扣内容，到根据内容提问、提出精彩而令教师吃惊的问题，其中反映出的是学生思维的潜力正在逐渐被激活，思维能力正在发展和提高。用孩子们最简单、最质朴的话说，就是：我们喜欢"儿童哲学"课，"儿童哲学"课使我们变聪明了。第二，语言表达完善了。在"儿童哲学"课上，最令孩子们兴奋的事情就是被教师提问，在同学面前发表自己的观点和意见。由于没有标准答案的限制，教师鼓励的又是提出与众不同的观点，所以，学生发言的积极性特别高。"儿童哲学"课上教师讲得少，学生说得多，在多次机会的锻炼之中，学生的语言表达能力明显得到了完善和提高。有的学生甚至能够旁征博引来论证自己的观点，有的学生表现出了辩论和演讲的才能，就连平时不敢开口发言的学生在"儿童哲学"课上也异常活跃。过去人们认为语言是思维的工具，其实"语言本身就是思维"。人在语言中生活，在语言中思考，语言就是思维最直接最现实的体现。学生敢于开口说话了，他们的表达清晰了，使用的词汇丰富了，说明学生的思维能力提高了。第三，研究型学习的习惯养成了。在"儿童哲学"拓展课上，六一小学为五年级学生开展了一个名为"小学生与大作文"的活动。① 把学生按照兴趣分成3～10人的协作小组，针对感兴趣的话题，在课余时间进行讨论、研究、调查，通过收集资料，最后写成有专题的小论文。学生小组分好之后，各组便像模像样地制订计划、开始行动了。学生们选取的话题有："减负利与弊""国产电器好还是进口电器好""少先队干部是否应该争着当""老人进敬老院好不好""有钱就有幸福吗""动物园里老虎咬死人谁之过""最新军事武器知多少"，等等。为了完成自己的课题研

---

　　① 根据六一小学提供的"儿童哲学"研究材料整理。

究，学生有调查、有采访，还有收集资料、查阅文献。在学生的采访对象当中，有复旦大学的教授，有第二军医大学的退休教师；有从事不同职业的学生家长，还有本校的教师、普通的市民，以及课题所涉及的相关职业的人群。学生查阅资料的来源，有《辞海》《十万个为什么》《少年科学》等书籍，有报刊，有光盘；为了得到数量足够的、准确翔实的资料，学生们的足迹遍及书店、图书馆以及与课题有关的商店、超市、敬老院、动物园、植物园、街道、认识或不认识的居民家中，等等。在充分的调查、论证和小组反复讨论的基础上，同学们郑重其事地写出了一篇篇小论文。有的论文读起来真给人一种不得不对学生刮目相看的感觉。

看到厚厚一摞小学生的"大作业"，作为研究者，我们看到的是希望，感受到的是鼓舞，是抑制不住的振奋和激动。在学生的作业中，也许还有很多幼稚、不成熟、不完善的地方，但在每篇作业的背后，包含着的却是学生亲历的经验、在经验中的成长以及真正个性、创造性思维的展现。透过作业中那些或稚嫩或有意模仿成人显现老练的话语，我们看到的是学生思维潜力的迸发，是学生探索性、研究性学习的能力正在得以锻炼和发展。更重要的是，在做的过程当中，学生养成了探索性、研究性的学习习惯。凡事不再唯书唯上，不再盲目从众，而是要亲自调查研究，动脑思考，提出自己的见解和主张。这不正是过去的灌输—接受式教育所严重缺失的吗?! 所以，学生的探索性、研究性学习的能力得以发展，习惯和意识得以养成，是"儿童哲学"课程最大的成功。

最后，"儿童哲学"课程的开设也使教师发生了明显的变化。教师除了强烈感到要进一步学习，进一步提高自身素质特别是驾驭课堂的能力之外，还有一个明显的变化就是反思性思维能力的提高。据有的教师说，以往上课，很少会产生深刻的感触和心灵的震撼。日复一日，有的只是枯燥、平淡和厌倦。而"儿童哲学"课则不同，在这个课上，学生们强烈的反应和超出教师想象的表现使教师不得不常常反思自己过去的理论和观念。每一节课之后，教师都会自然地反省自己的设计是否是成功的，哪一句话是关键的，哪一点还不太理想，需要继续改进。通过反思，问题得到了及时的发现和纠正，教师的教学能力得到了提高。

应该说，六一小学的"儿童哲学"课程实验成功地实现了利普曼的理论在我国的移植和应用，并做出了有创见的发展，取得的成绩是明显的。但毕竟这是一个开创性的工作，实验实施的时间不长，还需要持续不断地探索，所以，难免还存在一些需要解决的问题。问题之一是需要尽快完善"儿童哲学"课程在不同年级的培养目标，使每一堂课都能够有明确的方向，不至于教师随心所欲，课堂热热闹闹，而事实上却流于形式。问题之二是缺乏一套经过科学论证的教材。"儿童哲学"课程所使用的素材，都是教师临时找来的，虽然不乏"嗟来之食"之类的精彩的内容，但教师信手拈来的现象也还存在。有的课堂，就是由于教学内容不适合的缘故，不但不能够很好地达到启发学生思维的目的，反而会有误导，带来一些负面影响。所以，"儿童哲学"课程要得到更进一步的发展，必须有自己的教材。问题之三是教师的素质必须提高。这已经是一个老生常谈的问题，但在"儿童哲学"课上，教师的素质对于课堂的成功显得尤为关键。教会学生思维，教师首先应该学会思维。

第三节　一个实践性案例举例

"想象艺术教育"①是在 20 世纪 80 年代被提出的培养儿童早期创新思维、诱导儿童的潜在能力和促进儿童智力开发的一种新型的教育形式。简单地说，"想象艺术教育"实质上就是一种创造性思维的教育。在想象艺术学校里，"想象艺术"是作为一门综合性的课程形式呈现

---

① 有关"想象艺术教育"的内容由笔者同周文富的谈话记录和录音整理。

的。① 作为培养学生思维的一个实践性案例，"想象艺术教育" 具有其自身的价值，并能够给我们带来启迪。

一、理论的提出及其设想

其实，从艺术的本质来讲，它本身就和科学一道构成了人类文明的整体。艺术的功能绝不仅仅局限在审美和教化，它也是创造力培养的重要途径。艺术作为特殊的学科，历来被人们认为在形象思维的开发和创造性思维的培养中有着其他学科无法取代的优势。只有艺术的形象思维同科学的抽象思维的结合，才有助于完整健全的创造性思维的最终形成。许多取得了卓越成就的科学家都强调艺术在他们的灵感迸发和智慧启迪中曾经起过的重要作用。"艺术教育应该成为创新思维的摇篮"已经成为共识。

然而我们的学校艺术教育现状却令人担忧。在应试教育的背景下，今天的艺术教育往往在两个方面走入极端：一个是艺术教育被极端功利化。即在功利主义思想的驱使下，艺术教育也陷入了应试的泥沼。学艺术的最终目的就是要掌握某种技能，成为专门人才。音乐就是记忆乐谱，就是熟知乐理知识，就是苦练指法，就是学会吹、拉、弹、唱；美术就是记诵掌握笔墨、色彩、线条、刀法，就是模仿名人的作品，就是

---

① "想象艺术教育"是 1984 年由周文富提出的。周文富是上海市现代儿童想象艺术学校的校长。这所学校位于上海市法华镇路第三小学校内，又名现代儿童想象艺术教育中心。在周文富的执著追求和辛苦经营下，经过十几年的努力和开拓，如今"想象艺术教育"已基本上走出了初创时的困境，先后在上海法华镇路第三小学、长宁区实验小学、市总工会幼儿园、宋庆龄幼儿园等单位开展了不同类型的儿童"想象艺术教育"，学员已经发展到近万名。其中儿童想象绘画曾多次举办大型展览，在海内外引起较大的反响。早在 20 世纪 80 年代之初素质教育还未被人们充分认识的时候，周文富就敏锐地意识到，通过音乐、语言、文学、舞蹈、想象绘画等途径对学生进行综合素质的培养，是中国教育的一个空白。必须有人首先在这方面做一些开拓性的工作。他认为，中国的孩子和国外的孩子相比较，往往表现出较强的记忆能力和逻辑思维能力，创造力却远远低于西方发达国家的儿童。而"想象艺术教育"在培养儿童的想象力和创造力方面大有可为。目前"想象艺术教育"在某些方面还没有完全成熟，有待于进一步的探索和研究。

能画得逼真、画得"像"。于是，艺术教育降格为"工艺训练"，"考级"蔚然成风，并且持续升温。本该对学生进行性情陶冶、灵魂净化、心智启迪的课程异化成为加重学生负担、枯燥乏味的课程。另一个极端是艺术教育的功能被简单化，认为艺术教育就是陶冶情操、培养一种生活情趣而已，作为人所具备的素质的一种点缀，能够接受艺术教育培养艺术素质当然不错，没有这种教育也不会有什么大的损失。而且升学考试科目又不包括音乐、美术等课程，所以，除非要以此为专业，在其他非艺术类的学校教育过程中，根本无所谓是否开设艺术类的课程。甚至在有些人看来，升学任务那么艰巨，干脆把这些非考试科目全部砍掉，正好可以腾出时间和精力迎战考试。而事实上，在许多学校初中和高中的毕业班里，这种做法并不是少数。这是认为艺术教育可有可无，属于附属学科的另一个极端认识。将艺术教育功利化和简单化的两种极端做法都是有害的。功利化的艺术教育必然会把艺术教育引入"专业基本功训练"的歧途，而从根本上伤害了艺术教育培养创造意识的真谛；简单化的艺术教育则没有给艺术教育应有的重视，使得艺术教育的创造功能失去了在学生身上得以发挥的机会。艺术教育应一方面摆脱技能至上的功利倾向，另一方面摆脱不受重视的从属地位，真正成为对学生进行思维能力培养的重要途径，发挥其在创新思维培养中的优势作用。

"想象艺术教育"就是试图对传统的艺术课程和课堂进行改造，从而达到培养学生创造性思维的一个大胆尝试，一个成功案例。

在"想象艺术教育"的理念中，想象本身就是创造，想象也离不开创造。这种全新的教育观念与传统教育的根本区别在于它定位在儿童独特的、潜在的本性的开发上，在教育教学观念和行为中体现出创造性、多样性和科学性，不看重某种技能的掌握，而是侧重于思维方式的培养，用更符合儿童身心全面发展，更利于学生思维能力培养的崭新的教育形式，让学生在轻松、愉快、充满乐趣的氛围中，天性得到最大限度的激发和释放。

儿童对世界的感悟是独特的，与成人不同，而传统教育用适合于成人的方式，把外在的东西强加给儿童，儿童自身对世界的理解和看法、儿童的天性，则在这种教育中被破坏了。"想象艺术教育"正是抓住了儿童的天性，让儿童自己亲身去体验、去感悟，然后转化为儿童自身的灵性。所以这种教育注重的是对儿童潜能的开发，让儿童想象的天性和创造的智慧，通过音乐、舞蹈、语言、图像，淋漓尽致的得以发挥，这就是"想象艺术教育"的真正意义和价值所在。知识可以通过外部输送给儿童，但儿童的想象天赋和心性的养成，没有特定的环境，没有特殊的程式，是无法实现的。"想象艺术教育"的倡导者认为，当前我们的教育中存在一个严重的错位现象，就是到了大学阶段才强调对学生进行思维能力的培养，他们把这种现象称之为"嫁接"，缺少了从根本意义上对创新意识和创新思维的养育，难以让学生真正从头脑中养成发现、想象、创造等独特的看世界的思维方式。"想象艺术教育"就是要通过课堂教学，用课程的形式，在最佳的年龄阶段，鼓励孩子们用新的眼光看世界，鼓励孩子们用心去创造奇迹。

"想象艺术教育"把想象的意识贯穿于具体的艺术教育中，如绘画，通过对线条、色彩变化的思维，自由的、尽兴地展开想象的翅膀；舞蹈，通过动作的变换，放飞想象的灵感；音乐，通过对声音和旋律的想象，让思维自由的飞翔。"想象艺术教育"主要是一种思维方式的培养，它本身只是一个手段，因而在"想象艺术教育"的课堂上，没有固定的内容和教学程序，教学手段和方法却是多种多样的，包括儿童的语言、舞蹈及艺术造型、色彩、声像，生活当中一切可以表现儿童天性欲望的东西，在周文富看来，都可以成为"想象艺术教育"的手段和途径。这与世界创造教育最早的探索者之一、我国教育家陶行知在20世纪30年代提出的"处处是创造之地，天天是创造之时，人人是创造之人"的思想可谓不谋而合。

比如画一个苹果，传统的美术课程对学生的要求就是要能够从不同的角度把苹果画得很像，而在"想象艺术教育"的课堂上，孩子们对苹果的理解却充满了生命和情感：苹果会唱歌、会跳舞、会走路、会游泳，苹果也有苹果的语言，有苹果的生活世界。于是，苹果作为一个诱因，激发了孩子们的想象和灵感，养成了孩子从不同的角度理解事物、从不同的角度看世界的思维习惯。在"想象艺术教育"的理论中，绘画的目的并不在于艺术作品本身，而是通过线条、通过色彩，培养孩子的思维过程，即是一个视觉审美和思维的过程，一个体验性的过程。"想象艺术教育"倡导的就是要孩子在"玩"中学艺术，在参与中学创造。在这样的教和学的过程当中，参加这种教育的孩子们获得了极大的心理上的自由，在学习中可以任由兴之所至，自由地、充分地表达自己所能够想象到的一切，把想象中的美丽和神奇呈现给成人的世界。也就是说，"想象艺术教育"不同于传统的单一的美术、音乐、舞蹈等具体的艺术学科，它以学生整体的素质培养和提高为出发点和最终目标，它的本质意义不在于技术层面，不在于获得一些技能技巧，而是通过想象绘画、文学艺术、现代艺术信息等教育手段，激活学生的想象，开启学生的心智，最终达到开发学生的创造性思维的目的。

想象艺术作为一门综合性的课程，具体内容主要包括：想象绘画、艺术语言、文学、音乐、舞蹈、形体艺术等。正如想象艺术学校的校长周文富所说的，"我们的目的并非使每个学生都成为画家、音乐家，终身从事艺术事业，而是用艺术这一'由自己确定的规则的游戏'（康德语），丰富孩子的形象思维"。在想象艺术的课程标准里，学生创造性思维的发展是最为首要和根本的。

二、"想象艺术教育"中的思维发展

按照"想象艺术教育"的构想，不光是艺术教育，任何一门学科的教学，都不应该纯粹只是语言的教育，而应该同时是艺术的教育，是创造的教育，是思维的教育。通过这种教育，让孩子们知道艺术是没有单一标准的，艺术是属于创造的，而创造就是要与众不同，要敢于奇思异想。于是，想象、创造成为孩子们的理想，不甘平庸、独一无二成了学生们的追求。

通过对接受过"想象艺术教育"培养的学生同没有接触过这门新的课程的学生的跟踪调查和对比研究，事实证明，在"现代儿童想象艺术教育中心"学习过的孩子，不仅艺术素养得到了全面的提高，而且个人的整体素质明显优于没有接受过这种教育的孩子，尤其表现在想象力、创造能力和自主能力方面。可以说，通过专门的学习，想象和创造已经成为这些学生的理想和追求，并逐渐内化为孩子们内在的一种信念，在日常的生活和学习中时时处处表现出来。

在想象艺术学校举办的一次夏令营活动中，孩子们在沙滩上进行沙雕比赛，没有接受过"想象艺术教育"的孩子塑造的沙雕造型，全部是东方明珠、大乌龟、小白兔，表现出雷同、模仿、一致的特点。他们的思维跳不出具体的物体形象的束缚。而"想象艺术教育中心"的学员却不一样，他们的沙雕造型五花八门、千奇百怪，他们的作品，已经不再满足于仅仅是对生活的模仿和重现，更多的是他们自己的理解、想象和创造。在中心自办的《叽喳想象报》上，可以看到一篇篇充满了童稚但又不乏大胆想象的小文章。这篇《万能机器人》是长宁区实验小学四年级学生写的，从中可以看到孩子想象力的空间是多么广阔。

万能机器人

是一种接插式机器人，它能做其他机器人能做的事。它有一万只手，可以随意插接，还能在一分钟内干完人们一整天干的活。

它的头虽小，但是，它非常聪明。它四肢发达，有弹性，可以随意拉长缩短，它的力气可以调节。它的脾气温柔，一点儿也不暴躁。它能连续工作几十个小时，不用加电，也不用加油。早上，它就和别人一样干活，不过它的工作量等于全世界一半人的工作量。晚上，它无须睡觉，就在地球上抓小偷，只要它一伸手，就能抓到好几个小偷，然后，给小偷喝它自己创造的无色无味的药水，小偷一下子睡着了，到了天亮，小偷们醒来，就不再是小偷了，也不会再偷东西了。

到了秋天丰收季节，只要它一伸手，就能割去全世界所有的谷子，一分钟不到，所有的水果、粮食已全部收割好了。

后来，人们把它称为"助人为乐的万能机器人，地球的生命"。

还有的学生在命题为《畅想未来》的作文中，畅想了这样的未来，"一个自由自在而又十分快乐、和谐、没有战争的未来。世界的人们会把自由还给我们，作业十分少：书包很轻——但考试不会很差，同学与同学中间团结、友爱……那时，科技发达，人们可以居住在地球以外的太阳系其他行星——金星、木星、水星、火星、土星、天王星、海王星上。而且，还能延长行星、恒星、银河系的寿命。人们可以消灭地震、火山爆发、台风、海啸、潮汐、狂风、暴雨等自然灾害。这，将会是一个没有战争的未来，世界将把所有武器扔掉、烧毁，一切事物都将会用和平的手段解决。让海明威的小说《永别了，武器》显灵"。

接受过"想象艺术教育"的儿童，最为明显的变化是有个性了。个性是什么？个性是一个人的整个精神世界，它的核心内容就是主体性和创造性。也就是说，个性就是独特，就是与众不同，就是不甘循规蹈矩，就是不断推陈出新。一个人，无论是缺乏独立自主意识，表现为没有主见、鹦鹉学舌、人云亦云，还是缺乏创造性，表现为因循守旧、恪守陈规，都会被认为缺乏个性。而缺乏个性、千人一面不正是我们的教育长久以来一直没能很好根除的弊病之一吗？没有个性，哪来创造性，没有个性，何谈创新精神！"想象艺术教育"的成功之一就是把传统教育中孩子们丢失已久的个性还给了他们。有个性的儿童与缺乏个性的儿童在很多方面表现出重要的区别。一件平平常常的事情，有个性的孩子会表现出极大的兴趣，做出不同寻常的理解，提出与众不同的见解；一项集体活动，有个性的孩子不会胆怯、畏缩，而是大胆积极的参与；有个性的孩子信心十足，不满足于已有的结论，不相信唯一正确的标准答案，不盲从多数人的意见，不迷信老师的观点，不会因为外在的压力放弃自己的主张。只有个性，只有这种率性而为的真性情，才能够超越平庸的羁绊，走向不凡，走向卓越。为什么个性的魅力如此之大？因为个性本身就是创造性，因为创新不只是一种智力特征，更是一种人格特征，一种精神状态。而创新，已经在"想象艺术教育"的过程中不知不觉融入了受教育者的生活当中，成为一种习惯、一种自觉、一种个性。

然而，回首"想象艺术教育"十几年的发展历程，也的确留给我们很多深刻的思考。而思考最多的就是，这种对学生思维的发展而言可以称得上是卓有成效的课程，直到今天始终无法堂堂正正地走进我们的学校课程计划表，而只能作为一种课外活动形式，在减负的行政政策面前，面临着被禁止的命运；这门课程中许多对学生想象、思维和创造的发展确实有益的理论、教学方法、训练形式也被传统的所谓"正规"的同类艺术课程视为旁门左道，面临不屑一顾之余，还要被否定和纠正。当然，即使是走到了今天，"想象艺术教育"绝对称不上是一种完美的思维课程和思维培养方法。但作为一种探索和富有创造性的实验，更不要说它已经取得了肯定性的成效，这种新的课程和教育形式应该得到人们更多的理解和宽容。

其实，"想象艺术教育"意欲通过改造了的艺术课程发展学生的思维能力，相对而言似乎比较容易被学生和家长所接受。毕竟，艺术作为古老的、特殊的学科，人们一直对它怀着一种神秘的向往。相形之下，思维课程显得更加朴实、空虚，难以引起人们的注意和重视。所以，思维课程要真正走进我们的学校，要真正在教学计划中占据一席之地，仍然面临着多重困难和制约因素。

5

为思维而教：让课堂成为思维的乐园

　　教学的目的究竟是为了传递知识还是发展学生的思维，这在教育领域一直是有争议的问题。对某个问题有争议本身就说明这个问题是值得关注的。尽管有学者如著名教育心理学家奥苏伯尔（Ausubel D.）等人对"为思维而教"、对"为创造性而教"等观念不屑一顾，但另外一些心理学和教育学研究者还是义无反顾地在为发展学生思维方面做了大量有意义的探索。他们虽然没有直接给出思维教学的标准方式，但毕竟预示了"为思维而教"的方向。

第一节 课堂教学的现代性转换

旨在培养学生的思维能力的教学应该重新构建一种新的教学理念并形成相关的教学策略。在课堂教学中，传统的讲授式教学需要向"对话式教学"转换，并引导学生从被教师询问到主动发现，从被动应答到主动探究。

一、从"独白"到"对话"

在传统教学中，教师辛辛苦苦地事先概括好知识要点，然后在黑板上抄给学生，或者印成讲义发给学生。教师辛辛苦苦换来的结果是：测验学过的课文时，学生能考出相对偏高的成绩，测验从未学过的新知识时，学生的成绩很低；考形式和内容同教师的讲义差别不大的死题时，成绩较高，而考灵活运用时，成绩偏低。即学生掌握了具体的知识而没有掌握知识转化的能力。为什么会这样呢？主要的原因恐怕在于教师习惯性地满足于"讲授"而剥夺了学生发表意见的机会，教学中只有教师的"独白"，而几乎没有学生的声音，没有学生与教师的"对话"，也就没有了学生思维的主动发展。为思维而教的教学方式必须打破传统的"教师独白"而走向教师与学生"对话"，由"独白式教学"走向"对话式教学"。

"对话式教学"就是教师不断地询问学生对某个问题的解释，使学生处于思维的应急状态并迅速地搜寻解题的策略。在对话和思维的关系上，人们一般认为是思维产生了对话，而事实上是对话引起思维。在交谈和对话的情境下，人们必须思维，认真倾听、做出判断、形成自己的观点。大量的内心活动，都是在思维的参与下完成的。所以，在教学中，最能够激起学生思维的不是听课，不是考试，而是课堂里的对话。

典型的"对话式教学"是由孔子开创的"启发式教学"和苏格拉底倡导的"产婆术"。

启发式教学的本意，在于调动学生的积极思维活动，培养其自觉性和独立思考、创造性思维的能力。孔子的"不愤不启，不悱不发。举一隅不以三隅反则不复也"是对启发式教学的经典论述。他建议教师对学生进行启发要掌握最恰当的时机，要等到学生将要想出来而还没想出来、想要说出来又没能说出来的时候，加以启发。启发式教学包含着丰富的方法，其基本特征是在系列的、有一定的逻辑序列的追问中展开教学。《论语》几乎全是用"对话"的方式进行教学。《学记》中也谈到了启发式教学，提出"君子之教，喻也。道而弗牵，强而弗抑，开而弗达。道而弗牵则和，强而弗抑则易，开而弗达则思。和、易、以思，可谓善喻矣"。即是说：好的教师教学，就是对学生进行诱导。他引导学生而不是牵着学生走；勉励学生而不是强行压制学生；开导学生而不是一下子把道理都讲给学生。引导而又不牵着走，就使教与学之间的矛盾关系变得融洽；勉励而又不强行压制，就使学生对学习感到轻松愉快，不产生畏难情绪；开导学生而不一下子把道理全讲出来，就可以调动学生独立思考，去自己发现，求得结论。如果真正做到了师生融洽，学生乐学，又能够独立思考，那就可以说是善于诱导了。这里的诱导，其实指的就是启发，"和""易"都是达到启发效果的前提条件，是为了给学生的独立思考创造一个宽松的氛围，准备一个适宜的心理状态。

古希腊著名的哲学家、教育家苏格拉底也用"对话"的方式开展教育活动。苏格拉底用讨论问题的询问方式与人交谈，但不直接把结论教给人，而是指出问题所在，并一步步引导人最后得出正确的结论。这种方法被后人称之为"苏格拉底方法"，又叫"产婆术"。它包括四个步骤。第一，讥讽。即不断提出问题使对方陷入自相矛盾之中，最终不得不承认自己是无知的。第二，助产。帮助对方得到问题的正确答案。第三，归纳。从各种具体事物中找到问题的共性和本质。第四，定义。把个别事物归入一般概念。在苏格拉底的教育思想中，非常重要的一点在于，他认为，每一个人都天生具有发展的可能性，因此，他总是将别人和自己置于人格上平等的地位，并由此不把现成的答案直接交给学生，而让学生自己通过探索去得出结论。他运用对话、追问、反讽的办法让那些自以为是的人意识到自己的无知，并最终发现真知。而由自己所发现的真知与从别人那里得来的知识是不同的。"知识必须自我认识，自我认识只能被唤醒，而不像转让货物。一个人一旦有了自我认识，就会重新记忆起仿佛很久以前曾经知道的东西。"①

例如，苏格拉底在与一个士兵讨论"什么是勇敢"时就采用了"追问"的方法：

"什么是勇敢？"苏格拉底随便地问一个士兵。

"勇敢是在情况变得艰难时能坚守阵地。"士兵回答。

"但是，假如战略要求撤退呢？"苏格拉底接着问。

"假如这样的话，就不要使事情变得愚蠢。"

"那么，你同意勇敢既不是坚守阵地也不是撤退？"苏格拉底问。

"我猜是这样。但是，我不知道。"士兵回答。

"我也不知道。或许它正好可以开动你的脑筋。对此你还有什么要说的？"苏格拉底又问。

"是的，可以开动我的脑筋。这就是我要说的。"

"那么，我们也许可以尝试地说：勇敢是在艰难困苦的时候的镇定——正确的判断。"苏格拉底说。

"对。"士兵回答。

类似这样的对话是苏格拉底生活中的基本事实。他经常在街头、集市和餐桌等不同的场合中，与手工艺匠、政治家、艺术家、智者和艺妓讨论。他抓住一切机会与每一个人对话。在苏格拉底的教学活动中，也采用对话的方式达到受教育者思维能力得以启发的目的。他完全采用问答的方式，以对话的方式激起学生的思维。他主张教育不是知者让无知

---

① 雅斯贝尔斯. 什么是教育［M］. 邹进，译. 北京：生活·读书·新知三联书店，1991：10.

者跟从，而是师生共同探求真理。他从来不向学生直接陈述知识或传授知识，只是提出问题，让学生思考后回答，并根据学生回答的情况，深入一层，继续提出问题，直至提出一系列的问题。学生不得不依据教师提出的问题，并依靠自己已经掌握的知识进行独立思考，在主动、积极的思考中寻求正确的结论，以便获得知识，发现真理。苏格拉底还常使用反诘法，即"从反面追问"。特别在学生的回答反应不正确，或不适当的时候，或者当学生在学习中遇到疑难，向教师请教的时候，便使用反诘法，提出许多相关的问题，使学生从反问的问题中，认识自己原有的错误，加以矫正；并发现思维的线索，找到问题的答案。通过这样一系列一筹莫展的"思"的痛苦，学生会产生自己独立的判断力，经由这种师生之间平等的对话和交流，可以得到辨明真理的目的。因为，"对话是探索真理与自我认识的途径"，"对话是真理的敞亮和思想本身的实现。对话以人及环境为内容，在对话中，可以发现所思之物的逻辑及存在的意义"①。从孔子和苏格拉底的"对话式教学"中，我们可以看出，"对话式教学"对于开启学生思维能力的作用是显而易见的。对话是使用"提问"的策略而打破学生原有思维的内部平衡，"通过提示同学生以往经验矛盾的事实、指出学生知识的漏洞、明确对立的看法等挑战性的问题，使学生的思维失去内部平衡。而在企图重新恢复这种平衡中，思维就展开了"②。与对话式教学相比，教师"独白"式的教学似乎比单位时间内传授的知识量更多，教学信息量更大，教师更容易组织和控制教学进程。而它的代价却是剥夺了学生自己发表意见、发展思维的机会。对话式教学的核心正在于改变传统的"教师独白"的传递模式。在对话式教学中教师根据具体的教学内容，选择恰当的教学方法，创造良好的教学氛围，引导学生积极思维，使学生在自己的思考中获取知识，并使思维能力得到发展。

---

① 雅斯贝尔斯. 什么是教育［M］. 邹进，译. 北京：生活·读书·新知三联书店，1991：11－12.

② 高文. 现代教学的模式化研究［M］. 济南：山东教育出版社，1998：367.

二、对话的艺术

对话式教学的真正落实，很大程度上取决于教师对这种新型的教学观念的理解和把握以及教师本人的教学艺术水平。一些教师并未充分认识对话式教学的实质，简单地理解为只要有教师提问、学生回答就是对话式教学或启发式教学，而不考虑是否真正启动、激发了学生的思维，是否体现了追问和启发的精神。教师只是为了营造一种师生"互动"的课堂教学氛围，专门提问一些事实性的、记忆性的，却根本无须调动学生思维的问题。表面看上去整个课堂热热闹闹，而事实上只是为问而问，为活跃而活跃，学生的思维活动并没有真正展开。教师并没有抓住教学内容的重点和难点，结果把时间花在了细枝末节的地方，却一步一步地远离了真正的教学目的。似乎师生互动就是简单的一问一答，没有任何进一步的反馈和交流。一位语文教师在教《刘胡兰》一课时问学生："这个云周西村在什么地方？"有学生说"在陕北"，有学生说"在延安"。教师最后说"云周西村在革命根据地"。由于课文有"你说出一个共产党员给你一百块钱"这句话，教师问"谁知道那时发什么钱？"学生有的说发"银元"，有的说发"铜板"，也有的说是"那时候的钱中间是有窟窿的"，教师最后则说"反正那时候的钱比现在的钱值钱。"① 一节课就这样在无意义地一问一答中过去，教师还自以为在使用"启发式教学"。全不顾这样的教学既无"启"也无"发"。所谓启发式教学，在这里成为一种形式和借口。

对话式教学实际上向教师的素质提出了挑战。需要教师根据恰当的教学内容，在最恰当的时机，选择运用最为合适的教学方法，在没有疑问的地方创设疑问，促使学生思维中的矛盾激化，并能够将学生思维的着眼点引至对与错、是与非的对立点上。应避免对启发式教学做简单

---

① 王丽. 中国语文教育忧思录［M］. 北京：教育科学出版社，1998：48.

化、片面化的理解，避免将启发式教学流于形式的做法。

在对话式教学中，一个最为重要的问题是教师在课堂教学中对课堂提问的有效利用。提问的重要作用在于，它在教师的讲授和学生能动的思考行为之间拉起了纽带。所以有人说，提问是"将教师要教授的学习内容转化为学生想学习的内容的契机。必须教的东西不能教，必须将其转化为学生想学的东西，这就是发问的本质"①。课题中的提问，在大部分教师看来，最重要的功能就在于把学生的注意力吸引到教师讲授的内容上来，不至于走神，其实提问还有另一个更重要的功能，就是调动和拓展学生的思维。思维始于问题。从某种意义上说，完整的思维过程就是提出问题并解决问题的过程。或者说，思维本身就是一个不断提问、不断解答、不断追问、不断明朗的过程。只不过，这个过程通常是在主体内部进行的，是内隐的，是自问自答的。而来自外部的提问——课堂上教师的提问，同样能够成为思维发生的起点，一种外部的、语言化的思维正是在提问中开始的。

在以教师讲解为主的教学中，教学的对象是整个班级，教师必须不断地致力于吸引和保持学生的注意力，同时又要力求使讲解照顾到大多数同学的水平。这其实是很难兼顾的两个方面。所以，真正的事实往往是多数学生并不能完全理解教师的讲解而只能机械记忆学习的内容。还有少数学生则根本没有注意和接受教师所讲的东西。在这样的教学中，学生需要做的只是听教师讲解或者阅读教科书，使用的只是听觉和视觉，至于思维则完全没有机会运用，被可惜地闲置着。

既然提问具有启动学生思维和引导思维发展方向的重要作用，教师提出什么样的问题，意味着学生有选择地注意某一方面的信息。为了启动学生的思维，需要有效地运用提问。《学记》要求教师要善问和善待问，"善问者如攻坚木，先其易者，后其节目，及其久也相说（脱）以解。不善问者反此。善待问者如撞钟，叩之以小者则小鸣，叩之以大者

---

① 高文．现代教学的模式化研究［M］．济南：山东教育出版社，1998：36.

则大鸣，待其从容，然后尽其声。不善答问者反此"。意思是说：善于提问的教师，就像砍伐坚木先易后难一样，先提容易的问题，后提困难的问题，激发起学生对这些由易至难的问题主动进行思考的积极性，久之问题就会迎刃而解。善于对待学生发问的教师，就好像对待撞钟一样，如果学生问的是小问题就从小处回答，如果学生问的大问题就从大处回答。让学生从容领会，透彻理解，才算结束。从教师的角度而言，掌握提问的技巧，在教学中能够"善问"和"善待问"，对于培养学生的思维能力是很有好处的。

对话是一门艺术，教师在对话中需要巧妙地设置系列提问。提问本身并没有一套必须遵循的、严格的和固定的规则，但为了成为"善问"的教师，在提问时必须注意几个方面的问题。

第一，所提出的问题是否有适度的难度？"教学的艺术，一大部分在于使新问题的困难程度，大到足以激发思想，小到加上新奇因素自然地带来的疑难，足以使学生得到一些富于启发性的立足点，从此产生有助于解决问题的建议。"① 因此，教师应对学生的水平有清楚的了解和正确的估计，提出的问题应适合学生思维的发展水平，即提出的问题必须是介于"已知·已学"和"未知·未学"之间，并且能够使学生意识到"已知"和"未知"之间、"已学"和"未学"之间的连接，产生"已知"和"未知"及"已学"和"未学"之间的矛盾。也就是说，质量高的问题应该既使学生感到有困难的压力，又使学生感到有解决的信心。问题的难易程度正好介于学生的最近发展区内，所谓使学生对问题解决的努力有"跳一跳，摘桃子"的效应。一般来说，教师在课堂上所提的问题可以分为两大类：一类是事实（Factual Question）的问题，另一类是思考（Thought Question）的问题。事实的问题强调的是对具体的事实或信息的回忆，只需要用"是"或"否"来回答。思考的问题往往包括想象、判断、评价、推理等复杂的心理过程以及知识

---

① 杜威. 民主主义与教育［C］//上海师范大学，杭州大学教育系. 杜威教育论著选. 北京：人民教育出版社，1977：184.

的重新组合等。一项研究发现，教师在课堂上喜欢针对有关具体事实或知识细节的问题和仅仅只有一种答案的问题发问，关注的是让学生回忆在什么地方、在什么时候、是什么、是谁等书本上有明确答案的具体信息，而很少提出鼓励学生思考、推断的问题，很少提出书本上没有明确答案因而需要对许多相关的知识进行综合、联系、概括才能回答的问题。据研究统计，前一类问题一般要占到三分之二。这一类问题不能够形成知识间的组织和知识的结构化，不利于培养学生的独立思考能力和养成主动动脑的习惯。教师经常提一些不需要深入思考、直接从书本上找答案的问题，容易使学生习惯于对细枝末节的东西感兴趣，而较少把注意的重点放到知识的概括和结构化上去，久而久之，养成一种不愿主动动脑、不爱深入思考、不会从整体的联系中考虑问题的不良思维习惯。这是教师在课堂提问中必须注意避免的行为和后果。另外，问题必须有较强的针对性，直接指向预期想要达到的教育目的，不能随意提问。

第二，所提出的问题是否针对了具体的学生？每一个不同的问题，选择哪些学生进行回答，教师应事先有一个大概的意向。问题的难易程度和学生的发展水平之间存在一个适宜度的问题。选取思维发展水平高的学生回答太容易的问题与选取思维发展水平低的学生回答太难的问题一样，都不能达到提问的良好效果。另外，教师还需要考虑提问时问题的辐射面和提问对象的辐射面，不能总是提问难度过高或过低的问题，也不能总是提问少数的几个学生，对于那些胆小羞怯、反应不是很积极的学生，尤其需要注意。

第三，学生对问题应答之后是否有必要的反馈？教师的态度直接影响到整个课堂的气氛。在课堂提问中，学生在大庭广众之下接受教师的评价，大多心情比较紧张，教师应始终注意保护学生的自尊心和自信心，对勇于回答和回答正确的学生给予表扬，对回答错误的学生给予鼓励，一定要注意避免当众羞辱、嘲讽和挖苦学生。

第四，所提出的问题是否真实？真实的问题总是能够引起争议的问题，凡不能引起争议的问题即为假问题。真实的问题应该达到这样的目的：提问使问题能够持续地发展下去，提问成为学生继续讨论和不断追问的原动力。在一个提问所创设的特定情境中，学生的思维要"能够充分地从一点到另一点作连续的活动"①，只有这样的提问，才能带领学生进入真正的、深刻的、有效的思维活动中。否则，如果问题本身不具备连续性和一定的深度，就会打断学生思维的连续性，影响思维向深度发展，使思维一方面陷入在紊乱无序的境地，另一方面又如浮光掠影，不能深入。

三、从"对话"到"发现"

与"独白式教学"相比，"对话式教学"确实为学生主动参与教学提供了机会。但真正改变传统的"独白式教学"还不能满足于教师与学生之间的"对话"。"对话式教学"与"独白式教学"相比，它虽然可能调动学生，使学生主动参与教学情境，但"对话"只能在教师与学生之间发生交往，而且学生很少有"发问"的权利和机会，只能围绕教师提出的问题做出思考和判断。也就是说，"对话式教学"虽然使学生从"独白式教学"的"被教师灌输"中走出来，但被"解放"了的学生一旦进入"对话式教学"，很快又被教师设置的问题牢牢地套住，陷入"被教师追问"的被动状态。表面上看，学生在对话中是主动参与的，实际上很容易在教师的追问中被教师所"追问"的问题锁定。例如，在苏格拉底与士兵之间展开的关于"什么是勇敢"的"对话"中，问题显然是苏格拉底提出的，士兵虽然参与对话，但他几乎是被动的被追问者；当士兵"不知道"答案时，答案还是苏格拉底给出的，即"我们也许可以尝试性地说，勇敢是在艰难困苦的时候的镇定——正确的判断"。这有些类似时下的课堂教学中，教师对问题的答

---

① 杜威·我们怎样思维·经验与教育 [M]．姜文闵，译．北京：人民教育出版社，1991：222.

案佯装不知却又尽量引导学生走进教师早已设定的标准答案的圈套。

可见"对话式教学"只是为学生的主动学习打开了半扇窗户，并没有为学生真正打开主动学习的大门。若指望学生真正进入主动学习的教学情境，有用的教学策略可能是引导学生自己"发现"问题、"发现"答案。在由传统的"独白式教学"转换为"对话式教学"之后，进一步走向"发现式教学"。因为，在教育上，"思想、观念，不可能以观念的形式从一人传于别人。当一个人把观念告诉别人时，对听到的人来说，不再是观念，而是另一个已知的事实。这种思想的交流，也许能刺激别人，使他认清问题所在，想出一个类似的观念，也可能使听到的人窒息他理智的兴趣，压制他开始思维的努力。但是，他直接得到的，总不能是一个观念。只有亲身考虑问题的种种条件，寻求解决问题的方法，才算真正地思维"①。所以，教会学生思维，教学必须有利于学生自己发现，学生在教学中所学到的不能只是教师告诉给他的东西，而必须是经由他自己亲身的思维所得到的，所发现的。发现教学也可以表述为"发现式教学""课题式教学"或"研究式教学"，相应的学习方式为"发现学习"（discovery learning）、"课题型学习或研究型学习"（project learning），等等，我们在大致相同的意义上使用这些术语。

当然，对话式教学除了教师追问学生之外，学生也可以反诘教师，也可以对教师的观点表示"不同意见"。可惜，无论是在孔子的启发式教学和苏格拉底的"产婆术"中，还是在今天的教师与学生之间的讨论教学中，都很少发生学生反问教师的现象。学生的观点似乎总是不及教师的意见正确，不如教师的思维完善；从学生那里提出的问题似乎总是不及教师设计的问题有教育价值，不如教师提出的问题正当，因为学生提出的问题多半不在教学目标规定的范围之内。正因为对话式教学或一般所谓的讨论式教学容易滋养教师"自以为是"而轻视学生意见的思维习惯从而使学生再度陷入被动的困境，我们才提倡发现式教学和研

① 杜威. 民主主义与教育［C］//上海师范大学，杭州大学教育系. 杜威教育论著选. 北京：人民教育出版社，1977：187.

究式教学。发现式教学并不否定对话式教学的价值，因为对话式教学毕竟把学生从"被灌输"的境遇中拯救出来而进入"追问"状态，但发现式教学并不满足于学生"被追问"的状况，它决定进一步解放学生、进一步释放学生的思维潜能、进一步保护学生的思维火花。发现式教学一方面可以以教师与学生"对话"的方式进行，但它主张在对话的语境中，教师与学生处于一个平台上，教师与学生的思维方式和思维成果平等地得到尊重和爱护。而发现式教学除了师生之间的对话之外，更重要的方式是学生与学习材料的直接"对话"以及学生与学生之间的讨论。发现式教学强调除了向教师学习，还可以直接向学习材料本身学习、向同学或同伴学习。

在论及"发现式教学"时，人们很容易想起杜威和布鲁纳的建议。确实，发现式教学或发现法虽不是杜威或者布鲁纳首创，在他们之前的卢梭、斯宾塞等人都倡导过发现法，但只有到了杜威那里，发现法才得到系统的阐释；到了布鲁纳那里，发现法才被明确地作为课堂教学的一个基本策略和理念并设计了相应的课程结构，又得到相关的心理学理论的支持。不过，这里所讲的"发现"并不局限于杜威或布鲁纳的解释。我们认为，对"发现"至少可以从两个意义上来理解和操作：

第一，发现即主动学习基础上的创造，它含自学的意义，但不仅仅是学生自学，而是自学基础上的创造。发现学习是学生与教材的直接"对话"，与由教师讲授相对，也与学生被教师不断追问的"对话"相对。它的基本假设是，凡学生可以自学的知识，学生就可能更有效地领悟这些知识，教师不必独白式地讲授，也不必勉强学生限定在教师的"提问"范围内思考。

第二，发现即"课题研究"与"问题解决"，它与记忆性知识学习相对。它的基本假设是，知识具有不确定性，凡知识学习，都可以将它作为一个不确定性"问题"来处理。即使某些知识是确定的，它在学生没有理解之前，它仍然具有不确定性。因为学生可以这样理解和使用它，也可能以另外的方式理解和使用它。对学生而言，知识获得程序就

是一个问题解决程序。问题解决的高级形式是一种创造性思维参与的
"课题式学习""研究式学习"或"研究型学习"。

与上述两种意义相应，发现学习可以有两种不同的教学方式：一是
"基于自学的创造性学习"。学生在自学中改变学生自己的思维结构和
知识结构，使学生的知识结构以及思维结构发生同化和顺应。二是
"问题解决式教学"或"课题式教学"，相应的学习方式为"研究型学
习"，相应的课程为"研究型课程"。它关注的是让学生在解决问题的
历程中获得知识、发展思维。

1. 基于自学的创造性学习

学生自学是最宽泛意义上的"发现"学习。按照布鲁纳的说法，
发现"包括用自己的头脑亲自获得知识的一切形式"。学生所获得的知
识，尽管都是人类已经知晓的事物，如果这些知识是依靠学生自己的力
量去引发出来的，那么，对学生来说，仍然是一种发现。"在教育上可
以得出一个结论，就是一切能考虑到从前未曾领悟过的事物的思维，都
是有创造性的。一个三岁的儿童，发现他能利用积木做什么事情，或者
一个六岁的儿童，发现他能把五分钱和五分钱加起来成为什么结果，即
使世界上人人知道这种事情，他也真是一个发明家。他的经验真正有了
增长；不是机械地增加了另一个项目，而是一种新的性质丰富了经
验。"① 也就是说，学生的发现往往是一种再发现。"发现就是把事物整
理就绪，使自己成为一个发现者。"一个学生自己学习某种知识，他实
际上也就是自己发现某种知识的意义和使用范围。

基于自学的创造性学习使发现教学与一般所谓的自学辅导区分开
来。发现学习在某种意义上一定是教师指导下的学生自学或"自学辅
导教学"，但"自学辅导教学"却不一定构成发现教学。

在当前的教学改革实验中，比较典型的自学辅导教学有"初中数

---

① 杜威. 民主主义与教育［C］//上海师范大学，杭州大学教育系. 杜威教育论著选.
北京：人民教育出版社，1997：187.

学自学辅导教学实验""异步教学实验"和"尝试教学法实验"。这些实验虽然都提出了"发展学生思维（或智力）""培养学生创造性思维"的目标，但从实际的操作过程来看，这些教学改革仍然只是在"培养学生自学能力"上做了较有成效的探索，而离发展学生的创造性思维的目标还有差距。"初中自学辅导教学"① 在让学生按照"启发、阅读课本、练习、当时知道结果、小结"的步骤进行自学时，学生在指定的学习任务内只能学习固定的材料并获得固定的答案。它几乎没有考虑学生的创造性思维的自由发展空间。"异步教学"与之相似，它设计六种课型②，即自学课、启发课、复习课、作业课、改错课、小结课，虽然它鼓励学生在作业课中要"举一反三、触类旁通"，但所谓举一反三也仍然只局限于理解与课本例题相近相关的"试题"，并无真实的发散思维训练。同样，"尝试教学法"建议教师使用"五步教学"③：出示尝试题、学生自学课本、学生尝试练习、学生讨论、教师讲解小结。在五步教学中，大致保持了一种"先学后教、先练后讲"的教学程序，它使自己更具有"自学"与"辅导"的性质。但它的基本精神，主要只是让学生模仿课本的"例题"自学课本、自己做课后的练习题，并没有鼓励学生在自学的过程中发展自己批判性和创造性思维。

可见，一些有影响的自学辅导教学实验尽管提出了"发展学生智力、培养学生自学能力"的双重目标，可实际上它们往往又只是在"培养学生自学能力"上有所作为，而"发展学生思维或智力"的目标却成为一张空头的彩票。这并不能说这些实验没有兑现自己开出的承诺，而只能表明，自学虽然是发现的基础，是创造的前提，但在自学的基础上进一步发展学生的创造性思维并非一件易事。其中的主要困难，在于这些自学辅导教学实验都谨慎地保持了原有教材的结构，而且为了自己的实验更具有推广的潜力，纷纷声称自己的实验"并不改变课

---

① 卢仲衡. 自学辅导心理学 ［M］. 北京：地质出版社，1987：35.
② 黎世法. 异步教学论 ［M］. 武汉：湖北教育出版社，1989：34.
③ 邱学华. 尝试教学法的理论与实践 ［J］. 福建教育，1982（11）.

本"。不改变教材的结果，虽减轻了改革的难度，却丢失了发现学习的机会。真正的发现学习，总是伴随着对教学材料的重新组合，对教学材料的扩展或压缩，对教学材料制作和修改。明显的事实是，原来的教学材料固定了学习的内容以及问题的答案，而且这些教学材料原本就按照教师"便于讲授"的方式编写，若指望这种教材能够发展学生的思维，指望用它来支持学生的"研究"或"发现"，几乎注定了将劳而无功。

所以，基于自学的创造性学习首先意味着不但"自学课本"，还意味着教师和学生一道重新编制课本，使教材的内容和结构适合于学生创造性地思考问题、发现答案。其次，基于自学的创造性学习还意味着不但理解文本（教材）的"本意"和"原汁原味"，还意味着教师引导学生创造性地参与文本的意义生成过程，使教材显露新的意义，使文本处于不断被创造性地理解的流动之中。这样，基于自学的创造性学习就成为学生与文本直接对话的境域，学生在对话中获得对文本的个性化的理解和结构。由于学生在参与对话的旅程中总会冒出属于学生自己的"不同意见"，这些"不同意见"是学生个人的一孔之见，属学生的主观猜测与制作，但它实际上也是文本自己生长出来的新的意义。这里已经涉及发现学习的一个基本的前提性假设：传统的教学观坚持文本或教材的确定性意义和标准答案；发现学习的教学观信仰的是文本的不确定性意义。在这里，文本或教材本身并无意义。所有的意义都是读者对它的一种解读，是读者赋予文本以意义。也就是说，学生怎样理解教材，教材也就有了怎样的意义。既然如此，我们完全有理由让学生自由地发挥他的创造性思维、发挥他的创造冲动，让学生以自己的方式解读文本、参与文本的意义重建。尽管我们仍然相信数学或物理等理科教学有一些无法反驳的定律或事实，学生似乎只能接受，无法创造或发现；但这些定律或事实一旦与学生原有的经验联系起来，一旦进入学生的生活世界，所谓的定律或事实就不再是铁板一块，学生原有的经验将使定律的意义发生变化，同一个定律在不同的学生那里将发生不同的意义。在数学或物理教师看来只有一个答案、只有一个获得答案的解题方式，而在学生那里，由于他们与教师的经验不同，有自己的思维个性，他们的思路往往将他们从教师的标准答案引开。一些习惯了标准答案和"经典性"解题方式的教师可能对学生的"越轨"思维视而不见，却忘记了所谓标准答案，不过是多维视野中的一孔之见。所谓的经典性解题方式，很可能是一种懒汉的简单办法，这种懒汉的简单办法因迎合了人类好逸恶劳的惰性的使它成为经典。我们需要承认的事实是，即使在数学或物理等理科教学中，也仍然留出了大量的不确定性知识。在这里，学生仍有大量的创造空间。而对于语文、音乐、美术等文科教学而言，文本的意义更无标准答案可言。我们教师需要做的是尽量少教（讲授），学生尽量多学（发现）。教师的主要任务是关注学生在理解教材的过程中冒出的大量的创造性思维火花，鼓励学生发出自己的声音，提出自己的看法。这样，教师的主要任务就不再是没完没了地讲授标准知识部件，而是将大量的精力和时间用来"保护学生的思维"，使学生的思维火花进一步燃烧、扩展，使学生的"不同意见"成为进一步学习和讨论的材料。

2. "研究型学习"或"课题式学习"

问题解决式教学或课题式学习可能有多种解释，也可能有人认为将中小学生的学习做成"课题式学习"有些夸大其词，课题式学习可能更适合成人化的大学生或研究生学习，而中小学生只能接受学习。确实，我们承认课题式学习在现实的教育实践中往往是研究生的学习方式。但事实却在不断地提醒人们，一个没有课题意识的人，即使他进入了大学、成为大学生或研究生，他也很可能仍然适应不了课题式学习的方法。而对于一个有课题意愿的学生而言，即使他身处小学或中学，只是一个小学生或中学生，他也同样可以做一个出色的、像模像样的"课题研究人员"。过去人们只是想当然地坚持中小学生只能由教师言传身教，根本不可能从事研究、不可能进入发现学习或课题式学习的状态。近年来受国外教育的启示，人们对课题式学习的看法有所松动，

"研究型学习"① 或 "研究型课程"② 观念开始引起人们的关注并渐有相关的实践研究。而在受国外教育的启示方面，中国教育界得到一份意外的礼物：以往的教育理论研究者虽早开始介绍国外中小学校重视"问题解决"和"发现学习"的教学方式，但理论界的努力多半不会引起中小学教育实践的关注，而在 1997 年，《南方周末》讲述了一个关于中国小孩在美国接受小学教育的故事之后，"中国小学生在美国做研究"的教学方式令众多读者感动并在中国教育界内外广泛流传。据说，作者最初将儿子送到美国小学时一直为那里的教学过于自由而忧心忡忡。一年之后，他发现他的小孩放学后并不直接回家，而是常去图书馆，不时背一大包书回来。为了完成老师布置的作业，儿子打算做一篇题为《中国的昨天和今天》的文章，以应答老师的"每一个同学写一篇介绍自己祖先生活的国度"的要求。这令作者惊异而哭笑不得。几天后，儿子竟然完成了作业，打印出一本 20 多页的小册子。从九曲黄河到象形文字，从丝绸之路到五星红旗……热热闹闹地介绍了中国的历史、地理、文化并分析它与美国的不同。最令作者惊讶的是儿子把文章分了章节，在文章的后面还列出了参考书目，全然是作者读研究生之后才开始运用的写作方式。后来，儿子又开始做《我怎么看人类文化》《关于第二次世界大战》等作业，看到儿子兴致勃勃地看书查资料、坐在电脑前煞有介事的样子，作者就为儿子感动。等到儿子小学毕业的时候，他已经能够熟练地在图书馆利用计算机和缩微胶片系统地查找他所需要的各种文字和图像资料了。孩子面对他不懂的东西，已经知道到哪里去寻找答案了。儿子的变化促使作者重新去看美国的小学教育。他发现，"美国的小学虽然没有在课堂上对孩子们进行大量的知识灌输，但是，他们想方设法把孩子的眼光引向校园外那个无边无际的知识的海洋，他们要让孩子知道，生活的一切时间和空间都是他们学习的课堂；他们没有让孩子们去死记硬背大量的公式和定理，但是，他们煞费苦心

---

① 张肇丰. 试论研究性学习 [J]. 课程·教材·教法，2000 (6).
② 安桂清. 研究型课程探微 [J]. 课程·教材·教法，2000 (3).

地告诉孩子怎样去思考问题，教给孩子们面对陌生领域寻找答案的方法；他们从不用考试把学生分成三六九等，而是竭尽全力去肯定孩子们的一切努力，去赞扬孩子们自己思考的一切结论，去保证和激励孩子们所有的创造欲望和尝试"。①

按照作者的理解，美国小学的教师虽然没有大量地讲授，但他们引导学生进入一种问题解决、课题研究的情境，让学生在问题解决和课题研究中获得必要的知识并发展学生的思维。

那么，"研究型学习"或"课题式教学"究竟意味着什么？

人们可以将它解释为杜威的五步教学。杜威认为，思维起于直接经验到的疑难和问题。而思维的功能在于将经验到的模糊、疑难、矛盾和某种纷乱的情境转化为清晰、连贯、确定与和谐的情境。思维就在这两端之间进行。这两端之间包括五个步骤：（1）疑难的情境。思维本身就是"探究、调查、熟思、探索和钻研，以求发现新事物或对已知事物有新的理解。总之，思维就是疑问"。② 任何一种形式的思维，都是对新事物的发现和探索，都是疑问并求解的过程，学生的学习也是在思维过程中发现、探索的一种活动，是不断的遇到疑难又不断寻求解答的过程。（2）在这个情境内产生一个真实的问题，作为思维的刺激物，使学生确定疑难究竟在什么地方。（3）提出问题的种种假设。让学生占有资料，从事必要的观察。（4）推断每个阶段可能的结果，看哪个阶段能够解决这个困难。（5）进行试验、证实、驳斥或改正这个假设。

人们也可以将它解释为布鲁纳的"发现学习"（discovery learning）。按布鲁纳的主张，"在提出一个学科的基本结构时，可以保留一些令人兴奋的部分，引导学生自己去发现它"。教学不应该使学生处于被动接受知识的状态，而应当让"学生自己把事物整理就绪，使自己成为发现者"。

---

① 高钢．我所看到的美国小学教育［N］．南方周末，1997－6－20.
② 杜威．我们怎样思维·经验与教育［M］．姜文闵，译．北京：人民教育出版社，1991：221.

人们还可以将它理解为克伯屈的七步教学。在克伯屈看来,一个完整的思维活动可以分为七个步骤:第一,一种情境激发起进行某种行动的冲动或倾向;第二,出现困难;不知如何继续这一行动;没有已知的或现成的适当反应方式;第三,对环境进行考察,以便更准确地找出和确定困难;第四,提出解决办法,形成假说,提出行为模式;第五,从提出的每种解决办法和假说中,得出(一种或几种)内在含义;第六,进行实际试验,看推论是否成立;第七,依据所进行的检验,接受某一种解决办法。那么,问题是如何引导思维过程的呢?克伯屈认为是问题所引起的困难感(问题出在哪里的困难和该怎么办的困难),这种内心的困难使得主体试图通过对无关事实的摒弃和相关事实之间联系的确立和组织从而找到解决问题的办法,最终完成整个思维的过程。①

其实,"研究型学习"或"课题式教学"的解释可以很简单,它不过就是教师引导孩子们围绕一个课题自己去寻找资料并懂得怎样获取资料和处理资料,"去面对陌生领域寻找答案"。

这种"研究型学习"或"课题式教学"显然已经不同于"基于自学的创造性学习"。从发现和创造的程度上看,"研究型学习"高于"基于自学的创造性学习",因为前者使学生进入类似研究生教育的课题研究,它更接近发现的本意;但从现实性上看,"研究型学习"低于"基于自学的创造性学习",因为后者并不强求改变教材,它只建议为学生松绑,解放学生的头脑,让学生在接受教材的参考答案的同时,提出自己的不同意见,使学生勇于做文本的"持不同意见者"。因此,比较而言,"研究型学习"可以视为一种对必修课程的拓展和补充,它要求学校课程做相应的调整;"基于自学的创造性学习"可以视为对必修课程的加强,它要求发挥必修课程在训练学生创造性思维能力上的真正价值。我们不是说,"研究型学习"需要调整教材的结构,而"基于自学的创造性学习"无须改变教材。实际的情形是,"研究型学习"虽可

---

① 克伯屈.教学方法原理——教育漫谈〔M〕.王建新,译.北京:人民教育出版社,1991:210-211.

以抛开课本，单独开设，但仍然可以利用国家或地方指定的教材，使之在结构上得到调整之后以"问题解决"的方式呈现给学生。而"基于自学的创造性学习"虽然大量地表现为"不改变课本"，但真实的"基于自学的创造性学习"总力图超越课本的限制，至少是超越课本所暗示的标准答案和经典性解题方式。

四、"发现"还是"接受"？

在教育领域，总有人根据奥苏伯尔的有意义接受学习理论来反对"为思维而教"的教学观念。确实，教学、教育的目的究竟旨在培养人的思维能力还是给学生传递知识，合理的教学方式是接受式教学还是发现式教学，历来是有争议的问题。奥苏伯尔等人就坚持，"就个人的正式教育来说，教育机构主要是传授现成的概念、分类和命题"，而发现教学法"几乎不能成为一种高效的传授学科内容的基本方法"。"任何人都可以有理由地断言，虽然学校也要发展学生在各种领域内应用所获得的知识去系统地、独立地和批判地解决特殊问题的能力。学校的这种功能尽管可以构成教育的合法目标，但同它传授的知识的功能相比，远不能处于中心地位。无论从合理地分配给这种功能的时间总数来看，从民主社会的教育目标来看，还是从对大多数学生的合理的期望来看，都是如此。"[1] 不过，在奥苏伯尔那里，虽然他明确提出"发现教学法几乎不能成为一种高效的传授学科内容的基本方法"，但他对发现法的理解与一般人所理解的发现法略有不同，而且与布鲁纳本人所倡导的发现法也有出入。

第一，按照奥苏伯尔的理解，"发现学习的基本特点，就是要学的主要内容不是授予的，而是在从意义上被纳入学生的认知结构以前，必须由学习者发现出来"。就命题学习而言，"接受学习和发现学习之间

---

① 奥苏伯尔，等. 教育心理学［M］. 余星南，等，译. 北京：人民教育出版社，1994：28.

的主要差别在于所要学习的材料的主要内容是由学习者自己发现的还是提供给他的"。"在接受学习中，这种内容是以实质性的命题或非问题情境的命题的形式提供的，而学习者只是需要理解和记忆这种命题就够了。另一方面，在发现学习中，学习者必须通过设想出一些表征问题答案或表征一系列解题步骤的命题来先行发现这种学习内容。"① 而在我们看来，发现学习与接受学习的根本区别并不在于"所要学习的材料是否由学习者自己发现的还是提供给他的"，因为在发现教学中，所要学习的材料仍然可以是由教师提供的，由教师设置问题情境。发现学习的基本精神在于学生主动地在"问题解决"的进程中获得知识、参与知识的构建。由于知识并非总是确定性知识，问题解决的方案也并非总有某种标准答案，学生在问题解决的过程中就可能提出大量的"不同意见"，而这些"不同意见"也就是学生创造性思维的显露。

第二，奥苏伯尔几乎将"发现学习"与接受知识的"接受学习"对立起来。他认为"接受学习和发现学习各自在智力发展和功能上所起的主要作用也是有差别的，大量的教材知识多半是通过接受学习而获得的，反之，日常的生活问题则是通过发现学习来解决的"。也就是说，在概念、分类和命题学习中，奥苏伯尔认为只能以接受学习的方式进行，而发现教学法几乎不能成为一个高效率的传授学科知识的基本方法。他甚至坚持"大多数课堂教学都是按照接受学习的路线组织起来的"，而且在发展的任何阶段，"学习者要理解和有意义地应用某些原理，完全不必独立地发现这些原理"②。其实，奥苏伯尔完全没有必要将"发现学习"与"接受知识"对立起来，因为接受知识也可以通过发现的方法来获得。当某种知识完全由教师口授时，它是接受教学；当某种知识由学生自己思考、由学生在解决问题的历程中得来时，它虽然也是接受知识，但它已经成为一种不同于接受学习的发现学习。布鲁纳

---

① 奥苏伯尔，等. 教育心理学［M］. 佘星南，等，译. 北京：人民教育出版社，1994：69.

② 同①，27.

也强调，"发现并不限于那种寻求人类尚未知晓之事物的行为，准确地说，发现包括用自己的头脑亲自获得知识的一切形式"①。而且这种经过发现学习而获得的知识较之由教师直接传递的接受学习所获得的知识更为深刻。因为在布鲁纳看来，发现学习有一种"自我奖赏"（self-reward）的功能，它容易引起学生"发现的兴奋感"，学生可以"将发现作为奖赏而自行学习"。也就是说，同样是接受知识，但发现学习较之接受学习可能更透彻、更完整，而且发现学习在保证学生获得知识的同时，将有效地发展学生解决问题的思维能力。所以，奥苏伯尔将接受知识等同于接受学习，然后又以此作为倡导接受学习、轻视发现学习的理由，这是不合理的。我们并不反对接受知识，我们只是建议教师让学生以发现的、问题解决的方式去接受知识，也只有这样的接受知识才能发展学生的思维。

第三，奥苏伯尔因重视"接受学习"而轻视"发现学习"和"为创造性而教"是缺乏依据的。奥苏伯尔之所以对"为创造性而教"持嘲弄的态度，是因为他认为"这个目标是以四种不太现实的看法中的一条或几条为根据的"。"第一种看法认为，如果儿童不受教育制度的压抑，那么，他们一定都会具有独特的创造潜力。可是事实上这种潜力是罕见的。第二种看法所反映的是一种对人的本质的观点，即认为即使一个儿童没有创造潜力，有激励作用的和机敏的教学也能弥补这种遗传上的缺陷。第三种看法不顾创造性和有创造性的人这二者之间的区别，对创造性提出一种非常宽泛的定义，这种定义用的是一个人内部的独创性的标准，认为所有的创造活动并没有质的差异。然而，如果使用了这种标准，那么把每个儿童都造就成为有独创性的教育目标本身就被冲淡而没有什么意义了。最后一种看法只不过是根据上文已谈到的那种意见，即认为起辅助作用的创造能力和真正的创造性完全是同一种东

---

① BRUNER J. The Act of Discovery ［J］. Harvard Education Review, 1961 （31）.

西。"①显然，在奥苏伯尔所攻击的四条依据中，至少有几条是现实的而并非"不太现实"。比如，人们有理由相信，如果学生得到教师的鼓励和引导而不受压抑，他们会有创造潜力。

同样，奥苏伯尔列举了发现学习的 12 条"靠不住"的论据，包括"一切真知都是自己发现的；意义仅仅是创造性的、非言语的发现的结果；非言语的意识是迁移的关键；发现法是传授教材内容的主要方法；培养解决问题的能力是教育的主要目标；每个儿童都应该成为有创造性和有判断力的思考者；讲解式教学法是权威主义的；发现能有效地组织学习为以后应用；唯有发现能引起动机和自信心；发现是内部动机的主要来源；发现能保证记忆的保持"，等等。而在这里列举的 12 条依据中，即使不能说全部是可靠的依据，至少也不能如奥苏伯尔所说，"关于使用发现学习的这些假设理论的依据每一条我们都做过仔细考察，得到的结论是，所有的这些理论依据在逻辑上和教育上都是靠不住的"②。奥苏伯尔何以直言"我们每一条都做过仔细考察"，得到的结论竟是"靠不住的"，真令人有些不可思议。实际上，若人们愿意接受"一个中国小学生在美国做研究"所暗示的发现教学法或课题式教学的教育精神，那么，人们就完全有理由相信布鲁纳下面的一段话以及其他类似的观点是"靠得住的"。布鲁纳说，"无论哪里，在知识的尖端也好，在三年级的教室里也好，智力的活动全都一样。因为科学家在他的书桌上或实验室里所做的，一位文学评论家在读一首诗说所做的，正像从事类似活动而想要获得理解的任何其他人所做的一样，都是属于同一类的活动。其间的差别，仅在程度而不在性质。学习物理学的小学生就是个物理学家嘛，而且对他来说，像物理学家那样来学习物理学，比起做别的什么来，较为容易。"③

---

① 奥苏伯尔，等. 教育心理学 [M]. 佘星南，等，译. 北京：人民教育出版社，1994：720.

② 同①，636.

③ 布鲁纳. 教育过程 [C]. 邵瑞珍，译//布鲁纳. 布鲁纳教育论著选. 北京：人民教育出版社，1989：29.

总之，发现学习与接受学习并不矛盾。发现是为了更好地接受。"为思维而教"虽与"为知识而教"是不同的教学观念，但"为思维而教"与"知识学习"却可以并肩同行，因为"为思维而教"总得经过"知识学习"。只不过"为思维而教"的知识学习是一种对知识的批判性考查，是在问题解决的过程中获得对知识的理解。获得知识虽然也是教学的目的之一，但教学的最终目的，是"为思维而教"，获得知识是为了更好地发展学生的思维。也许，对于有着深厚的发现学习传统的美国中小学教育来说，奥苏伯尔针对布鲁纳等人的"发现学习"和"发现教学"而故意高唱"接受学习"和"讲授教学"的反调，是可以理解的。而对于向来信仰"双基训练"和"讲授式教学"的我国中小学校的教学而言，关注"发现学习"不但合于教学的根本目的，而且具有现实的合理性和正义性。

强调"发现学习"并非完全丢弃"讲授式教学"，如果教师的讲授是"有意义的"，如果教师的讲授可以激励学生的智慧，挑起学生的创造冲动，那么，讲授仍然是一种适合理的教学方式。所以，某一位教师在某一天的课堂教学上"一讲到底"并不一定就是"满堂灌"，而只能说，如果这位教师长期地"一讲到底"，就很可能限制了学生的创造性思维的生长，因为这样的教学剥夺了学生自己探索、发现并提出不同意见的机会。

第二节　思维课堂的道德标准：另一个角度

课堂教学无疑已经成为中小学校教育教学改革中至关重要的一个领域。因为，教育无论旨在培养什么样的人才，学校无论想要落实哪种教育理念，就中小学校的办学而言，必然要最终转化和体现在具体的课堂教学之中。那么，究竟应该倡导什么样的课堂价值？追求什么样的课堂形态？本节尝试从道德的角度提出一种不同的看待课堂的视角——构建有道德的课堂，即符合伦理精神与道德原则的课堂。伦理的精神与道德标准是衡量课堂教学育人使命的不同视角。我们认为，真正对于学生的思维发展和智慧提升有深远意义和实质价值的课堂，一定同时也是体现伦理精神与道德标准的课堂。

一、课堂的道德缺失问题分析

由于长期升学考试的竞争和压力，课堂教学的评价尺度被扭曲了。现行评价课堂教学最直接、最普遍的标准，仍然是学生对知识的掌握，是最终的考试成绩。于是，许多追求短平快的效率、违背教育教学规律、背离科学教育理念的现象频繁出现，甚至有愈演愈烈之势，课堂教学的整体状况令人担忧。知识本位、分数本位的课堂教学仍然大行其道。有鉴于此，本书认为，我们必须站在育人的立场来看待课堂教学；依照道德的目标来衡量课堂教学；用道德价值取向分析当前的课堂中所存在的，不利于人的思维培养、智慧的养成、偏离社会的良心、丧失社会责任感的那些不道德甚至反道德的现象与问题。

1. 被消解的课堂中人

课堂中的人，也就是教师和学生，在课堂教学的所有要素中是第一位的。然而，观察我们的课堂却经常能够发现，作为主体的活生生的人，却让位给客体的、没有生命的课堂规则、教学内容等要素。任由没有生命的课堂要素在课堂的空间中将有生命的人遮蔽甚至消解。

许多常见的现象很能够说明这个问题。一个普遍存在的现象是，大多数教师在讲台上与在生活中形象差异很大，有时甚至判若两人。在与教师的交往中发现，许多中小学校教师，对于当前的教育改革和理念非常有自己的见解，对于社会热点现象与问题也怀有不少独到的认识。幽默、风趣、个性、可爱等性格特征体现在不少教师的生活交往中。但遗憾的是，一旦走上讲台面对学生，很多教师便自觉地掩藏起自己内心丰富的想法，收敛起自己的独特的个性，表现出来的则是课堂设计思路大同小异，课堂教学语言人云亦云，课堂形象千人一面。每当坐在中小学校的课堂里听课，我常常情不自禁从内心发出感叹，要研究教师的教学风格，仅仅通过在课堂上听课是远远不够的。因为教师在课堂上表现出来的都只是单面的人，是理性的、严肃的人，他的身心远没有达到自由放松的境界，他给人的感觉是按部就班、有条不紊、正儿八经、专心致志的。这样的教师在课堂上所营造出来的场景和氛围是拘谨的、收敛的、理智的、安静的。即使偶尔有个别个性教师、激情课堂出现，也总给人不太真实和自然的感觉。这种总体上单调枯燥的课堂状态与教师个性和人性的丰富是极不相称的。总之一句话，我们的教师在课堂上所表现出来的人性是极不完整的。

究竟什么样的限制使得教师在课堂上不能放开展示自我？这个问题很值得探讨。我认为它涉及长期以来传统的课堂规范意识、行政管理要求、教师职业文化等对于教师所造成的影响，有些方面的影响早已渗透在意识中，根深蒂固坚不可摧。笔者曾经在江苏某地听了一位年轻女教师的课。作为一位刚刚走上工作岗位还没有完全被同化的新教师，她的课上多了一些师生之间真实、自然的情感表达，多了一些朴实、真诚的对话与交往。正当听课者津津乐道于课堂上难得看到的原生态的师生交流氛围时，校长却在课后痛心地规劝那位教师，"你的教态实在不雅！记住，你是一位女教师，女教师在课堂上应该端庄、稳重，而不是像你那样，一会儿哈哈大笑，一会儿前仰后合"。女教师记住了校长的话，于是，课堂上又多了一位端庄稳重的女教师。个性、真实与自然却就这样一点一点被侵蚀。多数原本个性丰富的教师正是迫于各个方面的影响，不得不刻意追求课堂上一个师者应有的形象，努力塑造教师的角色认同，课堂越来越模式化、雷同化，越来越缺少惊喜与生动。而人最生动、丰富的一面则被小心翼翼、悄无声息地遮藏起来。

我们常常说教育要培养学生的创新精神，但创新精神绝不仅仅是一种智力的特征。知识掌握了，智力发展了，并不意味着就一定能够创新。创新更重要的是一种人格的、精神的特征。而人格和精神，只有通过人格的感染、精神的熏养，才可能形成。从这个意义上说，这样的课堂整体形态，对我们的教师是何其不公平，教师的课堂性格被抹杀，个性特长得不到展现；对我们的学生何其不公平，学生在课堂上接触不到教师的人格魅力，也无法与教师进行精神世界的交流！人的性格、个性、人格、精神都被遮蔽、消解了。没有了人，人的智慧和创新又从何谈起呢？

2. 被泛化的文以载道

课堂教学不但要传授知识，同时还要承担起文以载道的使命。新课程标准的三大目标——知识与技能目标、过程与方法目标、情感态度与价值观目标——赫然出现在教师们的日常备课教案中，成为教师在每一堂课中的现实追求。这本无可厚非。教学本身就具有丰富的教育性价值和使命。课堂教学在知识传授、技能培养的过程中进行道德方面的影响和教育，素来是我国教育的优良传统。问题是，当课堂教学中的道德教育目标被不恰当的泛化之后，所带来的恰恰是道德的沦落和虚无。

一位教师教授寓言故事《愚公移山》，要求学生在理解课文深刻的寓意、把握愚公的人物形象的基础上，"领会愚公的精神，正视成长道路上的艰难险阻，勇往直前"。这既是教学在情感态度价值观方面要达到的目标，同时也是课堂教学的重点。课堂是按照惯常的思路铺陈展开的。先是整体感知课文内容，接着是思读课文理解寓意，之后再研读课文总结升华。教师首先通过播放愚公移山的动漫 flash 导入，引发了学生的兴趣；再运用播放朗读录音、要求学生跟读、思考有关课文基本内容的问题等方式引导学生熟悉课文内容。主体的课堂环节是"理解寓意"，教师通过丝丝入扣、层层推进的问题促进学生的理解。几个问题是这样设计的，"移山这件事情很难吗？从课文中找出句子说明"；"移山这么艰难的事情愚公竟然还要坚持去做，他是不是很愚蠢呢？说出理由"；"叫愚公的做事并不愚蠢，叫智叟的做事并不聪明，课文通过愚公成功移山的故事告诉人们什么道理呢？"通过这样的三个问题，教师引导学生将课文寓意总结出来。在课堂上教师将其表述为两句话，"没有比脚更长的路，没有比人更高的山"；"有志者事竟成"。理解文章寓意之后的课堂活动是让学生讨论成长历程中遇到过哪些挫折，总结学了这篇课文有什么启示。教师的目的是让学生联系自己的生活经验谈感受，落实德育的教学目标，从而进一步感受愚公的伟大形象。

在课后研讨中，这堂课被公认为是比较完整、成功的语文课，也是经典的语文课堂设计。从课文到生活，有知识有升华，学生既学了语文知识又受到了思想品德的教育，就教学设计思路而言堪称完美。然而，就是这样一堂被公认为经典的语文课，任课教师在赴香港进行"课堂文化比较研究"交流时，面对香港的学生却遇到了无比的尴尬。在思读课文理解寓意环节，关于愚公究竟是否愚蠢这一问题上就卡了壳，全班的学生都认为愚公的做法实在太愚蠢了，任凭教师千方百计地渲染移山之难，苦口婆心地说明移山的重大价值和意义，却怎么也无法改变学生认为"愚公移山之举太愚蠢"的判断。有一个学生提出，就算当时科技不发达，就算为了改善交道和信息交流的确有必要移山，可还是有更加简便易行的解决问题的做法啊，"比如在山里凿一个隧道，就比移山要容易得多，可见移山确实不是什么聪明之举"。教师的良苦用心不难理解，学生的认识也不无道理。可是课堂教学的目标遭遇了现实的障碍。因为愚公的伟大精神被建立在"愚公不愚蠢"的课堂共识基础之上。所谓的价值观教育无法得到学生的认同，也就更谈不上落实。

为什么在我们的课堂语境中堪称完美的课堂设计到了另一个环境会出现完全不同的结果？为什么我们习以为常的文以载道会遭遇尴尬？这里面的原因值得深思。沪港两地课堂鲜明对比之下所带来的观念冲击是猛烈而彻底的。在很多时候，文以载道一旦失去了学生的配合与支持，所谓的道不过是教师的自以为是和一相情愿。牵强附会、生拉硬拽的文以载道，人为地赋予教学内容以华丽的外衣，而原来我们眼中华丽无比的外衣不过是自欺欺人的皇帝的新衣。用教师的自以为是和一相情愿，用人为的牵强附会和虚伪的自欺欺人，去进行课堂里的文以载道和道德说教，其结果可能不是学生道德的发展，反而恰恰是道德的泛化与虚化。特别是如果课堂中的道、教学内容中的道、教师的道与学生所能理解、认同的道之间不相一致，学生往往不得不表面上委曲求全，无奈地顺从教师的设定与教学的安排，做一个教学所要求的"有道德者"。但事实上，在他们的内心深处，并没有真正具备相应的道德意识和道德责任，相反，被动应付、弄虚作假、阳奉阴违的做法却得到了鼓励与提倡。这个时候，所谓课堂上的文以载道，岂不反而成了不道德的课堂教学？！

还有另一则非常经典的课例①，从中也可以看出泛化的文以载道对于学生思维的控制与约束。

学习《登山》一文时，教师让学生反复朗读重点段，即"我之所以要走这条令人望而生畏的小路，就是因为我害怕它。一个革命者不应该让害怕征服自己。同志，我们应该每天、每时、每刻、处处锻炼自己的意志"。之后，教师开始激情引导：

师：当我们在学习上遇到困难时——

生：要不怕困难，应该每天、每时、每刻、处处锻炼自己的意志！

师：当我们在生活中碰到可怕的事情时——

生：要不怕困难，应该每天、每时、每刻、处处锻炼自己的意志！

师：当我们遇到坏人坏事时——

生：要不怕困难，应该每天、每时、每刻、处处锻炼自己的意志！

学生大多从中地跟着大声呼喊。少许内向腼腆的学生，听着大家的慷慨陈词，不好意思地低下了头。

这种口号宣扬、喊口号式的课堂德育并不是偶然现象。它用"文字游戏"与"口号呼喊"取代了德育主体内心的体验与情感的认同，甚至忘却了行动诉求，从而将思想的提高和道德的完善简化成为知识的

---

① 沈火种. 如水滴石：语文课堂中的德育［J］. 思想理论教育. 下半月·行动版，2007（1）.

灌输与记忆，异化成为文字的背诵与口头的承诺。没有学生头脑的思考和内心的接纳，事实上也就无法达到思想的触动与熏陶，最终的结果只是学生的麻木、反感甚至抵触和排斥。

而在许许多多大同小异、程度不同的"口号德育"的教学过程中，"教师用自己的认识、思想和意愿来代替学生的想法、意志，一相情愿地扮演着传道士的角色，把自己的观点作为标准答案强加给学生。教师主体替代了学生主体，教师语言覆盖了学生思维，教师标准否定了学生差异，致使鲜活、生动的德育渗透成为生硬、乏味的说教与灌输，美妙的精神享受成为痛苦的精神折磨"①。最终便是学生越来越不会思维、越来越丧失自我的思维的恒久伤痛。

3. 被异化的课堂话语体系

纯粹理性的知识交流和师生人际交往，再加上被泛化而虚化的文以载道，长期浸染在这样的课堂氛围之中，学生们渐渐明白了课堂是一个"特别"的、神圣的地方。它的特别之处在于，课堂内外是有严格界限的，课堂内有许多和生活中不一样的东西。除了有平时能够做而课堂上不能够做的事情之外，甚至就连说什么样的话，课堂内外也截然不同。

这一点，从学生在课堂上所使用的话语体系就可以看出。有一位教师在课堂上安排了一个情境造句的环节，"当发现自己的考试成绩不理想时，用成语造一个句子"。三位学生分别造了三个句子。第一位学生说，"如果期中考试成绩不理想，我一定要发扬凿壁偷光的精神刻苦学习，让同学和老师对我刮目相看。"第二位学生说，"如果考试成绩不理想，我要程门立雪，让差的分数烟消云散。"第三位学生说，"如果成绩不理想，我要头悬梁锥刺骨地发奋刻苦。"学生造的句子令人听了之后肃然起敬，但这究竟是他们内心真正想说的话呢，还是他们认为在课堂上应该说的话呢？另一次，一位教师讲徐志摩的《再别康桥》，为

---

① 沈火种. 如水滴石：语文课堂中的德育［J］. 思想理论教育. 下半月·行动版，2007（1）.

了体会作者写作这首诗时的环境与心情，教师提问，"谁知道康桥在哪里，想象一下康桥是一个什么样的地方"，一位学生在下面悄悄说，"是男女同学谈恋爱的地方"。这个回答本没有什么不对，对于理解诗意似乎也有关系。可是当教师叫到他来回答问题时，学生却不敢说出这个答案，而是立刻换作严肃的表情和口吻回答"英国的剑桥大学"。

就这样，学生每天在课堂里说着与生活中不一样的话语，说着并非发自自己内心想说的话，自觉、自动地在课堂与生活之间转换、调整着自己的角色定位与话语体系。于是，课堂与生活被分割为两个世界，课堂的世界越来越成为独立于生活世界之外的一个独特的系统。两者之间如同楚河汉界，泾渭分明。想想看，如果我们的课堂教学给学生的影响，不是让学生抒真情、说真话、说自己的话、说生活的话，而是只学会了说空话、说大话、说别人的话、说不着边际的话甚至是说假话，这样的课堂教学，显然已经离道德的课堂越来越遥远了，也就同时失去了培养学生思维能力发展的意义和价值。

二、呼唤课堂的道德价值取向，追求有道德的课堂

从伦理精神与道德价值的视角关照当前的课堂教学，对于课堂教学教育性的落实意义重大。课堂不仅有教学效率、教学方法、课堂管理等科学性、规范性的要求，同时还有合理、善良、幸福等道德性的要求。道德的课堂着眼于教师和学生作为一个真正的人，着眼于学生的充分、全面、多元、自由地发展，着眼于学生愉快、和谐的精神体验。这种课堂应当具有鲜明的教育价值观、鲜明的育人立场和明确的道德目标。无论从课堂的目标、课堂的行为还是课堂的真正效果，都应当服从和服务于道德的标准。

具体而言，道德的课堂至少应该关注下述几个方面的特征。第一，人是第一位的。按照道德的标准衡量课堂，只有人才是课堂上第一重要的因素。在课堂这样一个场所和空间中，课程标准、教学内容、教材、

课堂规范等都是保证课堂教学有效进行的重要因素。但相形之下，却只有教师和学生才是有生命力的、主体的因素。课堂的目标、教学的内容、教学的方法包括课堂的规范，都应该始终围绕着人这个第一位的要素。第二，人的发展是最终目的。课堂的最终目标是促进学生的发展。这是课堂最为重要的价值，也是课堂的根本意义之所在。让学生掌握一项知识、明白一个道理、学会一种方法，这些都只是课堂目标的一个部分、一个方面，而不是全部。只有学生在知识、道理和方法的基础上获得了发展，才是课堂的真正成效。第三，和谐、幸福的发展才有意义。人的发展包括不同的方面，知识增加是发展，思维深入是发展，精神丰富也是发展。但对于人来说，只有知识、能力和精神各个方面协调一致的发展才是有意义的，是能够给人带来幸福体验的。任何一个方面的片面发展、局部发展都是不完整的。

因此，道德的课堂应该始终以人的和谐、幸福的发展为目标，在实践中坚持做到以下几点。

1. 让教师成为"人"

教师在课堂上首先是一个鲜活的生命，是一个有着不同欲求与个性的人，其次才是一位教师。让教师首先从职业的束缚中解脱出来，成为一个真实、自然、自我的人，让每一位教师以"人"的姿态而不仅仅是以教师的姿态出现在课堂上，这无论对教师本人还是对于学生，都是一种更为人性、公平、合理的教师角色设定，也是建设道德课堂的重要起点。

2. 让课堂教学回归人与人的交往

课堂不仅是教学，更是一种交往。作为人与人之间交往的一种特殊形式，师生之间在课堂上的交往无疑具有特殊的活动规则，但作为交往的课堂教学更要首先遵循交往的一般法则。比如，那些"放之四海而皆准"的交往黄金法则，包括孔子说过的"己所不欲，勿施于人"，以及西文谚语"用自己想要的方式对待别人"（treat others like you want to be treated），等等。只有在主体之间尊重、平等、对等这些普遍的交往法则的基础上，进一步强调课堂交往的特殊性，才能够凸显课堂教学交往的本质属性。遵循交往法则，让课堂教学回归人与人的交往，是建设道德课堂的有效途径之一。

3. 让学生说真话

语言是课堂交往与交流必不可少的重要手段。学生在课堂上的语言表达不仅是思维的锻炼，更是情感的流露，是思想的展现。说出来的话实际上能够反映一个人的内心。因此，要求学生在课堂上运用什么样的语言，说什么样的话，并不仅仅是语言表达的问题，它对于学生的人生发展和个性成长的意义不可小视。让学生在课堂上从小开始养成说真话，说自己的话，说想说的话的习惯，是培养学生道德人格的一个重要方面，也是构建道德课堂不能缺少的一个环节。

最后，我想再次强调，课堂不仅仅是知识的课堂、教学的课堂，它还应该是理念、价值观特别是教育价值观、道德价值观的课堂，是道德的课堂。所以，在关注课堂的规范、追求课堂的效率、注重课堂的方法之外，我们更应该倡导和构建的是课堂中（包括课堂教学过程本身和课堂教学内容）的伦理精神与道德价值。只有道德的课堂，才是真正有利于人的身心和谐发展的，才能够最终从根本上达成育人的理想和目标。

三、道德的课堂：教师能够做什么

课堂不仅仅是知识的课堂、教学的课堂，它还应该是理念、价值观（特别是教育价值观、道德价值观）的课堂，是道德的课堂。或者说，课堂不仅有教学效率、教学方法、课堂管理等科学性、规范性的要求，同时还有合理、善良与幸福等道德性的要求。"教学，就其本真而言，是人类的一项善举，是道德的。"① 所以，在关注课堂的规范、追求课堂的效率、注重课堂的方法之外，我们更应该倡导和追求的是课堂中（包括课堂教学过程本身和课堂教学内容）的伦理精神与道德价值。那么，作为教师，如何在课堂教学实践中努力实现课堂的道德目标，积极尝试道德课堂的构建呢？或者说，在追求并构建道德课堂的过程中，教师能够做些什么？我们认为，以下几个方面的途径或策略值得探讨与尝试。

1. 教师本人成为道德角色模型

作为课堂教学的组织者和引领者，教师本人的道德特征对于课堂的道德性生成显得尤为重要。构建道德的课堂，教师本人是否能够身体力行率先垂范，成为学生心目中接受和认可的道德角色模型，对于课堂教学的道德目标具有至关重要的影响。

范梅南在其所著的《教学机智》中认为，教育本质上更少是一个技术或产品生产活动，而更多是一个规范性活动，这就要求教育者要用正确的、善的和适当的方式行动。为此，他提出教师从事善的教学必须具备的一些基本品质，如对孩子的爱和关心、希望和信任、强烈的责任感、自我批评、思想成熟、机智敏感、探索世界奥妙的热情，等等。② 由此可见，教师的教学绝非一项纯粹技术和理性的活动，而是天然地具有浓厚的伦理色彩与道德要求。

试想一下，一个自私自利唯利是图的教师，一个虚伪浅薄阳奉阴违的教师，一个唯我独尊损人利己的教师，一个狭隘冷漠缺乏爱心的教师，如何能够将课堂营造成为温馨和谐的精神家园，让班级焕发出由衷真切的伦理关怀？又如何能够在学生心中激发起向善的欲望与道德的激

---

① 周建平. 追寻教学道德——当代中国教学道德价值问题研究［M］. 北京：教育科学出版社，2006：1.

② 马克斯·范梅南. 教学机智——教育智慧的意蕴［M］. 李树英，译. 北京：教育科学出版社，2001：12－14.

情？相反，这样的教师极有可能会成为学生内心厌恶与鄙视的对象，甚至会不幸成为学生不道德行为模仿的恶劣样板，进而不仅影响到学生的课堂学习态度和学习效果，甚至对学生的未来道德选择行为产生挥之不去的负面作用。一个在食堂插队买饭的教师，一个向学生家长索要财物、接受家长宴请的教师，一个使用手段令学生被迫在课外付费家教的教师，在学生面前宣讲纪律、规则、公正、正义、诚实等伦理价值标准时必定心虚理亏声音软弱。一个自身道德修养欠缺道德境界低下的人作为教师，其构建道德课堂的意识和能力显然都是不容乐观的。

从这个意义上说，教师构建道德课堂的功夫并不仅仅局限在三五十位学生、三五十分钟的课堂之内。它贯穿于教师的课堂教学、师生交往、课外活动、同事关系等一言一行、一举一动的全过程，甚至包括教师在学校工作之外的生活与社交等一切有可能遭遇学生的场所中。这样说来的结论似乎有些夸张，做教师岂不是随时要注意谨言慎行？然而事实却的确如此。且不说教师是"人之师表"的认识古已有之，教师始终被看做道德标准相对较高的职业人群，即使在社会道德整体滑坡的今天，仍然是一个不容否认的事实。某种程度上说，教师的行为不仅是学生的道德示范，很多时候也是全社会的道德标杆。因此，构建道德课堂，要求教师从修炼自身的道德品性、检点自我的道德行为这一根本起点开始。

一个堪称学生道德角色示范的教师，其自身的道德品性、为人风范和敬业精神于潜移默化之中成为学生效仿与学习的对象，本身就是鲜活生动的隐性课程和极为重要的教育资源；同时，由于教师取得了学生的认可与尊敬，因此教师所组织的课堂活动和开展的教育教学，也比较容易得到学生的认同和参与，进而达到良好的课堂教学效果。

2. 教师对课程文本的解读体现道德的特征

然而，即使是一个道德品性上乘的教师进入课堂授课，或者说，即使是一个在品德方面备受学生崇敬和爱戴的教师任教，道德的课堂却并不会自发地建构而成。道德的教师是道德课堂的必要基础、重要前提，但仅有教师的道德，却不足以自然而然地生成课堂的道德。真正称得上道德的课堂还需要教师在课堂教学的过程中，自觉地将道德的意识融入课堂教学的每一个细节和每一个行为，用心去进行道德理想与道德目标在课堂生活中的生成与创建。

在教师主动生成与创建课堂道德的全部努力中，最为基础与核心的一个方面表现为，教师在课堂教学过程中对课程文本的解读必须符合道德的特征。这包括下述含义。

（1）教师从课程文本中解读建构的意义是道德的。它指的是，经由教师的理解和转述，在课堂上向学生所传授的知识是有价值的。也就是说，经过教师加工处理的课程内容——知识本身是符合道德标准，具备道德特征的。如果我们认同学生在课堂上所接受的知识大多是经由教师对课程文本进行解读和建构之后的"二手的"知识，那么我们必须认识到，教师对于课程文本的解读和意义建构对于学生的成长和发展而言，具有决定性的影响。在课堂教学中，教师所强调的教学重点、教师所设计的课堂提问、教师所安排的课后作业，无一不在体现着教师本人对于课程知识的认识、理解、处理与加工，并且，经由教师的处理与加工，课堂教学往往暗含着要求学生达到同教师本人相同或相似的知识理解程度的期望。

教师在课堂上向学生传授的知识，作为课程与教学内容的重要载体，本身也具有道德性。知识的道德性的内涵在于，它是促进学生的人性和身心健康和谐发展的重要载体。因此，具备道德性的知识是每个人的人性、人格和德性健全发展的根本条件，失去了这个特征，教育的正义、正当和善就成为无本之木无源之水，甚至有可能完全与正义、正当和善良等价值目标背道而驰，最终走向恶与乱的终极。

一位教师在教学浙教版第十一册《挂两支笔的孩子》一文时[1]，要

---

①②　沈火种．如水滴石：语文课堂中的德育［J］．思想理论教育．下半月·行动版，2007（1）．

求学生对课文的主人公小亮进行评价。第一位学生认为小亮乐于助人，第二位学生发现小亮具有自知之明，第三位学生感到小亮很有礼貌。这原本是丰富多元又合理正当地解读文本的方式，而且学生所解读与建构的这些意义并没有什么不当，还为教师创设了顺势进行道德养成教育的绝好契机。然而遗憾的是，由于教师缺乏文本意义或教学知识道德性的意识，"眼里只有标准答案，对学生极富个性的阅读体验置若罔闻，以知识传授的形式替代了思想情感的熏陶，以成人化的苍白说教排斥了学生的自我道德建构。于是，语文课中本该极其生动形象的人文感染便沦为应试教育题库里几道干瘪枯燥的训练习题"[②]。长期以来的课堂教学所传授的知识，让学生暂时背记了一些无用的符号和数字，却愚钝了学生的心智，磨平了学生的棱角，击碎了他们对自我的信心和对创造未来的兴趣。

那么，教师在课堂上所传授的什么样的知识才是道德的？或者说，什么样的课程文本解读和意义建构才是符合道德特征的？本文认为，教师从课程文本中所解读建构的意义，最为底线的道德特征便是，它应该是准确的、有意义的、有价值的知识。用本身错误的、荒谬的知识去教育学生，影响学生，对于学生的成长和发展而言，这样的知识显然缺乏道德意义。任由应付考试的死知识和短期知识占据学生的心智，实际上是用知识的工具性价值淹没并取代了知识的道德性意义。因此，教师在课堂教学中，应该放眼学生的人性与人格成长，从知识的道德性这一大视野重新审视以往的课程文本，重新审视自己对课程文本的理解与建构。

（2）解读文本的方式和过程是道德的。它指的是，主体对于课程文本的解读是以合乎道德的方式进行的。合乎道德的文本解读方式强调的是，文本解读者能够对于文本进行合理的、创造性的意义建构和生成，并且这种建构和生成是由个体自主地、自由地进行的，没有外在的限制，没有被动的接受，没有功利的目标。无论教师还是学生，面对文本都能够轻松地放飞自己的心灵，自由地驰骋自己的思维，任性地放纵自己的想象。也就是，真正地进入一种自由境界。

　　然而，在以往的课堂中，传统的知识教学"往往把自己关注的'视点'放在知识掌握上，即怎样让学生'多快好省'地掌握知识，而这一过程本身的道德性问题却成了它的'盲点'。对学生身体上的体罚、心理上的打击、情感上的冷落、精神上的压制、人格上的羞辱、权利上的剥夺等问题经常会旁落在它的视野之外，甚至于为了知识的教授而披上合法的外衣，在日常教学实践中一再得到纵容。这也许就是罗蒂所极力批判的'知性的傲慢'在教学中的反映吧。在这样的教学实践中，学校也许能成为学习知识的'集散地'，但同时也许会成为学生精神成长的'屠宰场'"。① 因此，传统的知识传授方式是有更多限制性而缺少心灵自由的。

　　即使在课程教学改革异常活跃的今天，在"自主、探究、生成"已然成为一线教师耳熟能详的口头话语之时，知识传授与学习的自主和自由等道德维度仍然是一个停留在表面而无法真正进入行动深入内心的话题。一段时间中，某位特级教师在课堂教学中的一个做法曾经广为流行，不少教师在自己的课堂上进行模仿，即在一篇课文的教学即将结束的时候，要学生说出自己最喜欢的课文的段落，并讲出理由。某知名专家点评特级教师这样的做法，认为它体现了教师给学生提供自主思维、自由想象的空间和机会。专家的肯定成为众人模仿的动力。一般情况下，学生在课堂上都会很乖巧地说出自己喜欢课文的某一段，因为它"很生动""很感人""很优美"，诸如此类的理由。可是当有一次一个被指名发言的学生说出"这篇课文我都不喜欢"时，教师却不再让学生陈述理由，而是痛心地当众对这名学生进行一番批评教育，"这么好的课文，你都不喜欢，那你喜欢什么！同学们，大家一定要谦虚啊！"此时，所谓的自主思维和自由想象的空间和机会，不过是教师用以模仿与作秀的表演方式。而模仿与作秀，看到的只是外在的表象，深层的理

---

　　① 李召存. 反思知识教学的认识论基础［J］. 全球教育展望，2006（11）.

念与价值根本没有随之进入教师的内心。

因此，合乎道德的文本解读方式，不是什么难懂的术语，也没有什么高深的含义。它只要求把解读文本的自主和自由真正交还给学生，使得学生在意义建构和生成的过程中能够体验到探究的乐趣和自我的成就与尊严。

（3）教师的课堂行为渗透道德的标准。构建道德课堂，在教师本人的道德素养、符合道德特征的课程文本意义建构、合乎道德标准的课程文本解读方式等因素之外，还要求教师能够将道德的意识融入课堂教学之中，时刻用道德的标准衡量自己的课堂行为。因为，置身于课堂的教师，某种程度上如同舞台中央的演员一样，一个动作、一句表达，甚至一个眼神，都有可能被赋予意义，都有可能对学生产生意想不到的影响。因此，作为教师，需要不断雕琢和反复锤炼自己的课堂行为。概括说来，以下两个方面的课堂行为是教师在构建道德的课堂中尤其需要加以注意的。

第一，尊重学生、善待学生。教师应如何尊重学生、善待学生的问题，也是教育领域中从古至今老生常谈却又始终没有统一答案的问题。对于教师应当尊重和善待学生的道理，大概没有人会进行质疑，难的是究竟如何做才能体现出教师尊重学生和善待学生。在课堂上，教师究竟是把学生看做与自己平等的主体，还是以高高在上的知识权威者自居，教师究竟是以学生的思维、现场的体验和真实的感受为中心展开课堂，还是遵循课前的预设、固定的程序、自我的理解开展教学，背后折射出来的正是教师在内心深处究竟将学生置于怎样的地位的问题。教师尊重学生、善待学生的方式丰富多彩，无论是严格要求还是宽厚亲和，优秀的教师总是各有各的成功与精彩。不过，无论是哪种尊重学生善待学生的方式，不能缺少的一个根本在于，教师内心深处对于学生的善意与爱护。倘若出于善意，哪怕是严厉的责骂也是对学生的一种尊重和爱护。而如果本意不善，即使一个轻视的眼神也足以伤害到孩子令其终身难忘。

尽管尊重学生善待学生并没有固定的模式，但一些课堂上司空见惯的行为却值得教师反思并努力避免。在我们看来，一个经常随意打断学生发言的教师，一个总是设置圈套将学生的思维引入预定轨道的教师，一个吝啬赞美经常对学生冷嘲热讽的教师，一个眼睛里只有成绩好的学生听话的学生，对问题学生不闻不问的教师，一个不愿精心设计有个性的课堂却热衷于习题战术的教师，一个不关心学生的精神世界只知道考试排名的教师，由于不经意地将自己内心的善意与爱冷落一旁，也就忽略了应该如何表达对学生（包括他人）的尊重与善待。作为一个教师，"应当尊重、不侵犯学生的人身权利与人格尊严，保障学生人身安全，尊重学生在他们自己的组织中独立行使他们的权利，履行他们的义务，平等地对待每一个学生。违背这些起码要求的教师，即使课上得再好，也算不得合格的教师"[①]。

第二，给学生自由思考的机会。尽管"让学生自由思考"早已经是教育改革中一个老生常谈的话题，可真正能够在实践中进行创造性的探索和有效实施的却仍然难能可贵。因此，在课堂教学中，教师能够有意识地给学生提供自由思考的机会，同样也是值得倡导的道德行为。

有这样一个例子。湖南省株洲市的一位小学教师曾经在教学中倡导"三胡策略"，一度在教育界引起较大的关注与争议。[②] 所谓"三胡策略"是：解放学生的脑，允许学生"胡思乱想"；解放学生的嘴，允许学生"胡说八道"；解放学生的手，允许学生"胡作非为"。"三胡策略"的首倡者黄先俊老师这样对自己的学生说，"从今天起，你们想怎么坐就怎么坐，只要自己觉得舒服；做实验想怎么做就怎么做，我甚至不反对你们上课插嘴……"黄老师提出这一策略的深层目的是为了培养学生的思维能力和创新精神。具体到课堂策略上，黄老师会向学生提出这样的问题，"猫和电冰箱有什么联系"。同学们积极主动地"胡思乱想"之后，开始七嘴八舌地"胡说八道"，有的同学说猫吃鱼，而鱼有可能躲在冰箱内；有的说猫是恒温动物，冰箱也一般保持恒温；有的

---

① 陈桂生. 师道实话［M］. 上海：华东师范大学出版社，2004：78.
② 唐湘岳，瞿朝晖. "三胡策略"引发争议［N］. 光明日报，2003-9-28.

说猫生长需要能量，冰箱也要有电能才能转动；有的说猫有尾巴，冰箱的插头线也像一条尾巴；有的说猫睡觉时打呼噜，冰箱启动时也有声响。千奇百怪的答案背后，反映出来的是学生大胆的想象和丰富活跃的思维。据称，"三胡策略"实施之后学生的发展取得了显著的成效。但这一策略还是受到了不少批评和质疑。本书无意加入对"三胡策略"支持或反对的正反辩论之中，但认为这一策略所蕴涵的最大亮点在于教师观念的彻底解放，在于切实地将课堂思考的空间和机会呈现在学生面前。我们认为，诸如"三胡策略"之类的大胆尝试，可贵的不仅仅在于其行为的转变，更在于其背后所蕴涵的价值理念的更新，以及这一价值理念中所包含的对于人性的理解和尊重。

课堂的改革如同社会及教育领域中其他方面的改革一样，必须同时考虑科学合理性和价值合理性，必须将道德价值和道德维度作为重要的参照体系和目标追求。因为，教学作为一项道义的事业，"道德的目标"是教学变革与进步极为重要的资源[1]；学校的教学本身"就是一种道德的努力"[2]。因此，作为教师，一方面除了努力追求教学的科学、规范与效率，另一方面还必须自觉构建课堂的合理、正当与美德。只有超越了科学、规范与效率，走向道德彰显与价值优越的课堂，才是真正的道德的课堂构建，才是对于学生的思维发展和智慧提升具有深远价值和根本意义的课堂。

---

① 迈克尔·富兰. 变革的力量——透视教育改革［M］. 中央教育科学研究所，加拿大多伦多国际学院，译. 北京：教育科学出版社，2004：20—26.

② 迈克尔·富兰. 学校领导的道德使命［M］. 中央教育科学研究所，加拿大多伦多国际学院，译. 北京：教育科学出版社，2005：1.

第三节　多元智能理论融入课堂[①]：新的启示

改变以往很多教育改革的新理念往往忽略课堂、从课堂外围下工夫的做法，可谓是多元智能研究范式的一个转换，是其研究重心从边缘到中心的一个推进。实现多元智能与课堂教学的整合，意味着这一理论与教师每一天的教育教学行为发生关系，意味着这一理论对学生学习方式的实质性关注，意味着这一理论对教师的教育教学观念进行深度改造和真正意义上的重新建构。

一、从边缘到中心：多元智能融入课堂

事实上，将多元智能融入课堂之中，也是美国进行多元智能研究的学校中备受关注的一个重点。这里将以美国新城小学的做法为例[②]，对其在将多元智能融入课堂方面所做的大量工作进行介绍评析，以期能够给我们带来一些启示。

新城小学的校长霍尔先生认为，一个具有创造性的教师总是会寻找各种机会修正课程和教学方法，以便能让学生运用不同的智能去学习和分享他们所知道的东西。当学生们能够更加得心应手地运用各项智能时，他们就会运用那些教师意想不到的智能去解决问题和展示自身的才华。因此，营造一种让学生运用多种智能，并感到没有任何风险的课堂氛围，是一种具体表现多元智能的重要标志。他提出，以下这些方法对于将多元智能融入课堂中非常有用。

---

① 这一部分的内容，参见：郅庭瑾. 多元智能教学［M］. 天津：天津教育出版社，2004.

② 有关新城小学的资料，引自：THOMAS R. Hoerr. Becoming a Multiple Intelligences School［M］. ASCD，2000：34－37. 此书已有中译本，参见：托马斯·R. 霍尔. 成为一所多元智能学校［M］. 郅庭瑾，译. 北京：教育科学出版社，2003：62－67.

1. 设计基于课程的学习活动

这些学习活动运用一种特殊的智能致力于能力的掌握或理解。霍尔提到了这样一些情况：如果一个班的学生刚刚阅读了一部小说，教师就可以设计一系列与某一特殊智能有关的学习中心，用以判明学生是否理解了他们所阅读的内容；空间活动方面的指导可以是让学生画出一系列的图画或卡通画（像电影胶片一样）以展示他们刚才所阅读和学习到的东西；一个数学活动则可以让学生作出一幅直线图用以表现故事的情节起伏和结局；言语专题的活动可以是通过叙述（用录音机录下来），或是书面写下如何看待某一背景下的一个特定角色，以展示对于角色人物的理解，或是让学生改变背景故事并设想这一角色人物会如何应对；而一个身体运动专题可能要求学生表演故事中的重要情节。

例如，在阅读了《狼群中的朱丽叶》这篇课文之后，教师就可以让学生在他们自己创作的地图上绘出朱丽叶在加拿大的茫茫荒野中艰难跋涉的情境；或者他们会画出一系列的画面组成一部展现朱丽叶如何觅食的卡通胶片。一张直线图可以记录朱丽叶在迷路，对生活恐惧，渴望寻找文明过程中变得坚强，以及最后成功地结束了她的旅程时的情感变化情况。学生们可以通过写作、录像或是画画的形式把朱丽叶的旅程制作成日志。其他的活动可以让学生选择一种用音乐手法表现这一情节或是表演一出具有这个故事特色部分的话剧。可能运用的手法是多种多样的，但运用活动的形式给学生提供了一个机会，使他们可以运用不同的智能展示所掌握的某一特定课程的知识，这一目的都是可以达到的。这些活动一般都是短期的，通过提供机会对能力和理解进行加强、扩展和评估，致力于课程某一特定方面的学习。

2. 设计基于智能的学习活动

基于智能学习活动的设计，是一种为了使学生能掌握与某一特殊智能相关的能力的方法。它们一般都比课程本位学习活动使用的次数要少，而且它们与课程本位学习活动不同之处在于，智能本位学习活动不是力图达到某一课程的目标，其目的是帮助学生发展特定的智能。在使用智能本位学习活动时，教师设计了包含各种智能的学习活动，每个活动专题都包括许多不同的活动形式安排。例如，一个空间主题活动也许为学生提供画一幅画、走迷宫或是运用智力图分享信息的选择。或者给学生机会用相片和杂志照片做一幅表达情感的抽象拼贴画。有时候可以让学生运用空间智能的几种不同形式记录一件事情或一种情感。例如，学生可以通过画一幅油画，作一副抽象拼贴画以及画一幅智力图（在脑中勾勒出一幅情境）的方式，来描述他们所认为的美洲土著人第一次遇见来自欧洲的探险者时的感受。

一个音乐学习活动可能是让学生使用磁带录放机和耳机，去选出最符合他们正在学习的历史事件的格调的音乐。教师也许会要求学生作曲或者根据所给的曲子填词。

新城小学的一位教师创造了一项同时运用多个磁带录放机和耳机的学习专题，每个录放机播放一种不同流派的音乐（爵士、蓝调音乐、摇滚、经典）。在学生讨论完音乐的种类以及如何运用不同的音乐之后，就欣赏各种音乐并通过书面文字，或是绘画的形式交流他们听完各种音乐后的感受。作为活动进行到高潮时的一项活动，这位教师在教室里拉一根绳子，上面挂一张布帘，然后关掉灯。学生们坐在帘布的一边，然后每个人轮流到另一边去表演。表演者选择一种音乐，然后带上耳机，伴随音乐起舞或是做动作，强光从他身后照射产生的影廓则会映在帘布上。观众不能听音乐，只能通过观察表演者的动作判别他正在听什么音乐。

霍尔还特别指出，根据可以得到什么样的资源（包括空间），既可以几个活动同时关注于一项智能，也可以一项活动着眼于一项智能。而且，虽然强调能力和知识的评估很重要，但是这些活动的主要目的是让学生获得开发他们智能的经验。相比而言，基于智能的学习活动一般比基于课程的学习活动时间要长，任务也更复杂。

3. 设计、展览和表演

设计、展览和表演是一种多元智能的综合表现。学生运用他们的智能和更多的观众一起分享他们的知识。例如，学生为了创作出表现一部小说某一场景或是表现一个美洲土著部落生活场面的一个立体模型，从而运用他们的视觉空间和身体运动智能去描述他们所了解的情况。同样的，学生们可以运用各种智能去表现人体怎样发挥功能、植物怎样生长以及蛇怎样蜕皮等情境。

如果学生所创作的作品是用口头陈述加以说明的，这个学生就运用了人际交往智能、语言智能，甚至还有身体运动智能。在为"不熟悉"的观众做准备时，不论这些观众是其他年级的学生还是成年人，都提高了难度，也激励学生在知识的理解和表述方面更清晰一些。例如，每个三年级的学生都要研究一个美洲土著部落，并制作一个反映这个部落生活某些方面情况的立体模型。在展出的那天，学生站在自己的立体模型旁边，准备向其他学生和大人讲解立体模型和该部落的情况。同样，四年级的学生选择了 50 个州中的一个，采取书面或口头的形式，结合图表和图画以及这个地区的特产食品和最受欢迎的食物实例，全面反映这个州的情况。

然后，学生通过一系列的活动对自己的表现进行反思，这些活动从简单回答"你想在什么方面做得不一样"之类的问题到向观众征求意见，再到观看他们自己表现如何的录像等都有。反思是一种发展自我认知智能的综合性工具。新城小学的经验表明，邀请家长和社区成员来观看学生的表演是一种让他们了解多元智能效力的完美途径，因为这种方式能让他们看到学生是怎样运用各种智能学习的。

4. 主题教学

主题教学的前提是，当学习是有意义学习时，学生的学习效果最佳。一个主题就是一个超越了学科和内容领域的统合概念。在新城学校，学习一个主题的时间一般是一个学期或是一年。课程不再是一堆不相干的能力和内容碎片，而是源自主题并与主题密切相关的知识。在选择了一个主题之后，教师便要制定一套致力于学习大家认可的技能和知识的课程。由于主题是由教师根据学生的情况选择和开发的，所以主题都很有趣，与学生关系紧密，也很容易转化为可以单独或通过合作完成的计划、展览和表演的活动形式。主题教学支持了多元智能的运用，反过来也一样。

霍尔引用了一个四年级的主题"市民的作用"，从中可以看出主题教学的丰富多彩。这个主题把教室变成了一个政府，学生扮演市参议员，教师扮演市长。规范课堂行为的法律被起草并通过。在这一年的时间里，全班学生去了圣·路易市政大厅和该州的首府杰佛森市，参观了在那儿是如何制定法律的，市政府和州政府是如何运作的。关于我们怎样才能够通过发挥个人的责任感去体现自身的作用这一问题，有多种不同的方式可以强调这一点。这些方式有，当学习一个关于残疾的单元时，学生要么整日待在轮椅上，双目被蒙蔽，要么双手被绑缚着；也有关注他们怎样才能听取他人的意见，以及如何回应别人的请求，等等。无家可归也是这次主题提到的一部分，附近一家流浪者之家的负责人来到班上并介绍了他的工作和这个机构。此外，全班有一天（这天没事）一起去参观了流浪者之家并帮助准备食物。

关于主题教学，福格蒂和斯托尔也曾经专门做过更为深入的探讨。她们从课程整合的角度，详细论述了如何从单一学科内或跨学科间产生有意义的主题进行整合的多元智能教学。福格蒂提出了十个课程整合的模式，分别是分立式、联结式、窠巢式、并列式、共享式、张网式、串线式、综合式、溶入式、网络式。这些模式为教师提供并详细介绍了不同的整合课程构建主题的具体策略。虽然她们更多从课程整合的角度论述主题的确定，但从各种类型主题的选择和确定过程中，同时也已经为教学提供并确定了指导性的思路。①

从设计基于课程的学习活动、设计基于智能的学习活动，到设计、展览和表演以及主题教学，从美国多元智能学校的这些做法中可以看出，他们从教学的内容和教学活动的形式两个方面致力于将多元智能融入课堂教学的实践之中。这些做法无疑对我们具有重要的启示意义和借鉴价值。教学活动的形式自不必说，追求教学的生动活泼和丰富多样本来就是多元智能课堂教学改革的核心追求，而从教学内容的角度关注多元智能理念的渗透，如提倡课程的整合，强调主题式的教学等，则与我国当前新课程的改革精神正可谓不谋而合。

二、课堂里的多元智能：多元智能教学策略

多元智能理论提出人的智能是多元的，每个人拥有不同的强势智能。因此，教育教学的方式应该与学生的智能特征相适应。而多元智能关注课堂、融入课堂的研究进一步引发了关于如何根据多元智能理论改进教师的教学策略和教学行为的思考和讨论。

台湾省的张稚美提出，运用多元智能理论领导教学的情境，有三种可以选择的方式：一是利用各种资源来启发或培育某种特定的智能，二是以多元途径来增强某教学单元的内容或学习效果，三是配合上述两个方面综合应用多元途径，既加强智能的发展，也强化学习的内容。拉齐尔（Lazear，1991）也指出，多元智能在教学上的应用方式可以分为三个方面：一是以智能为教导内容，帮助学生了解、运用自己的多元智能及如何运用它们去学习；二是以智能为手段去获取此智能领域以外的知识；三是以智能为教学主题，把智能当做一门学科来教学。② 这两种说

---

① 关于整合课程内容进行主题教学的更多详细论述，请参考 ROBIN FOGARTY，JUDY STOEHR. Integrating Curricula With Multiple Intelligences：Teams，Themes，and Threads [M]. London：Skylight Professional Development，1995. 或参考中译本：罗宾·福格蒂，朱迪·斯托尔. 多元智能与课程整合 [M]. 郅庭瑾，主译. 北京：教育科学出版社，2004.
② 转引自：郑博真. 多元智能统整课程与教学 [M]. 长春：长春出版社，2002.

法虽然表述不尽相同，内容却大同小异。从中不难归纳出，多元智能对于教学而言，既可以作为"手段"，也可以当成"目的"，或者两者同时兼顾。笔者认为，就我国目前借鉴多元智能理论改革教学实践的现状来说，单纯的"手段"说或"目的"说都欠缺合理性，理想的状态应该是"手段"优先，兼顾"目的"，即以智能作为教和学的手段，以多元的途径达到最终既加强了智能，也强化了教学内容的目的。

在林林总总关于多元智能的著作当中，不同的学者从不同的角度关注运用多种智能的教学策略或教学活动。坎贝尔夫妇和狄肯森（Campbell，L.，Campbell，B. and Dickinson，D.，1996）将多元智能理论与中小学教育教学的实践密切结合起来，在大量实践研究的基础上，提出了丰富多样的多元智能式教学策略，为教师的教学活动提供了崭新的视角。他们以智能类型为线索，为不同的智能设定了相应的教学策略和方式。① 第一，语言智能教学策略，包括倾听（听故事、聆听诗歌、听讲）、讲述、班级讨论或小组讨论、阅读、写作（说明书、广告词、产品说明书、信件、海报等）、演讲、记日记、朗读、录音、投稿、访谈、报告、背诵诗歌，文字游戏等。第二，数理逻辑智能教学策略，包括采用不同的提问策略提出开放性的问题让学生回答、运用陈述问题——形成假设或解释——观察和实验——解释资料——推导结论五步科学方法研究、运用三段论、范恩图解等演绎逻辑、运用类推等归纳逻辑、佛斯坦的"中介学习方案"和格林伯格的 10 个思考积木、运用数学模型、积木模型、编码、图表等数学程序、在多学科中采用数学计算、测量、几何描述、概率预测等方法、运用包含数学问题的故事、将事物按照一定的逻辑排列顺序以及从各学科中抽取数学概念作为研究主题。第三，身体运动智能教学策略，包括课堂剧场、角色扮演、创意戏剧、模拟设计、创意身体动作、舞蹈、操作卡片、摆弄积木等实物、制

---

① 参见 CAMPBELL L, Campbell B., Dickinson D. Teaching and Learning Through Multiple Intelligences ［M］. London：Allyn & Bacon, 1996. 此书已有中译本：坎贝尔. 多元智能教与学的策略——发现每一个孩子的天赋［M］. 王成全，译. 北京：中国轻工业出版社，2001.

作课堂图章和印制图案、教室游戏、体育活动、实地考察旅行，等等。
第四，视觉空间智能教学策略，"一图胜千言"，因此在教学中大量运
用图表、图解或照片从而有效地帮助并强化大多数学生的学习，是这一
策略的指导原则。具体包括，用来表示数学、历史、科学、健康教育、
文学等教学中因果关系的流程图，用来表示段落、报告、论文等构成的
视觉化大纲，用以了解学生学习进度的单元图表等，还有概念地图、思
维构图、"集群化"创作、心灵触发等视图化工具，以及用颜色标示进
行区分、变化形状以突出重点、讲述和讨论时的视觉化辅助等手段，另
外还有棋类和纸牌游戏，利用建筑促进教学等方式。第五，音乐智能教
学策略，讨论问题时听音乐、教学过程中播放背景音乐、为不同的课程
内容录制适合的音乐、进行音乐化的拼写、通过音乐讲授阅读、唱歌、
集体诗歌朗诵、学习乐谱及其他音乐符号、为教学内容创作合适的歌
曲、用音乐激发创造力（比如根据音乐创作诗歌、叙述段落、创编故
事，对音乐进行描述等）、在教室里制作乐器并创造性地使用乐器。第
六，人际交往智能教学策略，各种形式的合作学习、教给学生管理冲突
的方法、让学生通过社区服务或志愿者服务等活动学习、相互交流培养
多元意识理解不同的观点、进行多元文化教育。第七，自我认识智能教
学策略，通过循环赞美提高学生的自尊，教会他们爱自己；调查学生的
兴趣，帮助他们设定并实现自己的目标；让学生自我反思以培养元认知
意识；为学生创造机会表达或发泄自身各种情绪感受；写个人日记和班
级日记；让学生进行自我指导学习。

以上由坎贝尔夫妇和迪肯森所提出的这些教学策略，既体现了多元
智能理论的精神内核，又具有很强的实践操作价值，值得每一位关注学
生思维能力发展的实践工作者在自身的实践中去进行尝试和探索。无独
有偶，阿姆斯特朗也为八种智能分别提出了不同的教学策略。每一种智
能五个、共计40个教学策略。他认为，多元智能理论为教师们打开了
一扇大门，在这扇门的里面，有丰富的能够将之便捷地运用在课堂实践
中的教学策略。其中有些策略教师们早已经在运用，还有些全新的策

略，而正是由于多元智能理论，为教师提供了开发创新型教学策略的机会。而无论是古已有之的策略还是富有多元智能理论特色的新型教学策略，很重要的一点在于，任何一种教学策略，都不可能永远对所有的学生有效。每一个学生在八种智能方面各有强弱，因此，任何一种特定的教学策略，对某一种类型的学生来说可能是非常成功的，而对于另一种类型的学生而言则可能是无用的。学生身上所存在的这种个体差异，给了教师一个最佳的建议，那就是，对学生运用尽可能广泛的教学策略。只要教师转变他们单纯讲述的教学方式，学生就有可能将自己最强势的智能运用到学习过程之中去，进行一种思维含量较高的学习活动。阿姆斯特朗为八项智能所提出的 40 种教学策略如下。①

1．语言智能教学策略

（1）讲故事。阿姆斯特朗认为讲故事应当被看做一种至关重要的教学手段。当在课堂教学中运用讲故事的方法时，教师就可以将一些本质的概念、观点以及教学目标都整合到所讲的故事当中去。而且，尽管人们通常认为讲故事只是一种传递人文知识的手段，实际上在数学和科学课中也同样可以运用这种策略。例如教乘法时，可以给学生讲关于几个兄弟姐妹的故事——他们具有一种神奇的力量，无论他们触摸到什么东西，其数量都会增加；哥哥摸过一次之后，增加两倍，弟弟再摸一下，增至三倍，等等。

（2）头脑风暴。教师可以针对任何方面组织学生展开头脑风暴。运用这一策略最一般的法则是，不要拒绝或批评任何观点，让学生自由地分享所想到的一切，每一个观点都有其价值。教师可以随意地把学生的观点写在黑板上，也可以运用提纲、智力地图或者范恩图解等方法对学生的观点进行组织。等每个学生都交流过自己的观点之后，再请学生回过头来对每一个人的意见进行反思。这一策略使每一位学生的创意都

---

① THOMAS ARMSTRONG . Multiple Intelligences in the Classroom ［M］. ASCD, 2000：51 - 63. 自然观察者智能在此没有做重点介绍。

可以得到承认。

（3）为学生录音。在阿姆斯特朗看来，为学生录音有可能是任何课堂中最有价值的一种学习的途径。因为这种策略为学生提供了一个中介，帮助他们运用语言能力去交流思想、解决问题以及表达自己内心的感受。通过录音，学生可以大声地说出自己的想法，并进行自我反思。

（4）写日记。让学生对某一个特定的领域进行持续写作。涉及的领域既可以很宽泛，不受什么固定模式的限制，也可以很具体。学生可以写数学日记，如"我所使用的问题解决策略"；也可以写科学日记，如"所做的实验，正在检验的假设，得出的新观点"等；还可以写文学日记，如"读后感"等，主题可以是多种多样的。日记可以是很私密的，也可以在师生之间进行交流，或者也可以定期向全班阅读。日记还可以通过绘画、素描、拍照片、对话以及其他非口头语言的形式，从而将多项智能融入其中。这个策略同时还突出了自我认识智能，因为学生是在用日记对自己的生活进行反思。

（5）出版学生的作品。过去学生写作文就是为了交作业，由教师批改，之后就扔掉了，因此写作在学生眼里就是要完成任务。现在教师应该换一种方式，告诉学生写作其实是最有效的交流思想、影响他人的工具，而通过提供机会出版、传播他们的作品就能够做到这一点。出版可以有多种形式，不一定非要出版社正式的出版发行。比如影印、或者经过电脑文字处理后打印，学生还可以在校报、市报、儿童杂志或者其他有关出版物上发表他们的作品。也可以发挥学校网站的作用，最重要的是要达到交流思想的目的。出版之后，应注意通过读书会等形式安排作者和读者之间的交流，如果学生发现其他人非常关心自己的作品，对其进行讨论甚至辩论，这将会成为促进其进一步发展写作能力的动力。

2. 数理逻辑智能教学策略

人们通常会认为数理逻辑智能仅限于数学课和科学课。实际上，所有的课程都包含有这一智能的要素。下面这五个方面就是可以运用于所有科目中进行数理逻辑智能开发的教学策略。

（1）计算和量化。教师可以在数学、科学等学科之内以及之外的其他学科中去发现运用数字的机会。如在历史和地理课上，可以关注一些重要数据，比如，战争中丧失的生命、不同国家的人口数，等等。即使在文学课中也可以做到这一点。许多的小说、故事和文学作品都与数字有关系。通过关注非数学科目中的数字，不但可以更好地激发数理逻辑智能较强的学生的热情，还可以使学生明白，数学不只属于数学课而是属于整个生活。

（2）区分等级和类别。任何时候当信息被归入一个理性的框架时，人的逻辑思维就受到了触动。一些关于逻辑框架的例子包括：范恩图解、时间年表、五个 W 图表（回答谁、什么、何时、哪里以及为什么的图表）以及智力地图等。这一策略的价值在于，围绕中心观念或中心主题将支离破碎的信息组织起来，使其易于记忆、讨论和思考。

（3）苏格拉底问题。在这一策略中，教师扮演了学生观点的质疑者的角色。教师不是告诉学生什么，而是同他们一起进行对话，目的是为了澄清学生的认识究竟是对还是错。古希腊的哲学家苏格拉底是这一教学策略的典范。

（4）启发式教学。启发式教学包含着一系列的教学策略，也是最重要的教学策略。启发式教学为学生提供了一副逻辑地图。

（5）科学思维。一些研究认为，达到95％的成年人缺乏基本的科学常识，并且对于科学对世界的影响缺乏认识，因此，这一策略显得尤为重要。正如在所有学科中寻找机会运用数学思维一样，教师也可以超越科学课，引导学生在所有学科领域中运用科学思维。有许多跨学科扩展科学思维的方法，比如，学生可以研究重大科学观念对于历史所产生的影响，如原子弹对于第二次世界大战的影响等；还可以研究科幻小说中所描写的观点是否可行；还可以研究一些全球性的话题，如艾滋病、人口爆炸、温室效应等，这些都需要一些科学的背景知识才能够很好地理解。在这些不同的课程中，科学为学生提供了能够极大丰富他们观点的新思路。

3. 视觉空间智能教学策略

视觉空间智能与图像有关，无论是个体头脑中的图像还是外部世界的图像，如照片、幻灯片、电影、图画、图表符号、表意文字，等等。不幸的是，在今天学校教育的实践中，学生所接触到的信息，即使运用了直观教具，常常还是被转化为黑板上的文字，这实际上仍然是语言智能。这里设计了五个发展学生的视觉空间智能的教学策略。

（1）想象。帮助学生把书本上或者听讲所获得的内容转化成为图像或者画面，一个最为简单的方法是让他们闭上眼睛，在头脑中把所学习的东西描绘出来。之后，他们可以把所想到的东西画出来，也可以互相讨论各自想到了什么。

（2）颜色暗示。视觉空间智能比较发达的学生常常对颜色很敏感。然而，学校的生活通常只有黑色或白色的课本、纸张、练习本以及粉笔。但是，有许多创造性的方法可以把颜色融入课堂之中作为一种学习的工具。比如用不同颜色的笔或纸表示不同的观点，运用颜色去强调学习过程中的某些方面，当遇到难题时，学生还可以用自己最喜欢的颜色从而达到减轻压力的目的。

（3）图像隐喻。隐喻指的是用一个观点去解释说明另外一个，图像隐喻则用一个视觉想象表达一个观点。发展心理学家认为，儿童很善于隐喻，只是随着年龄的增长，这种能力反而降低了。但是，教师可以运用隐喻去帮助学生掌握新的知识。隐喻的教育价值在于，它建立起了学生已知和新知两者之间的联结。因此，教师要善于把所教的主要概念与某一个适当的视觉想象联系起来。

（4）观点绘图。历史上有一些重要人物包括达尔文、爱迪生等，都善于运用简单的图画去发展他们的伟大思想。教师应该认识到这种视觉思维的价值，它可以帮助学生清晰地表达他们对于学习内容的理解。这一策略包括，要求学生把他们所学的主要观点、核心主题或者核心观念画出来。

（5）图表符号。其中最为传统的一个教学策略是在黑板上写字，其次是在黑板上画图。运用图画表格对于增强视觉智能型学生的理解是最为重要的。因此，一个善于在教学中运用绘画和图表符号以及词汇的教师无疑能够为更多的学习者创造学习的机会。

4. 身体运动智能教学策略

学生一旦离开学校也就离开了课本和教材，但他们的身体却永远跟随他们。在传统的观念中，关于身体的学习被认为是体育课或职业教育的范畴，而下面的这些策略则表明了，将动手类和运动型的学习活动整合到传统的阅读、计算、科学等学术类学科中去其实是很容易做到的。

（1）身体答案。让学生用他们的身体作为一种表达方式对教学作出反馈。这一策略最简单而常用的例子莫过于让学生举手表明他们的理解。但这一策略可以采用多种方式，如学生可以微笑、眨眼、伸出手指、用手臂做飞的动作等。还可以让学生自由创造出多种多样的动作作为身体答案来表达他们是否理解或掌握了所学习的内容。

（2）课堂剧场。让每一个学生扮演或者分角色扮演所学习的内容。

（3）运动概念。这一策略包括两个方面，或者通过身体语言向学生解释概念，或者要学生用打手势的方法表达课本中特定的概念或术语。这样的活动要求学生将信息从语言或逻辑符号系统转换为身体运动的表达方式。很多学科都可以运用这一策略。这里有几个关于用身体语言或活动表达概念的例子：土壤腐蚀、细胞分裂、政治革命、供需关系、数量减少等。最为简单的手势也可以扩展成为精心设计的、富有创意的活动或者舞蹈。

（4）动手思维。教学应该给身体运动智能强项的学生提供动手操作物体或制作物品这样的机会去进行学习。过去教师往往在数学课或科学课上让学生动手操作或做实验，而这一教学策略应该被广泛运用到更多的课程领域之中去。例如，学生可以用黏土拼字学习新的词汇，或者，等到他们达到更高的认知水平后，可以通过捏黏土、做木质雕塑、抽象拼贴画等表达一些复杂的概念。

（5）身体地图。如果把人的身体看做一个参照点或者一副特定知识领域的地图，就为我们提供了一个极为便当的教学手段。这一策略最为普通的例子是用手指数数或计算。我们同样还可以把其他学科示为身体地图。如地理课，用人体来表示中国，如果头部代表东北，那么海南应该在哪个部位？还可以通过人体不同的部位及相应的动作来表示数学中的问题解决策略。

5. 音乐智能教学策略

在千百年的历史中，知识曾经通过歌唱的形式代代相传。20 世纪以来，越来越多的广告界人士发现，歌曲广告能够帮助人们记住他们的产品。然而教师却没有及时认识到音乐在学习中的重要性。因此，很多人在他们的长期记忆中保留着成百上千的商业性歌曲广告，却很少与学校有关的歌曲。下面的这些策略有助于帮助教师将音乐整合到核心课程中去。

（1）运用节奏、歌曲、节拍和韵律。把教学内容中的精华抽取出来，用演唱、击打节拍、或者押韵等有节奏的形式去表示。这一策略还可以通过使用乐器而提高水平。

（2）音乐作品分类。为课程内容找来所有相关的音乐作品，包括磁带、唱片、录音等，所有有助于说明、体现或强化教学内容的音乐材料。欣赏之后，全班讨论歌曲中与主题单元相关的内容。

（3）寻找非常容易记忆的音乐。很多年以前就有一些教育研究者认为，如果教师讲授的时候配上合适的背景音乐，学生将会更加容易记忆教学内容。有人提出来四分之四拍的巴洛克音乐以及古典音乐尤其效果显著。原因是，当教师在这样的音乐背景之下有节奏的说出授课内容时，学生处于一种非常放松的状态之中。

（4）音乐概念。音乐中的音调，可以用来作为一种表达多种学科中的观念、模式等的创造性手段。比如，用音乐的方式传递"循环"的观点，先用一种特定的音调发出"嗡嗡"的声音，然后逐渐降低，再逐渐提高到开始时的音调。类似的方法可以用来表示余弦、椭圆以及其他的数学图形。同样，教师还可以用节奏来表达教学内容中的不同观点。

（5）情绪音乐。对于特定的课程或教学单元，教师可以寻找合适的音乐用来创造一种恰当的情绪或情感氛围。比如，当学生在读一个发生在海边的故事时，教师可以播放一些海涛、海浪、海鸥鸣叫等的声音。

6. 人际交往智能教学策略

（1）同伴交流。阿姆斯特朗认为交流是最容易运用的多元智能策略。而教师所需要做的就只是对学生说"转向离你最近的一个同学开始交流"。

（2）人物雕塑。人物雕塑指的是，将学生集中起来，让他们分别用身体形状共同地表示一个观点、概念或者其他一些特定的学习目标。比如在代数课上，学生可以创造由不同的方程式构成的人物雕塑，每一个人代表着其中一个数字或一个函数。同样，在语文课上，学生可以构建人物雕塑去代表生词拼写、句子或者完整的段落。这一策略使学习从纯粹的理论中跳出来，并将其融入社会情境之中去。

（3）合作小组。通过小组合作去达到共同的学习目标是合作性学习模式的核心要素。合作小组对于多元智能教学显得尤其适合，因为一个小组在构建中可以包括各种智能类型的成员，然后在共同的学习活动中进行分工合作。

（4）游戏。对于学生来说，这种策略是在非正式的社会情境中学习的一种有趣方法。

（5）模拟。也就是一组学生结合起来，创造出一种似乎是真实的情境。尽管这一策略涉及了多种智能，包括身体运动、语言和视觉空间等，但模拟过程中的人际交流可以帮助学生更好地理解，所以将这一策略归入人际交往智能。

7. 自我认识智能教学策略

大多数学生每天六个小时、每周五天花费在课堂上与其他几十个同学交往。对于自我认识智能强项的学生来说，这种过于封闭的状态有可能会导致幽闭恐惧症。因此，教师需要在每天的学校生活中为学生创造出机会，使他们能够深切地体会到自己是一个独特的个体。下面这些策略提供了达到这一目的的不同方式。

（1）一分钟反思期。在演讲、讨论、研究性学习或者其他的学习活动中，学生需要有一些时间去进行反思回顾或深入思考。一分钟反思给学生提供了一个机会，消化吸收所接受的信息或者将其与自己的生活联系起来。在一分钟反思期间，不需要讨论，学生只需要用自己的方式去进行思考。沉默是最好的反思环境。不过教师可以运用有利于思考的背景音乐。

（2）个人联系。一个始终伴随自我认识智能强项型学生学习生涯的问题是"所有这些对我有什么用"。教师需要在所教的内容与学生个人的生活之间建立起联系，从而帮助学生回答这个问题。因此，这一策略要求教师，将学生的个人想象、感受以及经历整合到所教的内容之中去。

（3）自主选择时间。让学生自己做出选择是一个明确而有效的自我认识智能教学策略。实际上，这一策略主要就是给学生提供机会，要他们对于自己的学习经历做出决定。因此，教师需要思考，如何在课堂上为学生提供可供他们选择的项目，以及如何扩大学生在学校中的自主选择机会。

（4）调节情绪时刻。每一个人都有一个情感大脑，为了满足这一部分大脑的需要，教师需要用感情进行教学。因此，这一策略认为，教师有责任在教学中创造一个这样的时刻，让学生欢笑、生气、强烈地表达观点，对于某一主题感到兴奋或者体会到其他一些不同的情绪。教师可以通过不同的途径去创造一些在教学中调节情绪的时刻。首先，在教学时自己表现出某种情绪；其次，在课堂上为学生创造表达情绪的氛围；最后，为学生提供机会如电影、辩论等活动，唤起学生的情绪反应。

（5）设定目标时间。自我认识智能强项的学生有一个显著的特点，就是他们具有很强的能力为自己确定现实的目标。这一能力无疑对于一个人的成功是非常重要的。因此，教师应该在教学中为学生提供机会去为自己设定目标，无论是短期目标、长期目标，一下子想到的目标，还是深入思考之后的目标，与课程学习有关的目标，或者是生活的目标，等等。教师应该努力在每一天的教学中安排出时间让学生去为自己设定目标。

将多元智能理论融入课堂，最为重要的价值在于为一线教师提供了进行课堂教学多元化设计的抓手与支撑。一方面既能够实现课堂灵活、生动的追求，另一方面又能够紧紧围绕智能的培养或者思维的发展，从而避免出现那种为了活动而活动，只注重活动的形式而忽视了本质的学生发展的课堂活动策略与手段。

6

为思维而教：首先改变教师的思维

　　教师以两种方式展开自己的生活，要么生活在"假设—检验"的反思性思维中，要么生活苏格拉底①曾经嘲笑的"无检验的"习惯性思维中。

　　一个教师若由习惯性思维控制了自己的行动，由种种盲目迷信的奇怪的意念主导了自己的思维，指望他训练学生的思维就没有了发生的可能。我们常常感叹身边的教育没有重视学生的思维训练，没有足够关注学生的思维发展潜能，于是出现了训练学生思维的多样化的教材。"怎样使孩子聪明""智力鸡汤""教育革命"等悄悄地在市场上登台亮相。相应的，学校的课程领域也开始有了变化，"儿童哲学""创造课"等进入了课程设计。这些努力确实可能引起某种程度上的观念转变，使人们感受到时代的转型需要大量的具有创造性人才，使人们意识到教育不仅仅只是一件传递的事业，更重要的还有创造的使命。但我们似乎忽视了，学校教育从传递模式到创造模式的转化、从知识习得到思维训练的转变，关键的策略除了教材和课程改革，还有教师的思维转换。所有的转变，只有落实到改变教师的习惯性思维，相应的教学才有可能"教会学生思维"。

---

　　① FISHER R. Teaching Thinking：Philosophical Enquiry in the Classroom ［M］．London：Continuum, 1998：135.

第一节 习惯性思维的危机

习惯性思维是相对于"科学思维"或杜威所谓的"反思性思维"(reflective thinking)而言。其特征是教师根据自己的经验形成的某些结论，因此也有人称之为经验思维。

一、习惯性思维的缺失

习惯性思维虽然在某些情况下是有用的，但它有明显的缺点：首先它不能适用于新异的情境。经验思维或习惯性思维是在特定的情境中获得某些结论，满足于经验思维的教师总以为这些结论可以在更大的范围使用和推广。而事实上，通过经验获得的对一个学生有用的教育策略复制到另外一个学生的教育上，可能就不那么有效；在一个班级试教成功的教学方法移植到另一个班级的教学，就可能出现意想不到的新问题和麻烦。所以，以习惯性思维应付教育，尽管在某些时候某些班级可能获得成功，但一旦变化了学生、变化了教材或变化了时间，原来应付教育的成功策略将失去它的价值。

其次，习惯性思维具有引出错误信念的倾向。尽管许多经验的结论大体上是正确的，尽管它对实际生活确有很大的帮助，尽管实际上经验观察和记录为科学知识的形成提供了素材和原料，然而，经验思维的方法却不能辨别结论的正确或错误，因而经验的方法又是造成大量错误信念的根源。最普遍的错误是将那些偶然先出现的事件作为后出现的事件的原因，以至于迷信体罚学生将使学生变好，却忘记了"杀鸡给猴看"的后果是使猴子也学会了杀鸡；以为只要教给学生考试的技巧就能使孩子成功，而不顾学生长远的兴趣和教育的根本目标。

另一个危险是，生活在习惯性思维中的人，总是容易被假象蒙蔽。

培根在《新工具》一书中提到四种错误思维的"假象"：种族假象、洞穴假象、市场假象和剧场假象。① 比如人很容易自以为是，不按照自然界的本来面目去认识它，反以人类的尺度为依据，"人的感觉被错误地断言为事物的标准……人的心灵就如一面凹凸镜，把自己本身的属性渗入了不同的对象"。把人特有的本性强加于客观现实，结果歪曲了事物的真相。这是来源于人的类特征的错误。因此，培根称之为种族假象。

每个人由于个人经历的差别，往往把自己的个性和偏好渗入到事物之中，从而歪曲了真相。犹如每个人被困在自己的"洞穴"中坐井观天。这种被培根提出来的"洞穴假象"，根据杜兰特②的解释，是指个人的性格。例如有些人的心灵生性是分析型的，他们到处看到差异；而另一些人的心灵生性是综合型的，他们到处看到相似；又如，"有的人生性无比崇古，而另一些人又生性渴求创新；只有少数人坚持中庸，既不破坏古人得当的建树，也不藐视今人适宜的革新"。而真理懂得不偏不倚。

在培根之前的柏拉图也讲过洞穴假象（洞穴比喻）：在一个幽深黑暗的洞穴里，住着一批囚犯。他们双手被反绑在柱子上，背向洞口，脸朝洞壁，脑袋不能向后张望。他们从来没有出过洞穴，也不知道身在洞中。在他们身后燃烧着一堆火，在他们与火之间有一些类似木偶戏的表演，火光把木偶和他们自己的影子投射到墙壁上，他们把看到的这些影子误以为是真实的事物，从来不曾有过怀疑。突然有一天，一个囚犯挣脱绳索，转过身，看到了身后原来是一堆木偶。爬出洞穴后，他看到了太阳和在阳光普照下的大千世界，才茅塞顿开，醒悟以前所见全是虚幻不实的幻象。他怀着惊喜的心情匆忙跑回洞穴，把自己了不起的发现告诉了众人。谁知大伙儿根本不相信他话，对他百般嘲弄，说他比没走以前更蠢，因为他竟然要求大家相信完全不可能的痴人说梦。

---

① 彭越，陈立胜. 西方哲学初步［M］. 广州：广东人民出版社，1996：128 – 129.
② 杜兰特. 哲学的故事［M］. 金发燊，等，译. 北京：生活·读书·新知三联书店，1997：182.

生活在学校教育中的教师会怀有类似的假象吗？

答案是肯定的。学校教育中总是有太多的教师生活在充满错误危险的习惯性思维中。他们虽也在思维中生活，但他们的思维多半由习惯在起作用，是一种远离了科学思维的习惯性思维。他们的问题不是没有使用思维，而是错误地使用了思维，使思维可能向着错误的方向发展或者根本就缺乏发展或者形成了系列的思维障碍，尽管不排除某些教师的习惯性思维，偶尔也有很高程度科学含量的可能。

二、习惯性思维沉淀为"内隐理论"

处于习惯性思维的教师往往不知不觉，且在不知不觉中形成了自己个人化的教学理论。20 世纪 90 年代以来不少心理学和教育学研究者对教师的这种习焉不察的个人化教学理论发生兴趣，并称之为教师的"内隐理论"（implicit theory）①。内隐理论是教师习惯性思维以观念的方式沉淀在教师的头脑中，它类似某种教育理论，又不具备科学理论的基本规范。而恰恰是这些不如科学理论规范的内隐理论在支配着教师的日常生活和日常教学，科学理论却较少发生影响，这个事实多少令教育科学理论研究者想起来不是滋味。

内隐理论以不同于科学理论的方式存在并以自己的特点影响教师的教学和正式的教育改革。内隐理论的特点如下。

第一，内隐理论隐藏在教师内心深处，不张扬也不外显，因而容易被忽视。内隐理论被教师自己忽视的后果是教师做出了一系列的决策，完成了一系列教学任务，教师本人却根本没有自我意识。一个没有自我意识的教师不可能坚持自己的追求，也不可能不断地反思自己的教学，使自己的教学随时随地适宜学生的思维发展。

第二，内隐理论是粗糙的、零碎的，不那么明确，也不构成系统。

---

① MARLAND P. Teaching：Implicit Theories ［M］// HUSEN T, eds. The International Encyclopedia of Education. New York：Pergamon, 1994.

这种粗糙的、零碎的理论，总是片面地或偏激地认定教育的某一方面的意义，却轻视了完整地构建自己的教育观念，以整体的教育观念和教育策略去完整地发展学生的思维。

第三，内隐理论是不确定的、易变的、可动摇的，因而它不可能稳定地影响教师的教学，常常使教师的教学呈现不稳定性的冲动。说它是易变的，是指教师对自己的内隐理论的种种假设还没有达到"信仰"的程度，教师使用自己的内隐理论，但只是在不知不觉的状态中使用它，一旦被人点醒、指正，教师可能愿意放弃自己原来的内隐理论。但愿意放弃只是一种态度和情意，并不意味着教师很容易丢弃原有的内隐理论。肯定教师的内隐理论的易变性并不天真地估计它是容易改变的。相反，改变教师的内隐理论往往需要经历一段艰难的旅程，需要教师付出改造自我的痛苦地挣扎，需要教师不懈地自我挑战。

第四，内隐理论是教师的个人化理论，它既无法向他人明确地表达、交流，也无法与他人分享他的经验。这种个人化的理论无论怎样进步，它至多也只能是隐匿的和封闭的，少了社会化并由此获得公众认可的机会，也就不可能为自己争取合法性资格。不合法的内隐理论是孤独的，孤独的理论不仅失去了交往的价值，也会为教师自己带来生活的危机，因为孤独的教学将自然地导致孤独地生活。对于教育行为失败的教师而言，教师若不从自己的内隐理论中惊醒过来并设法改变自己的教学方式，此类教师不可避免地将陷入孤独，甚至将失去执教的能力。对于教育行为成功的教师而言，教师如果不反思自己的内隐理论并设法使自己的内隐理论外化和科学化，则不可能与他人交流自己的经验或分享自己的成功。一个教师若不愿意或不善于同他人交流自己的经验，那么，他的成功不仅不会为他带来荣誉，反而会招来他人的排挤和嘲弄。不少教师在教学上成功，在生活中却孤独，一面辉煌得意，另一面却困惑失落，正与"交往失能"（communicate disability）有关。对成功的教师持排挤或嘲弄的态度的人固然可憎，但成功的教师不屑于或无能力与人交流，与他人生活在一个共同体内却没有基本的交往行为，被排挤或嘲弄总在情理之中。无论古今中外，没有交往行动，则发生障碍和争斗，似乎是一条定则。中国人向来惭愧有"窝里斗"的陋习，但西方因缺少交往而滋生纠纷的事件绝不逊于东方。德国学者哈贝马斯（Habermas）郑重其事地宣扬"交往行动理论"，以此作为解救现代西方社会的精神毒瘤，可见"交往"具有普遍的意义，也可见所谓的内隐理论不得不经过外化而有进入交往的必要。

第五，教师的内隐理论是情境性理论。内隐理论是教师个人在自己的生活和教学情境中形成的某种特定的文化假设和教学观念上的假设，它具有很大的情境性。由于情境性理论是教师在自己的生活以及教室等特定的空间内形成，往往不大可能具有普遍的意义，因而一种情境中形成的个人化的内隐理论不一定适合为另一个情境的教育提供解释和指导。若指望教师的个人化内隐理论增加普遍的意义就不得不与他人交往沟通，与他人交换自己的教学感悟。教师就不得不有意识地反思自己的教学行为及其背后潜藏的内隐理论，使自己的内隐理论经由主体间的交互影响而改变自己的内隐理论。

第六，教师的内隐理论并非直接受教育理论著述的启示，而更多的是源于教师的日常生活经验、教学经验以及对这些经验的自我解释，所以教师的内隐理论总是某种行动理论、生活理论或实践理论。行动理论固然说明它不是一般意义上的科学理论，需要以科学的"假设—检验"程序使之合理化程度提升，但作为行动理论的内隐理论同时说明：第一，教师的内隐理论与教师的生活相关，它甚至就是教师对自己的生活方式的一种理解。因此，若期望改变教师的内隐理论，就不得不深入教师的生活世界的重构。在某种意义上，改变教师的内隐理论，意味着改变教师的生存方式。第二，只有经过教师本人的行动，才有可能使内隐理论真实地发生改变。对内隐理论的研究结果总是无例外地重视教师成为研究者，与内隐理论的行动特性相关。

三、走向反思性思维/反思性教学

已有的研究表明，教师本人在师范教育计划或教师继续教育中所学习的教育理论框架很少成功地改造教师的习惯性思维。尽管在师范教育计划或教师职后培训中，教师学习了《教育原理》《教育哲学》《教学论》《课程论》或《教育研究方法》或者其他内容，但这些理论并不一定会指导教师的教学行动和教学实践，真正起作用的，正是那些隐藏在教师内心的、嵌入教师的日常思维的那些"内隐理论"。内隐理论随时随地对教师的日常教学行动和日常教学实践发生作用，以无意识的方式影响着教师的课堂教学思维和对课堂教学事件的处理方式。教师生活在自己的内隐理论之中，却不知不觉，"日用而不知"。教师大量地运用自己的内隐理论处理教学事件和教育资源，但教师本人对自己的内隐理论却很少能明白地做出解释。而问题还在于，若任由内隐理论长期地处于休眠状态，教师对自己的潜意识的教育观念不作任何有教育意义的反省，教师也就只能长期地生活在自己的习惯之中止步不前。若教师的内隐理论是进步的、对学生的思维发展是积极的，这种习惯性的内隐理论尚有存在的价值和理由——尽管同样需要改变它、发展它，因为发展是最好的存在方式，否则进步的会沦落为落后的。如果教师的内隐理论原本就落后，甚至阻碍了学生的思维发展，那么，指望发展学生的思维，让学生学会思维，就不得不先设法唤醒教师的自我意识，使教师改变自己的内隐理论。

可见，无论从内隐理论本身的合理性来看，还是就内隐理论的外部合法性而言，它都需要经由改变教师的习惯性思维得到调整。近年来的相关研究中提出教师的反思性教学以及反思性思维策略，正是应这个问题而生。与习惯性思维相对的是反思性思维。习惯性思维往往会误入歧途，反思性思维虽不能保证教师完全不误入歧途，但它至少可以引导教师经由反思发现错误并通过深谋远虑、探本求源走出歧途。

本书第三章曾详尽探讨过杜威提出的反思性思维的"五个阶段"，并最终提出我们的观点，认为杜威所设定的五个步骤虽详细却显累赘且不完整，反思性思维真正的核心不过是"假设—检验"，也就是他的学生胡适所提出的"大胆假设，小心求证"。"假设—检验"式的反思性思维虽然适用于任何科学研究的一般过程，但作为教学中的"假设—检验"却有特别的意义。

教师的"假设—检验"式的反思性思维总是经由教师的反思性教学得到发展，没有教师的反思性教学，反思性思维就落入虚空。反过来说，反思性教学的具体过程也就是教师的"假设—检验"的展开，没有"假设—检验"的反思性思维过程，反思性教学将无所作为。反思性思维以内隐的方式影响教师的教学，而反思性教学实际上是反思性思维及其内隐理论的外化。当教师追问自己"我为什么这样设计教学？我的教学是否实现了我的设计？我在课堂教学中遇到了哪些意想不到的问题？我是怎样处理这些问题的？我为什么以这样的方式处理而不是以那样的方式？"等问题，并将对这些问题的思考记录下来或者运用到自己的行动中去时，教师的内隐理论就进入外化的状态。

内隐理论的改变实质是经过内隐理论外化的途径来让教师意识到自己的内隐理论并与他人发生交往。但外化之后的内隐理论并非被完全抽空。与其将外化的、由内隐理论逸出的理论视为对内隐理论的"删除"和"替换"，不如理解为内隐理论自身的"复制"和"保存"。内隐理论的一部分被复制、保存为可供交往的理论，而内隐理论本身由于交往而发生内部调整和结构转换，旧有的内隐理论经过内部优化组合形成新的内隐理论。某种状态的内隐理论发生了改变，但改变了的内隐理论将演绎为新的内隐理论。改变教师的习惯性思维其实是促使教师形成另外一种新的习惯性思维，改变教师的内隐理论实际上是使教师拥有另一种新的内隐理论。

所以，当我们计划改变教师的思维时，我们的意图实质是使教师的内隐理论外化进而使教师从习惯性思维转入由"假设—检验"构成的反思性思维；而在我们打算发展教师的反思性思维时，我们使用的具体策略实质是使教师从习惯性教学进入反思性教学。

第二节　改变思维对教师相关态度的要求

教学中的"假设—反思"实际上是一种教学行动的反思程序，是教师对某种教学材料，或从学生那里发生的、某些教学现象的、惊异而发出的系列假设和对假设的核实。所有的假设，都围绕"我如果采用某种教学策略，学生的思维将得到更好的发展"这样一个主题。而在实际的教学中，这个主题又与教师的教学态度或思维态度相关，因而它不得不演绎为与教师的思维态度相关的下述一系列追问。

一、我是否愿意宽容学生的错误

挑剔、批评是追究事理、考辨学术问题的一个前提性条件。挑剔与批评甚至可以认为就是一种创造性思维的品质，没有挑剔和批评的意识，不但问题不容易被发现，即使发现了问题，也不容易设法解决。富有创造性思维的教师意味着他能坚持以挑剔和批评的眼光去打量周围的现象，去考究他人的意见和观点，并从中发现疏漏和错误。我们提倡教师要成为具有创造性思维的教师，也就是提倡教师要学会挑剔、学会批评，学会用挑剔和批评的眼光去发现教学问题并提出改进教学的合理策略。

但我们在提倡教师学会挑剔和批评以便养成创造性思维的同时，我们并不愿意鼓动教师去做一个在同事面前"不可一世"的人，也并非鼓动教师去做一个在学生面前唯我独尊、"不容分说"的人。一个真创造的教师一定是允许别人也有创造权利的教师，愿意为别人提供创造的机会；一个真挑剔的教师，一定是允许别人也有同样挑剔权利的教师，敢于使自己的观点接受别人的挑剔；一个真批评的教师一定是鼓励别人也同样拥有批评精神的教师，愿意让自己的意见接受公众批评的考验。可见，真正的挑剔和批评，是它以不影响、不损害他人的挑剔和批评权利为前提。而一个教师若一旦承认和接受了他人的挑剔、批评权利，肯定了他人的创造性思考和创造性生存的权利，也就意味着他获得了一种宽恕、宽容的美德。

这似乎有些奇怪，我们一面在极力鼓励教师学会批评、学会挑剔，另一面我们又在怂恿教师学会宽恕、学会宽容。实际上，当我们鼓励教师学会挑剔与批评时，是赞赏一种"做事""接物"的个性；当我们鼓励教师学会宽容与宽恕时，是推荐一种"做人""待人"的态度。挑剔与批评是针对教师个人的创造性思维而言，而宽容是教师在与他人交往时对待他人的创造权利而言。

当然，教师在"做事""接物"、对待他人的观点和意见时也需要保持"宽容"的心态。这就是杜威所强调的"开放性"或"胸怀宽阔"。杜威在劝导人们"将反思性思维作为教育目的"因而鼓励教师具有怀疑、批判精神时，也特别强调了"宽容"（open-mindedness）态度的重要意义。在《我们怎样思维》一书中，他认定"思维起源于某种疑惑、迷乱或怀疑"，但反思性思维必须具有宽容的态度。宽容是对新的主题、事实、观念和问题采取包容的态度，"它包含一种愿望，去倾听多方面的意见，不偏听一面之词；它留意来自各种渠道的事实，它充分注意到各种可供选择的可能性；它使我们承认甚至在我们最喜爱的观念中，也存在错误的可能性。"① 而一个少有宽容意识的教师，常常把某种观念看做是一个"宠物"，并且捍卫它，对任何不同的事物都视而不见，听而不闻。不自觉的惧怕心理也驱使我们完全采取防卫的态度，就像身穿盔甲似的，不仅排斥新的概念，甚至阻碍我们做出新的观察。

可见杜威的"宽容"仍然是一种"做事""接物"的态度，是针

———————————

① 杜威. 我们怎样思维·经验与教育［M］. 姜文闵，译. 北京：人民教育出版社，1991：24.

对教师个人的"偏见"而言。而我们所赞赏的"宽容"除了杜威的
"不偏听一面之词"之外，还有允许他人挑剔和批评、给予他人挑剔和
批评的权利的意义。优秀的教师往往是那些既自己怀有挑剔、批评的创
造性思维品质，而在与他人交往时又能够大度地让自己的意见接受别人
的挑剔和批评的人；是那些既自己善于挑剔问题、提出批判性意见，在
与他人对话时又尽量地以宽容和宽恕的心态去鼓励他人发表意见、尝试
错误的人。正是在这个意义上，宽容、宽恕才常常作为一件做人的美德
而受褒扬。宽容、宽恕的美德绝非鼓励教师在"是非"面前不置可否、
万事大吉或态度暧昧。宽容是立足于挑剔和批评精神的宽容，具体到培
养学生的创造性思维品质，合理的教学策略应该是：教师既胸怀挑剔、
批评的创造性思维品质，但为了更好地发展学生的挑剔、批评的创造性
思维品质，教师又需要鼓励学生尝试错误，允许学生在"假设—检验"
的试错过程中发现问题、提出假设并检验假设。一个具有宽容品质的教
师，他的学生将能更自由、更大胆地、更有创见地思考。一个高频率地
摇头的教师、对学生的错误嗤之以鼻或报以呵斥的教师，其学生自然无
创造性思维或创造性活动可言。

二、我是否打算不过多地"控制"学生

　　长久以来，教师将"指导""控制"学生作为自己的神圣使命，似
乎教师的作用就在于为学生讲授知识、传递知识，学生理所当然地在教
师的控制之下接受教师的种种要求和指令。后来人们逐渐意识到教师对
学生控制过多所带来的学生疏于思考、拒绝创造的后果，开始探索多种
有效的"指导"办法。人们也的确提出和探索一些有价值的"指导"
性教学策略，比如"自学辅导教学""尝试指导、效果回授""异步教
学"等，但所有这些策略都共有一个丢不掉的特性，就是它们仍然只
是以不同程度的"指导"方式在"控制"学生，仍然走不出"控制"
和"指导"学生的窠臼。较具有革新意义的教学策略是由美国学者罗

杰斯倡导的淡化教师"指导""控制"意识的"非指导性教学"。有人对罗杰斯的教学做过观察并撰写了报告。[①] 他的课程是完全不拘形式的。任何时候、任何人，甚至教师也不知道下一分钟教室里会出现什么局面，会对哪一个题目展开讨论，会提出哪些问题，哪些个人的需要、感觉和情感会宣泄而出。这种无拘无束的自由气氛是由罗杰斯本人造成的。在这里，人们享受到人类相互给予的一切自由。罗杰斯博士以一种既友好、又随便的态度和大约 25 位学生们围坐在一张大桌子旁，他说他很乐意听学生们谈谈自己的目的，再做一些自我介绍。接踵而来的是一段紧张的沉默，没有人讲话。最后为了打破这种局面，有个学生羞怯地举手发言，接着又是一阵令人尴尬的冷场，之后另一个学生举手。在那以后，大家活跃起来，罗杰斯始终没有催促任何一个学生开口。罗杰斯告诉大家，他带来了大量的材料——单行本、小册子、文章、书籍等，发了一份参考书单。他一直没有表示希望学生去读这些书或做其他事情。他说还带来了一些治疗过程的录音磁带和一些电影磁带和一些电影胶片。这使学生大为兴奋，他们问能否听到自己的声音和看到自己的形象。罗杰斯说可以。于是，全班学生商定了如何把这件事做好。一些学生主动要求管理录音机，筹备放映机等。这期间绝大部分活动也是学生自己发动，自行组织的……接下来的四次课进行得相当艰难而令人失望。在这期间，课程似乎没有任何进展。学生们的谈话东拉西扯，想到什么就说什么，一切显得杂乱无章，漫无目标，简直是在浪费时间。但罗杰斯还是聚精会神地、诚恳地倾听每一个人的发言，他似乎并不在乎学生的发言是否切题。到第五次上课的时候，情况开始好转。学生们相互交谈，不再理会罗杰斯。他们希望并且要求别人听自己说。原先那个忧郁迟疑、吞吞吐吐、尴尬羞涩的班级这时变成了一个相互影响、相互促进的班级，成为一个崭新的、紧密结合的整体，它以自己独特的方式进行活动。同时出现了一些只有他们自己才能重新描述或重复的讨论和

---

① 吴文侃. 当代国外教学论流派 [M] . 福州：福建教育出版社，1990：309 – 311.

想法。罗杰斯也参与进去了，他的作用应该比班里任何一个人都重要，但是他却设法使自己与班级化为一体；学生组成的集体占了首要地位，成为中心，它取代了教师成了活动的组织者。罗杰斯从来不做总结性发言。这与其他教学法很不相同。各项讨论最后都悬而未决，课堂上提出的问题总是在流动变化之中。学生们出于获得知识、取得一致的愿望，力求去理解并得出结论。由于课程没有一定的结构，每个人都把自身投入课堂之中，他讲的是自己的话，而不是课本上的语言。因此，他以真实的自我与他人交流，也正因为如此才产生了这种亲密关系和热烈气氛，它与一般课程上那种非人格化的课程内容形成了对比。

可见罗杰斯的非指导性教学是一种很少控制的自由教学方式。教学的目的、内容、进程和方法等由学生自己讨论决定。学生有绝对选择的自由，个人可以无拘束地提出自己的问题，发表自己的意见，一切活动由学生自己发起，自行组织。

在我们现行的制度化的班级教学实践中，罗杰斯的"非指导性教学"看起来似乎激进了一些。但"非指导性教学"的意义在于，它提醒那些"自以为是"的教师在苦心孤诣地忙于"指导""控制"学生的创造性活动、"指导""控制"学生发展创造性思维的时候，是否该考虑彻底转换视角、改变立场：从热心于指导学生的"指导者"形象转换为观察学生活动的"旁观者"角色或参与学生讨论的"参与者"角色。作为"旁观者"和"参与者"角色的教师不必急于指点和展示自己的见解，而是为学生提供思考的时间和空间，在必要的时候甚至可以让学生陷入思维的疑惑、迷离或困顿状态，以便令学生养成自己主动思索、决策的思维习性。作为"旁观者""参与者"角色的教师不必利用制度化的权力成为对学生发号施令的"权威"，他宁可放弃自己的权威形象而换来学生的大量的主见和自由创造；作为"旁观者""参与者"角色的教师甚至在学生暂时冷场、尴尬、无话可说时，也不必因此而放弃"非指导性教学"的立场，因为他有理由相信，从控制的教学到非指导性教学的转变会有一个艰难的适应过程。

总之，非指导性教学并不一定循守罗杰斯的模式，它的真正意义在于建议教师：不要过早地告诉学生答案，甚至不要过早地为学生设计问题。具有反思性思维意识的教师将为学生创设问题情境却由学生自己从迷离的困境中设计问题，将尽可能多地为学生提供探究学习的材料却不轻易给出问题的答案。

显然，这些问题已经不是一般意义上的教学方法层面的操作，而进入了教师的生活领域。比如宽容首先是一种美德而非简单的教学策略，它是教师的基本的文化修养和生活态度。人们赞赏宽容却并不专为发展学生思维而被提出来。但这个事实并不说明宽容对于发展学生的思维不重要或没有特别的意义，反倒说明教师是否关注了学生的思维发展，关键在于教师是否拥有一种合理的生活态度和精神气质。人们已经意识到不宽容的教师将限制学生的"大胆假设"，使学生失去不断尝试错误的勇气，人们也开始承认教师的不宽容态度与学生的思维沉闷有直接的暗示关系。但人们似乎甚少考虑，教师何以不宽容？仅仅从已有的教育理论那里就可以得到说明吗？仅仅为教师推荐创造性教学方法或教学策略就可以使不宽容的教师向宽容大度、心胸开阔转化吗？

这些问题已经涉及我们前面提到的内隐理论的行动特性。教师的内隐理论虽与教师接触的教育理论相关，但它首先是教师的个人生活经验的积累及其理解。既然教师的宽容由生活经验及其对生活经验的理解累积而成，说明只有回到教师的生活经验中，才可能发展教师的宽容品质。也正因为如此，我们才认定一个可能发展学生思维的教师，首先应该是一个拥有合情合理的生活方式的教师。所以，如果建议教师"教会学生思维"，有时候实际是建议教师自己"学会生活"，学会过另一种"反思性生活"或苏格拉底所憧憬的"有检查的生活"（examined life）。而一旦呼唤"反思性生活"或"有检查的生活"，就关涉我们前面提到的"假设—检验"的生活方式和教学方式。问题是，谁来改变教师的思维？

三、谁来改变教师的思维

教师的内隐理论之所以大量地处于不知不觉的状态而主导了教师的教学行为，同时教育理论研究成果又无法进入教师的理解、不易影响教师的教学观念，实在因为以往的教育研究是"对教师"的研究甚至是"防教师"的研究，教师在研究中作为观察和评价的对象，教师不是作为一个具有自我意识的主体出现在教育研究中。

对教师内隐理论的关注使教师在教育研究中的传统地位发生变化。内隐理论首先暗示了教育研究者开始承认教师已经拥有自己的"理论"，尽管这种理论不一定是科学的理论。既然教师已经拥有自己的理论，说明教师也具有研究并形成自己个人化理论的"潜能"。对教师成为研究者的潜能的承认，意味着理论界开始认可：只有教师自己才能改变自己，只有教师自己意识到自己的内隐理论并经过自己的反思才可能使之得到调整。内隐理论只有在教师努力转化自己的习惯性思维的过程中，在反思和自我批判中才有可能不断地获得挑战和改造。

在有关教师的内隐理论的研究报告中，教师实际地被期望成为积极的研究者共同体中的重要成员。传统的教育研究大量地让渡给教师，教师成为改变自己职业形象、提升自己的专业化水平的主体。人们开始承认教师对其教学实践有自己的理解，承认教师可能经过思考、经过不断反思自己的教学完全可能形成有效的教学信念和个人化教育哲学。而教师一旦理解自己的内隐理论并有意识地利用和改造自己的内隐理论，他们的教学实践就会发生相应的转变。

有意义的是，人们在教育研究中很早以前就提出了教师要"理解学生"，要了解"学生到底在想什么"。但传统的教育研究在大量关注学生时似乎冷落了教师的心理和情感。老实说，对教师内隐理论的研究不过是类似"理解学生"的一种转换。重视教师的内隐理论，其实是研究者自己在询问自己"教师到底在想什么"，然后又不得不承认，只有教师自己才知道自己到底在想些什么，只有教师自己才能决定自己还应该想些其他的什么以便调整自己的原有"想法"。

教育理论研究者可以研究教师的教学行为，并建议教师怎样改变自己的教学行为，但所有的教育理论研究至多也就只能为教师提出一些建议而已。而所有的建议只有等到教师以研究的心态与研究者发生共鸣时，教师才有可能接受这些建议并对建议作个人化的理解和重构。

看来，除了教师自己，没有旁人能够改变教师的内隐理论。改变教师的思维实际上是教师使自己的思维永远处于变动不居的改造路途中，处于不断反思和自我挑战的旅程中。教师在教学行动之前和在教学行动中需要敏感地关注那些可能发生的教学问题，在行动中和行动之后不断反思问题是否已经被化解或获得了某种解脱的暗示。由于问题总是源源不断地呈现，教师不得不持续地变换自己的思维策略来寻找解题的办法。因此这类教师总是不得不改变自己的思维策略、不断地挑战自我、超越自我，在"假设—检验"的思维活动中反思自己生活。并没有最好的生活方式。将反思作为一种生活，那么反思本身就是好的生活方式。并没有最好的思维成果悬置在世界的某个角落等待人去虔诚地领受或摘取，也没有最好的教学理论摆放在某个书橱中值得所有人顶礼膜拜。最好的思维可能只是教师持续地处于反思中的思维，最好的教学可能只是教师不断地挑战自我的教学。

但是，一个沉湎于习惯性思维中的教师，仅仅通过自己的反思就可以转入反思性思维而大彻大悟吗？也就是说，教师的反思性思维可以由教师自己启动吗？这正是有关教师的内隐理论研究中的一个令人困惑的难题。部分研究者对教师自己执行反思性思维持乐观的态度，认为教师有足够的实力不必借助于外部的评价自动地反思；部分研究者却保持低调，坚持教师只有经由外部的评价才能触动反思性思维。教师的内隐理论的内隐性决定了教师无法看到自己的理论，既然无法透视自己的理论，当局者迷于其中，就只有凭借旁观者澄清。尽管有人认为教师可以使用"元认知"策略来认识自己的内隐理论，但在没有外部评价或激励的促动下，教师可以发展自己的"元认知"吗？"元认知"策略与反思性思维面对的是相同的困惑。不过，面对两种估计，与其视之为两种相反的推测，还不如说，它们实际上为教师的反思性思维的发生提供了两条思路：既可以由教师自己对自己反思，也可以借助同行或专家的评价来推进自己的反思。而理想的方式可能既非教师自己孤独探索，也非完全由同行或专家控制，而是在借助同行或专家建议之后，教师逐步成为独立的反思性教学者和反思性思维者。

附录：相关文章

第一篇　你害怕学生思考吗

　　有个初中学生告诉我，他觉得自己适合当一个哲学家。"怎么只是适合，难道你不想当一名哲学家吗？"我问。"不是不想，是不敢想，很多问题都来不及想，我有那么多的作业要做。"我一时无话可说，只感到有一种很深的悲哀。这个学生不一定就能成为哲学家。然而，一个读初中的孩子正在压制自己动脑子的天性，只因为他要完成那么多的作业，只因为他要面临中考的选拔，只因为他必须进入一个令人羡慕的大学。是不是因为这些"因为"，我们曾经扼杀了多少的这"家"和那"家"呢？是什么让我们这样无动于衷，甚至对自己的被扼杀都浑然不觉呢？是什么让我们变成了不会思维的受教育者，而后变成了不会思维的教育者，然后又成了害怕受教育者思维的教育者了呢？曾经有报纸载文批评台湾的教育"把学生教傻了"，台湾的教授、家长和学生抱怨"在台湾，谁上过学，他就学会了不提问题，大脑得到了不思考的训练。想象力和判断力停滞不前"。标准化考试带给我们的直接后果便是教会学生像收音机那样说话、教会学生抛弃问题意识，使学生不敢想象、拒绝创造。真奇怪，选拔"优秀"学生的考试制度以及以培养"优秀"学生为目标的教育制度竟然成了目中无人、与学生为敌的怪物。

　　教改在进行，各种尝试都在齐头并进。教学生学会认知、学会做事、学会与他人共同生活、学会生存，成了我们孜孜追求的目标，但为什么我们却总是举步维艰？或许我们首先应该教会学生思维，教会学生自主思考，教他们怎样才能学会认知、学会做事、学会与他人共同生活、学会生存。由教育科学出版社出版、郅庭瑾撰写的《教会学生思维》一书为我们的教育、为广大的教育工作者提出了"教会学生思维"的新课题，明确提出教育要"为思维而教"，而不是为分数而学，要把以往的教师独白转变为师生对话，改变学生思维中的"唯权威定式""唯书本定式""从众定式"，教会他们学会思维。

要教会学生思维，首先应该学会思维。学校教育从传递模式到创造模式的转化、从知识习得到思维训练的转变，关键的策略除了教材和课程改变，还有教师的思维转换。所有的转变，只有落实到改变教师的习惯性思维，相应的教学才有可能"教会学生思维"。教师不要指望过多地控制学生，而要鼓励学生尝试错误，不是害怕学生思考，扼杀学生偶尔迸发的思想的火花。我们中并不缺乏害怕学生思考的老师，学生当中出现异口异声，完不成教学任务还在其次，就怕失去了自己的"权威"地位。当然更加不能忍受的是，"我竟然不了解他们在想些什么"。其实，又有几个人可以真正了解别人呢？萧伯纳说过："我不是你的老师，只是你的一个旅伴而已。你向我问路，我指向我们俩的前方。"转变一下心态，自觉把自己在学生中的"神"的形象降到"人"的形象，作为学生的"旅伴"，多和他们平等对话，多和他们一起思维，或者我们可以做得很好。

很多时候，有些在学校里反应迟钝的孩子，出了校门却变得灵活机智；而有些在学校生活中出类拔萃的孩子，出了校门却变得呆若木鸡，处理不了任何事情。我们一直在问："这个一贯聪明的人怎么会表现得如此愚蠢呢？"实际上无论一个人在学校环境中表现得如何好，到头来思维能力却可能很差。美国学者罗伯特·斯腾博格和路易斯·斯皮儿-史渥林的《思维教学》一书带给我们这样一个现实的、我们不愿意承认却又不得不面对的问题。我们那些认为是品学兼优的佼佼者拥有多少真正属于自己的思想？他们单独处理过多少事情？除了分数和平面的课堂知识，他们还有多少东西可以引以为傲地被用来丰满自身？也许是你，也许是我，面对"思维教学"的新理念，我们似乎都有一种深感思维贫乏的怯懦。如果我们还有勇气反省一下，就会发现，"把学生教傻了"确实已不再是杞人所忧，也早已没有耸人听闻的嫌疑了。

不得不承认，多数家庭都在充当着传统教育扼杀学生思维的从犯。《思维教学》的姊妹篇《培养反思力》在改变传统家长角色，协助教师培养学生反思力方面画下了浓墨重彩的一笔。书中用大量的实例讲解了教师和家长应该如何促进学生对自己的努力程度和学习成效进行反思，促使学生树立为自己的学习成效承担责任的意识，使他们成为自律学习者。把孜孜于培养孩子进入北大、哈佛并视之为无上荣耀的家长们定位成传统教育的帮凶，未免残忍，未免伤透了为人父母的心。然而，痛定之后，再思其痛，或许才可以改变某些根深蒂固的东西。学生本人除了分数，如果没有一个善于思考的大脑，还能有多少可持续发展的潜质？离了名校，一样捉襟见肘。

——诸复祈，杨大国．你害怕学生思考吗．中国教育报，2002－4－18

第二篇　"不罔"的追求
——《教会学生思维》读后

《论语》里记载着孔夫子这样一句话，"学而不思则罔，思而不学则殆"。千百年来，教与学的歧途无非这两条：重思轻学。孔子一语道破天机。中国数千年来的教育似乎只记住了孔子后一条教训，做足了"不殆"的工夫。直到今天，大家谈创新教育，谈创新，谈这谈那，总绕不过眼前氤氲着千年雾气的一个"罔"字。这一个字仿佛铁壁铜墙，挡住了多少英才前进的去路。许多教育原理、方法的著作讲到这个问题也是浅尝辄止，一个大问题被简化处理了。

　　笔者近日读到教育科学出版社的一本新著，叫做《教会学生思维》，著者是华东师范大学的郅庭瑾博士。正所谓"踏破铁鞋无觅处，得来全不费工夫"，一下解开了心中郁积数年的谜团。

　　爱因斯坦曾说："我们所创造的这个世界，是我们的思维的产物，不改变我们的思维，不可能改变我们的世界"。而改变思维，特别是大面积地改变人们的思维，必须依赖教育。该书便是顺着这两个念头，讲了为什么要教会学生思维与怎样教会的问题。

　　该书的观点相当简洁有力：思维是创新的前提，思维是创新的内核。一个整日高颂课本，为考试拼搏，不深思细想所学的东西，没有思考问题欲望的人，不可能有自己的见解，不可能提出有价值的观点，更何谈有所创新和创造！也就是说，要培养有创新精神的人才，必须从培养思维入手。

　　其实，教师们不难发现，在教学过程中，最为重要的，最具潜在性和可能性的，便是学生的思维。启发学生进行思维不但使枯燥、艰涩的教学活动变得生动有趣，而且更能实现教学目的。然而，我们的教学恰恰忽视了这个极为重要的方面，教学材料及其所蕴藏的知识被简单地、机械地认为是目的本身，而学生思维的发展计划成为"教学的荒地"。教学之所以会出现严重的问题和缺陷，正是受了错误观念的影响。教学的对象本应是"人"，却被当成了教课本；教学的目的本应是促进学生的发展，却被当成了升学；教学活动本应是探索与创造的过程，却被代之以念课本、记课本、背课本的活动。学生作为一个有独立个性的"人"的潜能被极端地忽视，无情地扼杀，取而代之的是一部部"性能平平的记书机和背书机"。

　　时至今日，人们比以往的任何时候都更加需要思考和提问，没有可供记诵的现成的答案，每个人都要有最基本的素质去学会发现问题、提出假设、解决问题。这个素质，非关其他，正是"思维"。

　　教会学生思维，必须改革我们的教育和教学。本书的一大创新在我看来就是很好地回答了这个问题。看了第 4 章的题目便让人心中一震，

"为思维而教"。顺着再看第5、6、7章，这个教思维的方法便有了眉目。发展学生思维的教学需要教师由资源独白式的讲授走向对话式教学，最后走向引导学生自己发现问题、解决问题，使教学成为一个探究的过程，一个发现的过程。走向发现或探究的教学既可以在传统的学科课程中进行，也可以开辟专门的思维课程，比如"儿童哲学"等。而教会学生思维的一个前提是教师的思维必须发生改变，从经验性思维走向反思性思维并转化为日常的"反思性教学"，即教师自己首先成为一个会思维的人。对于一本书来说，题目标新立异并非难事，而好题目下的好文章却难得。这样的问题讲得细致体贴而落落大方，真是让人佩服。

当然，也许很多人不免要提出，这书岂不是"形式教育"的复辟了？我看大不然。与古典意义上的形式教育明显不同之处在于，本书所坚信的是，任何知识，只有在解决问题的过程中才发生它的价值。也就是将知识视为解决问题、发展思维的材料，而不将它作为目的本身。尤其在当前教育被打乱了记忆性知识充斥的情况下，发展学生思维，应该成为教育的基本使命。思维得到发展的最后目的，是为了更好地实现问题的解决。

诚心祝愿有更多的教师朋友能看到这本好书，在自己教书育人的工作中能真正达成这个"不罔"的追求。

——顾斐，原载《上海教育》（中学版）2002年05（A）

第三篇　如何拥有"聪明"的外衣

教育究竟是为了什么？教育应该给予学生什么？对于这个问题，不同的时代或许有不同的答案。在人的创新精神被高度弘扬的今天，如何实现从知识到智慧的转变，已经成为教育中一个极具诱惑力的话题。从根本上说，教育所培养的人才，不是鹦鹉学话的模仿者，而是能够独立解决问题的创造者。所以，怎样尽快走出以往知识传授的窠臼，更多关注学生智力智能的开发和培养，真可以称得上是当前教育领域里一场激动人心的革命。换一句更生活化的语言：教育，就是要使人变得更聪明。

你聪明吗？

对于"你是否聪明"这个问题，可以说没有一个人能够真正做到漠不关心，也没有一个人真正不感兴趣。事实上，整个人类对智慧的热爱和追求自古以来从来就没有停止过，尽管智慧究竟是什么，在有些人看来是一个永远不可能有确切答案的"彼岸性问题"。日常生活中，我们常常用感性的"是否聪明"作为标准来区分不同的人群，而一些科学研究的成果，如心理测量理论，则用明确的数字"智商130""智商70"等，告诉我们不同人之间存在着的差异。

具体到学校里，判断一个学生是否聪明的标准常常是他的学业成绩或能力测验成绩。考试分数高、学习好的学生就是我们需要、认可、喜欢的聪明学生。然而，人们越来越多地发现，在学校里学习成绩优异的学生，走上社会之后取得突出成就的几率并不是很高；相反，上学期间成绩平平的学生反而多有干出一番大事业者。从爱迪生到比尔·盖茨，从韩寒到满舟，无论是学校拒绝了他们，还是他们放弃了学校的教育，显然他们都并非学校教育中的佼佼者。在他们身上，传统教育理论中关于智慧、智能的论说显得那样苍白乏力。

总之，我们越来越发现，仅仅以学校里的考试成绩、智力测验中得来的分数为判断标准，无法回答一个人"聪明与否"的问题，更无法解释众多学校教育的失败者却在不同领域中取得了非凡成就（如世界顶尖级的运动员、演员等）的事实。世界体操冠军、著名歌唱家、表演家，他们聪明吗？如果是，为什么学业考试和智力测验无法测出他们的聪明和能力呢？如果不是，那么是什么使他们在各自的专业领域取得了如此杰出的成就？为什么已有的智力概念和理论不能解释人类的许多卓越表现呢？

<h2 style="text-align:center">谁更聪明？</h2>

面对这样的困惑，哈佛大学心理学家加德纳教授对于智能的全新阐释为人们打开了一片全新的视野。

智能究竟是什么呢？按照他的理论，智能绝不是标准化测试中所得到的成绩，智能是在特定的文化背景下或社会生活中，解决问题或创造产品的能力。其中，解决问题，就是指能够针对某一特定的目标，找到通向这一目标的路线。对于学生来说，完成一道数学题是解决问题，缝补一件衣服也是解决问题。而创造产品，则不仅指能够获取知识、传播知识，而且包括能够表达个人的观点或感受。对于学生来说，创建一种新的理论是创造，创作一支乐曲是创造。从这个关于智能的定义中可以看出，它特别强调的是个体解决实际问题和创造出社会所需要的有效产品的能力。将智能定位于问题解决和产品创造，显然就已经得以走出书本、走出学校，与社会生活实践发生实际的联系。

加德纳不仅重新界定了智力，而且提出了关于智力结构的新理念——多元智能理论。这一理论认为，从基本结构来讲，智力不是一种能力而是一组能力，也就是说，智力不是单一的，而是多元的。加德纳把构成多元智能理论基本结构的智力类型划分为与特定的认知领域或知识范畴相联系的七种（后又补充为八种）智能。他们分别是：语言智能、数理逻辑智能、视觉智能、空间智能、音乐智能、人际交往智能和自我智能。补充的第八种智能为自然智能。这八种智能之间，不存在哪一种智能更重要、哪一种智能更优越的问题。八种智能在个体的智能结构中占有同等重要的位置，只是在不同的个体身上表现出不同的特点，并具有自己独特的表现形式。换句话说，任何一个正常的人都在一定程度上拥有其中的多项能力，人类个体的不同知识在于所拥有的能力的程度和组合不同。对于每一个人体来说，不存在谁比谁更聪明的问题，只存在谁在哪一领域、哪一方面更擅长的问题。

教育让你更聪明

在我们中国，有一句大家都耳熟能详的话，叫做"三百六十行，行行出状元"。在这句话透露着典型的东方式思维的话语中，其实从某种意义上说，早已道出了多元智能理论的真谛。加德纳的理论，再怎么演绎，再怎么阐释，说其精髓也即这句中国古话的现代西方翻版应该不算过分。不过，折射到教育当中，加德纳则从更新的高度，更深的层次，更广的意义上引发了我们对这一问题的重新思考。

尽管中国早有包含智慧的"行行出状元"的认识，可由于对考试和升学的过分热衷与追求，成绩成了我们衡量人才的唯一标准，"状元"也只能经由考试这一"行"产出了。而经由教育所培养的，也就是学生的读书、考试、做题的能力。教育已经被过分"言语"化了，除了对应试比较重要的语言智能和数理逻辑智能之外，几乎没有什么是我们的教育所特别关注的了。

然而，越来越多的人认识到这样的事实：我们的学生在国际奥林匹克竞赛中能够拿大奖，而中国本土却从未产生过一位诺贝尔奖获得者；我国的学生长于接受和记忆，因而考试总是得第一，但却不善于发现和提出有价值的问题，所以往往发展的后劲不足。多元智能理论对于教育最大的启示就是在于改变了教育的理念。教育究竟教给学生什么？是传授知识还是发展智力？多元智能理论告诉我们，在今天的社会中，没有任何一个人能够学会需要学会的一切东西。因此，教育必须走出传授和掌握知识的误区，以学生智慧潜能的开发以至人格的完善为最终目的；其次，每个学生的智能强项是各不相同的教育的作用应该是"扬长"，而不是"补短"。发挥每个学生的潜力，让每一个人都找到努力的方向，体验到成功的感动。由此带来的不仅是教育观念和思维的重新定位，而且需要课堂教学规则和秩序的重构，以及教师自身的不断学习和提高，等等。

——郅庭瑾，原载《上海教育》（中学版）2002 年 05（A）

第四篇　教会学生思维：教育的使命

一个民族要想站在科学的最高峰，就一刻也不能没有理论思维。纵观人类社会发展的历史，就是人们不断创新的历史。科学的发明和创造，是靠人的思维来实现的。人的思维能力、创新能力从哪里来？心理学的研究成果表明：教育可以激发人的创造性思维能力。从本质上讲，教育从来就应该将培养学生的创新精神作为重要的目标和任务。然而，我们的教育是否达成目标、完成任务了呢？

人们不断要求和期望教育把所有人类意识的一切创造潜能都能释放出来。但是"千百万人们今天却正在发现，他们创造活动的两个组成因素（思想和行动）都已经瘫痪了。……教育既有培养创造精神的力量，也有压抑创造精神的力量"[①]。是的，教育为人类的生存提供了必要的手段，它在维护某种已有秩序和现存状态上的确曾取得了巨大的成功，然而在另一方面它也限制了人类自身的充分发展，特别是当面临新的挑战亟须作出新的调整和回应时，教育却常常陷入在困境之中。这便是教育的尴尬。本来，适应和发展、维护与革新应该是教育的两大社会功能，但向来的教育似乎少有处理好二者的关系和摆正它们各自所属位置的能力，致使一定时期的教育，不是偏废了继承，就是空谈了创新，难以在两者之间找到一个平衡的支点。这就要求我们审时度势，在不同的时代，赋予教育以不同的使命。

———

我国教育有好的传统，在基础知识、基础技能的训练上积累了比较完整的经验。但相比之下，我们对培养学生创造性思维却不那么重视。

---

① 联合国教科文组织国际教育发展委员. 学会生存——教育世界的今天和明天［M］. 华东师范大学比较教育研究所，译. 北京：教育科学出版社，1996：188.

特别是受到"应试教育"的干扰，考什么教什么，教什么背什么的教育模式使传授知识和接受知识几乎成为学校教育的唯一目标。长期以来沿用划一的内容和固定的方式培养循规蹈矩、听话顺从的"乖孩子"，时时以应付考试为目的，处处以标准答案为准则，最终以升学为唯一追求。这使繁复的练习、盲目的抄写、无休止的记诵成为教师和学生奉如神明的教育方法。于是，每一个鲜活、灵动的大脑一旦接受过教育的加工，就犹如是生产流水线上产出的思维标准件，整齐划一，中规中矩。有报纸载文批评台湾地区的"教育制度把学生教傻了"，该地区的教授、家长和学生抱怨，"在台湾，谁上过学，他就学会了不提问题，大脑得到了不思考的训练。想象力和判断力停滞不前"。台湾大学的林教授估计，"在大学学习过程中能够提出自己的想法的学生最多只有5％。"还有许多人认为，"台湾可能在经济上被甩在后头，如果学校不重视培养学生的创造力和革新能力的话"。[1] 我国台湾地区的教育如此，而我国大陆的教育又何尝不是这样呢！课堂上双手背后坐得笔直的孩子们、繁难的课程、沉重的作业、严厉的老师、严格的考试构成了一幅中小学教育的图景，让人在感到神圣和威严之余，更多地体会到的却是巨大的压抑和束缚。从总体上可以说，我国传统教育注重的是传授已有的知识，重点在于继承，与学生创新精神的培养和创造能力的锻炼相去甚远。

曾有人这样概括我国教育的弊端：小学教育是"听话教育"，中学教育是"分数教育"，大学教育是"知识教育"。这种说法虽然有失偏颇和尖刻，但却从另外一个角度形象地概括出了我国教育不注重创新能力培养的缺憾。在沉重的课业负担下，学生很少有自由支配的时间和空间，个性得不到充分发展，思维得不到应有的锻炼。这就抑制了学生自己的主动思考，阻碍了学生主观能动性的发挥，扼杀了他们的探索精神和创新精神，只会机械地接受现成的东西。长期以来，学生在唯书、唯

---

[1] 参考消息.1997－8－15.

上、迷信权威、盲目服从的思维定式中生活，最终丧失思考能力，丧失创造的愿望，在读书、做题、考试三位一体的教育循环圈里共同走向雷同与平庸。

二

如果说传统的继承式教育在过去的那个生产力发展缓慢，知识更新远未达到频繁的时代曾经起到过很好的文化传承、社会延续功能的话，对于今天这个科技发展迅猛、新知识产出频繁、社会变革急剧的时代而言，它显然有着太多的不适应。这是一个全新的时代，人类历史的新纪元；这是一个激烈竞争的世纪，一切形式和内容的竞争说到底是国民创造力的竞争，是创造性人才的创造速度和创造效率的竞争。创新是生存于这个时代的人最不可缺少的精神和素质。创新的重要性已经被提到了关乎一个民族生死存亡的高度。不会创新就意味着不仅不能适应这个时代，还会被这个时代甩掉、淘汰。世界各国都已经开始对本国创造性人才的培养给以前所未有的重视和关注。日本政府提出"创造力开发是通向 21 世纪的保证"，美国哈佛大学校长普西认为"一个人是否具有创造力，是一流人才和三流人才的分水岭"。在这样一个时代，我们以往的惯于维持和适应的教育已经到了不得不彻底改革的时刻。不是吗？在传统教育模式下，我们已经培养了太多的知识累积型人才，我们已经拥有了不少的高分低能者。无数国人不是一直在为占世界四分之一人口却至今尚未能培养出一个诺贝尔奖金获得者的残酷事实而扼腕叹息吗？众多志士不是一直在为我国国民生产总值增幅世界第一而科技竞争力却在世界排名中连续下滑而耿耿于怀吗？不管这是教育的悲哀、教育的失误还是教育的浪费，总之，这事跟教育有关，而且关系极大。

创新精神、创新能力并非天赋神授、与生俱来的。它来自哪里？一个必要的、先决的条件是肯定创造性思维的价值并使之进入教育关怀。创造性思维本身即意味着创新，意味着不断地超越。创新能力的培养首先意味着创造性思维的培养。而教育在创造性思维的培养和发展中起着无法替代的作用。这也是教育在今天需要完成的最重要的任务。每个人身上其实都蕴藏着巨大的创造潜能，要把这种潜能充分挖掘出来，变成外显的、现实的创造力，必须通过接受科学合理的教育。心理学的研究表明，普通人所发挥出来的潜能，只是他身上蕴藏的潜力的极小的一部分。即使是爱因斯坦那样的创造天才，也只不过开采出了他脑力的一小部分，有专家认为，这一小部分至多不会超过 40%。大发明家尚且如此，普通人就更不用说了，多少有潜力、潜质的人都由于各种各样的原因被埋没、被忽视了。所以，美国心理学家、创造学家吉尔福特指出，我们多的是创造性未得到发挥的人，而创造性得到充分发挥、发展的人只是极少数。这就给教育提出了一个严肃的问题，即如何找到一种有效的方法，使得具有创造性但未得到充分发挥的人，通过接受教育，将自身的创造潜能最大限度地发掘出来；如何进行科学合理的组织，使得教育成为提高人们创造性的最佳外部诱因。这是教育面临的重大挑战。心理学的研究还表明，人的思维活动是有规律可循的，人的思维能力也是可以培养和开发的。因此，无论使学生"学会生存"也好，"学会关心""学会学习"也好，只有学会思维，学会创造地思维才是最核心和最首要的。

这就为教育改革规定了一个方向：朝向学生创造性思维能力的发展，朝向提升人的生命质量的价值，始终把教会学生思维作为自己肩负的最终使命。

三

其实，也只有教育才能承担得起这个使命。作为学校教育自身而言，其原本就负有受教育者思维能力培养的重任。因为要培养一个人成才，很重要的一个因素在于思维，在于科学的思维。思维作为一种能力和品质，作为人的智力的核心，它是人的智慧的集中体现。正因为如此，中外教育家总是把对学生思维能力的培养作为学校教育的一项十分重要的任务。赫钦斯说："教育不能复制学生毕业后所需的经验，它应当使学生致力于培养思维的正确性，作为达到实际的智慧即理智的行为的一种手段。"① 我国语文教育家叶圣陶早在 20 世纪 40 年代也曾提出，"训练思想（维）"应该是学校各科教学的共同任务。这一切都在说明一个问题，那就是培养学生的思维能力在学校教育中应该占据着突出的地位。

《教育——财富蕴藏其中》作为国际 21 世纪教育委员会向联合国教科文组织提交的报告，强调了"必须给教育确定新的目标，必须改变人们对教育作用的看法。扩大了的教育新概念应该使每一个人都发现、发挥和加强自己的创造潜力，也应有助于挖掘出隐藏在我们每个人身上的财富"。此前《学会生存》也把教育的任务表述为"保持一个人的首创精神和创造力量而不放弃把他放在真实生活中的需要；传递文化而不用现成的模式去压抑他；鼓励他发挥他的天才、能力和个人的表达方式，而不助长他的个人主义；密切注意每一个人的独特性，而不忽视创造也是一种集体活动"②。可见，21 世纪的教育要解决的最重要的问题就是如何培养和造就大批具备高创造力的人才，这就要求我们的教育必须把教会学生思维放在第一位，使得每一个受过教育的学生都能够自己发现问题，解决问题，作出科学决策，进行有所创新的工作。

通过接受教育，真正学会了思维的受教育者，无论对于社会还是对于个人来说，其意义都是重大而深远的。从宏观角度看，通过教育，培养出适应时代需要的、善于思维懂得思考、具有创新精神和创新能力的高素质人才，是提高整个民族创新水平的关键。只有通过教育发展学生的思维能力，从而最终改变落后的民族思维方式，打破因循守旧的保守心理和恪守常规的落后观念，才能启蒙愚昧、解放思想，提高整个民族的思维水平；只有培养学生勇于变革、锐意进取、不断创新的科学品

---

① 赫钦斯．普通教育［C］//华东师范大学教育系，杭州大学教育系．现代西方资产阶级教育思想流派论著选．北京：人民教育出版社，1980：201.

② 联合国教科文组织国际教育发展委员会．学会生存——教育世界的今天和明天［M］．华东师范大学比较教育研究所，译．北京：教育科学出版社，1996：188.

质，培养他们接受新事物新理论、并推动新事物新理论不断向前发展的科学精神，才能使我们民族的起点更高，立意更新。从微观角度看，通过接受教育，发展个体的思维品质和水平，使每一个人都成为创造的主体，都能够不断地从自己的创造性工作过程和成果中体验到生命的价值，体验到成功的感动，那么无论对于其内在潜力的进一步挖掘、创造活力的不断释放，还是对于其人格的圆满、心性的提升，都大有裨益。

总之，教会学生思维应当成为教育的一个重要的、普遍的目标，它要面向全体受教育者，各级各类教育都应该以此为使命，让每一个学生学会思维，成为一个有思想的人，成为一个真正"受过教育的人"。

——郅庭瑾，原载《教育参考》2000 年第 4 期，《教育文摘周报》转载

参 考 文 献

中文部分

［1］奥苏伯尔,等.教育心理学［M］.佘星南,等,译.北京:人民教育出版社,1994.

［2］白学军.智力心理学的研究进展［M］.杭州:浙江人民出版社,1996.

［3］布莱登,等.左脑思维魔法训练［M］.丁大刚,译.上海:世界图书出版公司,2007.

［4］邴正.当代人与文化——人类自我意识与文化批判［M］.长春:吉林教育出版社,1998.

［5］保罗,等.批判性思维——思维、写作、沟通、应变、解决问题的根本技巧［M］.乔苒,等,译.北京:新星出版社,2006.

［6］成中英.论中西哲学精神［M］.上海:东方出版中心,1991.

［7］陈龙安.创造性思维与教学［M］.北京:中国轻工业出版社,1999.

［8］陈志良.思维的建构和反思［M］.北京:中国人民大学出版社,1989.

［9］程钢,郭瞻予.知识的批判［M］.沈阳:辽海出版社,2000.

［10］蔡克勇.21世纪中国教育向何处去［M］.长春:吉林人民出版社,1999.

［11］丁钢.文化的传递与嬗变——中国文化与教育［C］.上海:上海教育出版社,1990.

［12］杜威.民主主义与教育［M］.王承绪,译.北京:人民教育出版社,1990.

［13］杜威.我们怎样思维·经验与教育［M］.姜文闵,译.北京:人民教育出版

社,1991.

[14] 董奇.儿童创造力发展心理[M].杭州:浙江教育出版社,1998.

[15] 恩田彰,等.创造性心理学——创造的理论和方法[M].陆祖昆,译.石家庄:河北人民出版社,1987.

[16] 菲利普·库姆斯.世界教育危机[M].赵宝恒,等,译.北京:人民教育出版社,2001.

[17] 胡伦贵,等.人的终极努力开发——创造性思维及训练[M].北京:中国工人出版社,1992.

[18] 吉尔福特.创造性才能——它们的性质、用途与培养[M].施良方,等,译.北京:人民教育出版社,1991.

[19] 金一鸣.教育原理[M].合肥:安徽教育出版社,1995.

[20] 金生鈜.规训与教化[M].北京:教育科学出版社,2004.

[21] 杰里·温德,科林·克鲁克.超常思维的力量[M].周晓林,译.北京:中国人民大学出版社,2005.

[22] 孔庆东,摩罗,余杰.审视中学语文教育[C].汕头:汕头大学出版社,1999.

[23] 坎贝尔.多元智能教与学的策略——发现每一个孩子的天赋[M].王成全,译.北京:中国轻工业出版社,2001.

[24] 克伯屈.教学方法原理——教育漫谈[M].王建新,译.北京:人民教育出版社,1991.

[25] 刘佛年.中国教育的未来[M].合肥:安徽教育出版社,1995.

[26] 刘磊,等.知识经济——第三次经济革命[M].北京:中国大地出版社,1998.

[27] 陆有铨.躁动的百年——20世纪的教育历程[M].济南:山东教育出版社,1997.

[28] 李淑文.创新思维方法论[M].北京:中国传媒大学出版社,2006.

[29] 李瑜青,等.人本思潮与中国文化[M].北京:东方出版社,1998.

[30] 迈克尔·富兰.变革的力量——透视教育改革[M].中央教育科学研究所,加拿大多伦多国际学院,译.北京:教育科学出版社,2005.

[31] 麦科伊.我怎么没想到?[M].曹彦博,译.北京:中信出版社,2002.

[32] 欧阳绛.思维是一种能量[M].北京:中央编译出版社,2005.

[33] 皮连生.智育心理学[M].北京:人民教育出版社,1996.

[34] 彭华生.语文教学思维论[M].南宁:广西教育出版社,1996.

［35］钱学森.关于思维科学［M］.上海:上海人民出版社,1986.

［36］任樟辉.数学思维论［M］//马忠林.学科现代教育理论书系.南宁:广西教育出版社,1996.

［37］S. Lan Robertson. 问题解决心理学［M］.张奇,等,译.北京:中国轻工业出版社,2004.

［38］上官子木.创造力危机——中国教育现状反思［M］.上海:华东师范大学出版社,2004.

［39］石中英.知识转型与教育改革［M］.北京:教育科学出版社,2001.

［40］孙培青.中国教育史［M］.上海:华东师范大学出版社,1992.

［41］苏富忠.思维论［M］.香港:香港中联出版社,1992.

［42］单中惠.西方教育思想史［M］.太原:山西人民出版社,1996.

［43］斯托利亚尔 A A.数学教育学［M］.丁尔,译.北京:人民教育出版社,1984.

［44］托马斯·R.霍尔.成为一所多元智能学校［M］.郅庭瑾,译.北京:教育科学出版社,2003.

［45］梯利.西方哲学史［M］.葛力,译.北京:商务印书馆,1995.

［46］滕守尧.文化的边缘［M］.北京:作家出版社,1997.

［47］卫灿金.语文思维培育学:修订本［M］.北京:语文出版社,1994.

［48］王健.让思想冲破牢笼——一堂震撼人心的创新思维课［M］.北京:北京大学出版社,2007.

［49］吴文侃.当代国外教学论流派［M］.福州:福建教育出版社,1990.

［50］汪安圣.思维心理学［M］.上海:华东师范大学出版社,1992.

［51］西奥迪尼.影响力［M］.陈叙,译.北京:中国人民大学出版社,2006.

［52］徐远和.儒学与东方文化［M］.北京:人民出版社,1994.

［53］薛涌.精英的阶梯——美国教育考察［M］.北京:新星出版社,2006.

［54］俞国良.创造力心理学［M］.杭州:浙江人民出版社,1996.

［55］袁振国.当代教育学［M］.北京:教育科学出版社,1998.

［56］袁振国.教育改革论［M］.南京:江苏教育出版社,1992.

［57］袁振国.教育新理念［M］.北京:教育科学出版社,2002.

［58］朱智贤,林崇德.思维发展心理学［M］.北京:北京师范大学出版社,1986.

［59］庄静肃,等.语文教育学［M］.北京:教育科学出版社,1998.

［60］张世英.天人之际——中西哲学的困惑与选择［M］.北京:人民出版社,1995.

[61] 佐藤学. 静悄悄的革命——创造活动的、合作的、反思的综合学习课程[M]. 李季湄,译. 长春:长春出版社,2003.

[62] 周国平. 纯粹的智慧[M]. 北京:中国电影出版社,2005.

[63] 周建平. 追寻教学道德——当代中国教学道德价值问题研究[M]. 北京:教育科学出版社,2006.

[64] 郅庭瑾. 多元智能教学[M]. 天津:天津教育出版社,2004.

[65] 赵光武,等. 思维科学研究[M]. 北京:中国人民大学出版社,1999.

[66] 赞科夫. 教学与发展[M]. 杜殿坤,等,译. 北京:人民教育出版社,1985.

外文部分

[67] BRADY L. Curriculum Development[M]. Sydney:Prentice Hall,1987.

[68] FISHER R. Teaching Thinking:Philosophical Enquiry in the Classroom[M]. London:Continuum,1998.

[69] GUIFORD J. Creative Talents:Their Nature, Uses and Development[M]. New York:Bearly Limited,1986.

[70] LIPMAN M. Thinking in Education [M]. Cambridge: Cambridge University Press,1991.

[71] MARLAND P. Teaching:Implicit Theories[M]// HUSEN T, POSTLETHWAITE,eds. The International Encyclopedia of Education. 2nd ed. New York:Pergamon, 1994.

[72] RESNICK L ,KLOPFER L. Toward the Thinking Curriculum:Current Cognitive Research[G]//1989 ASCD Yearbook. Alexandria,VA:ASCD, 1989.

[73] SHARP A, REED R. Studies in Philosophy for Children[M]. Philadelphia:Temple University Press,1992.

[74] STERNBERG R. The Nature of Creativity [M]. Cambridge:Cambridge University Press,1988.

后　记

　　作为踏入学术这座神圣的殿堂之后第一本著作,《教会学生思维》曾经给我带来了太多的收获和感动。

　　那还是在攻读博士学位期间,博士论文开题报告会上,我提出了想要对中小学校开展思维教学的问题进行研究。这个在当时尚不明晰的想法得到了导师金一鸣教授的支持。在逐步实施研究的过程中,除了文献研究和资料整理之外,1999—2001 年期间,我用了一年多的时间深入中小学校思维教学的实践中。地处上海市杨浦区的上海市六一小学曾经给了我最大的协作和帮助。六一小学所开展的"儿童哲学"校本课程实验,不仅为我的研究提供了实践的基地,更重要的是,不断激励着我对思维教学进一步关注和思考的信心。每当我在冥思苦想之后仍然困惑、茫然,甚至感到自己文思近乎枯竭之时,屡屡发现六一小学的课堂和师生才是我发现问题、寻找灵感、积累素材、形成观点的最佳源泉。

　　研究开展了一个阶段之后,许多想法渐渐明确。这个时候我又非常幸运地得到了另一个重要的支持。袁振国老师鼓励我在博士论文写作之前,先把研究的阶段性成果整理成书,放入由他主持的"新世纪教师教育丛书"中。袁老师认为,对于中小学校的教师而言,关注学生思维发展的问题,懂得如何在知识教学的同时对学生进行思维能力的培养是极为重要的教育话题。然而，承担这样一个重要而意义重大的任务，对我而言，在当时既是一个令人激动不已的机会，同时又是一个让人感到惶恐不安的挑战。

没有想到的是，《教会学生思维》于2001年出版之后，来自读者的关注与厚爱很快对我之前的工作给予了回馈。出版社的肯定、报刊杂志上的评论、销售排行榜里的排名……对我都是意想不到的珍贵的礼物。我甚至忘记了每天钻进师大图书馆从早待到晚的辛苦，忘记了盛夏时在蒸笼一般的博士生宿舍里挥汗如雨的抱怨。第一次发自心底地感受到，原来思考、研究和写作是如此让人快乐、幸福和满足的事情。尤其是，当素不相识的读者（他们基本上都是非常有经验、有想法的中小学校的优秀教师）给我写信、发邮件，坦率交流在思维教学实践中的困惑与心得；当我在全国某个校长培训班或教师培训班上讲课，课间不断有学员前来真诚告知"老师，我们读过您的书！"……我一边体会着自己的收获与快乐，内心里又渐渐感到不安，因为我的研究才刚刚开始，著作也非常粗浅，许多想法并不成熟，更谈不上完善。因此，我还需要持续不断地进行深入学习和思考。

正在这个时候，又是《教会学生思维》给我带来了新的机会。2003年秋天，安徽省语文特级教师王敬波，一位我无论何时想到就会在内心肃然起敬的长者，通过出版社和华东师大教育管理学系，辗转联系到我本人，电话里急切地提出要"到上海来拜访我，有重要的问题请教"。几天之后，王老师与他所在中学的校长风尘仆仆赶到了上海，第一次见面的场景颇具戏剧感。他们没有想到千里寻到的老师竟然如此年轻，我没有想到一位特级教师仅仅因为读了我的书，竟然要坚决而诚恳地拜我为师……在接下来的两年中，我和王敬波老师就"中学生创造性思维培养"这一课题进行了频繁的接触和深入的沟通。那是他主持的安徽省教育科学研究重点项目，也是王老师作为一个极为出色的中学教师毕生的思考与心得。经过潜心研究，一本《中学生创造性思维培养教程》、几十份实验心得、一个创意作文教学的实践探索、一批以思考和培养学生的思考能力为追求和乐趣的教师，不仅是王老师的课题成果，也成为我最好的深入学习和进一步研究的素材。

更令我惊喜的是，2005 年底，丛书主编袁振国老师和教育科学出版社共同提出了对丛书进行修订的想法。在他们的推动之下，各本著作的作者齐聚北京、上海，一次次研讨、沟通，进行头脑风暴式的各抒己见，共同探讨和交流如何对丛书进行完善和修订，使之能够与时俱进，为如火如荼的基础教育改革继续提供指导和帮助。就《教会学生思维》这本书而言，我始终认为，它的出版之所以受到热心读者的关注和广大中小学教师的认可，一个极为重要的原因在于，它试图探索的，是人才培养当中最为基本的命题，也是教育教学中一个永恒的话题。让学生不仅学到知识，而且能够掌握思维的方法，培养解决问题的能力，成为有智慧的人，这是多么令人激动和神往的教育教学的图景。然而，这也恰恰是教育改革中始终困扰和制约我们的实践性难题。理论目标的形成和观念形态的改变相对容易，难的是怎样落实和贯彻到日常的学校教育实践中去。尤其就我国目前中小学教育的状况而言，这项研究必须基于日新月异的教育实践，在不断完善和深化的过程中形成新的认识，尝试新的探索。

于是，在《教会学生思维》原有基础和框架的基础上，我结合自己 2001 年至 2005 年期间大量深入上海、江苏、浙江和安徽等地的中小学校课堂所进行的观察和研究，重新梳理和明确了新的思路。新书更名为《为思维而教》，全书紧紧围绕"让教育成为充满智慧的活动"这一目标，以突出实践性、注重应用性为标准，从知识与智慧的差异和距离谈起，通过对思维特性的阐述和思维发展的教育学分析，最终落脚在思维教学的课程资源开发、课堂教学建构和教师思维转换等话题的探讨。我认为，只有课程体系、课堂教学以及教师的思维习惯等几个方面共同努力，才能够创造有利于学生思维能力培养和发展、最终促进其智慧水平提升和人格不断完善的实践性教育教学环境。而这几个方面，也是中小学校教育教学实践中最具基础性、最为核心的关键工作。新书对于原书中一些略显陈旧过时的内容和较为抽象空泛的理论论述进行了大量的删减，并尽可能增加了生动的实践案例与相对前沿的课题研究成果。仅从文字数量看，新书的修订范围多达十几万字。

最后，本书的修订工作得到了许多人的关心和支持。丛书主编袁振国老师始终关注着修订工作的进程，并提出许多宝贵的指导和重要意见；教育科学出版社的责任编辑杨晓琳老师不断鼓励我投入新书的撰写，并以高度的专业精神和极其负责任的态度对书稿进行了反复审读，提出许多中肯而有价值的修改建议。她的严谨、踏实、亲和使我受益良多。丛书其他著作的作者也给我提供了不少有价值的观点和启发。在此对他们所有人的关心和帮助表示最为真诚的感谢！

郅庭瑾

2007 年 6 月 20 日于上海

责任编辑　杨晓琳
版式设计　贾艳凤
责任校对　张　珍
责任印制　曲凤玲

图书在版编目（CIP）数据

为思维而教/郅庭瑾著．—2 版．—北京：教育科学出
版社,2007.12（2010.4 重印）
（新世纪教师教育丛书／袁振国主编）
ISBN 978 - 7 - 5041 - 3999 - 3

Ⅰ．为…　Ⅱ．郅…　Ⅲ．教学法—研究　Ⅳ．G426

中国版本图书馆 CIP 数据核字（2007）第 184548 号

出版发行	**教育科学出版社**				
社　　址	北京·朝阳区安慧北里安园甲 9 号		市场部电话	010 - 64989009	
邮　　编	100101		编辑部电话	010 - 64989593	
传　　真	010 - 64891796		网　　址	http://www.esph.com.cn	
经　　销	各地新华书店				
制　　作	北京金奥都图文制作中心				
印　　刷	北京人卫印刷厂		版　　次	2007 年 12 月第 2 版	
开　　本	169 毫米×239 毫米　16 开		印　　次	2010 年 4 月第 4 次印刷	
印　　张	16.75		印　　数	13 001— 18 000 册	
字　　数	228 千		定　　价	33.00 元	

如有印装质量问题,请到所购图书销售部门联系调换。